SIMISOLA

RUTH RENDELL

SIMISOLA

roman

Traduit de l'anglais
par Corine Derblum

CALMANN-LÉVY

Titre original
SIMISOLA
(Première publication : Hutchinson, 1994)

ISBN 2-7021-2501-8

A Marie

1

IL Y AVAIT quatre personnes à part lui dans la salle d'attente et aucune d'elles n'avait l'air malade. La blonde au teint mat et au survêtement griffé éclatait de santé, le corps tout en muscles, les mains tout en tendons dorés, hormis les ongles géranium et les taches de nicotine à l'index droit. Elle avait changé de place quand une enfant de deux ans était arrivée avec sa mère et avait élu domicile sur la chaise voisine de la sienne. Maintenant la blonde en survêtement en était le plus loin possible, à deux sièges de lui, à trois du très vieil homme assis, les jambes serrées, les mains crispées sur la casquette à carreaux posée sur ses genoux et les yeux fixés sur le panneau où les noms des médecins étaient imprimés.

A chacun des généralistes correspondaient un voyant lumineux placé au-dessus de son patronyme et, au-dessous, un crochet où pendaient des anneaux de couleur : un voyant et des anneaux rouges pour le Dr Moss, verts pour le Dr Akande, bleus pour le Dr Wolf. Le vieillard avait reçu un anneau rouge, remarqua Wexford, et la mère de l'enfant un bleu, exactement ce à quoi il se serait attendu : une préférence pour le plus âgé des praticiens dans le premier cas, pour une femme dans le second. La femme en survêtement n'avait pas d'anneau du tout. Ou bien elle ne savait pas qu'on était censé se présenter à l'accueil, ou elle ne voulait pas s'en donner la peine. Wexford se demanda pourquoi elle ne venait pas en consultation privée sur rendez-vous,

9

plus tard dans la matinée, ce qui lui aurait évité d'attendre ici, nerveuse et impatiente.

L'enfant, lasse d'aller et venir sur les sièges alignés, avait tourné son attention vers les magazines posés sur la table et entrepris d'en déchirer les couvertures. Qui était malade, de cette petite fille ou de sa mère pâle et trop corpulente ? Personne n'eut un mot pour empêcher le saccage, mais le vieillard lança des regards indignés et la femme en survêtement commit le geste impardonnable, l'affront suprême. Elle plongea la main dans son sac en crocodile, en sortit un étui plat en or dont la fonction eût été un mystère pour la plupart des moins de trente ans, et en retira une cigarette qu'elle alluma à l'aide d'un briquet en or.

Wexford, que cette scène avait réussi à distraire de sa propre anxiété, devint alors absolument fasciné. Parmi les exhortations à utiliser des préservatifs, à faire vacciner ses enfants et à surveiller son poids, pas moins de trois avis sur les murs signifiaient l'interdiction de fumer. Qu'allait-il se passer ? Un système quelconque permettait-il de détecter la présence de fumée dans la salle d'attente depuis l'accueil ou le dispensaire ?

La mère de l'enfant réagit, non en rabrouant la femme en survêtement mais en reniflant, en attirant rageusement la fillette et en lui administrant une tape. Des hurlements s'ensuivirent. Le vieillard se mit à secouer la tête d'un air attristé. A la surprise de Wexford, la fumeuse se tourna vers lui et lui dit sans préambule :

« J'ai appelé le médecin mais il a refusé de se déplacer. C'est stupéfiant, non ? J'ai été forcée de venir ici moi-même. »

Wexford répondit vaguement que les généralistes ne faisaient plus de visites à domicile sauf en cas de maladie grave.

« Comment peut-il savoir que ce n'est pas grave, s'il ne se déplace pas ? »

Elle dut interpréter correctement son regard incrédule, car elle ajouta :

« Oh, ce n'est pas pour moi ! C'est pour une des domestiques. »

Incroyable... Il avait grande envie d'en savoir plus mais n'en eut pas l'occasion. Deux événements se produisirent simultanément. Le voyant bleu du Dr Wolf s'alluma, et la porte s'ouvrit pour livrer passage à l'infirmière. Celle-ci dit d'un ton tranchant :

« Veuillez éteindre cette cigarette. Vous n'avez pas vu l'affichette ? »

La femme en survêtement avait ajouté au scandale en laissant tomber de la cendre par terre. Sans doute son mégot aurait-il suivi le même chemin si l'infirmière ne le lui avait pris des mains avec un petit grognement convulsif pour l'emporter au loin, vers des régions jusqu'alors non polluées. Nullement embarrassée par cet incident, la femme esquissa un haussement d'épaules et adressa à Wexford un sourire radieux. La mère et la fille quittèrent la salle d'attente en quête du Dr Wolf au moment précis où deux autres patients entraient. Le voyant du Dr Akande s'alluma. Et voilà, pensa Wexford, sentant revenir sa peur : maintenant, je vais être fixé. Il accrocha l'anneau vert et sortit sans se retourner. Instantanément, ce fut comme si ces gens n'avaient jamais existé, comme si aucune de ces choses ne s'était passée.

Et s'il tombait dans le petit couloir qui conduisait au bureau du docteur ? Déjà par deux fois ce matin-là il était tombé. Il n'aurait pu choisir un meilleur endroit qu'un dispensaire — non, se reprit-il, il faut vivre avec son temps : un centre médical. Le meilleur endroit pour se trouver mal. S'il avait quelque chose au cerveau, une excroissance, un caillot de sang... Il frappa à la porte, contrairement à la plupart des gens.

« Entrez ! » lança Raymond Akande.

C'était la seconde fois seulement que Wexford venait consulter Akande depuis que celui-ci avait intégré le cabinet, à la retraite du Dr Crocker, et sa première visite avait eu pour but une piqûre antitétanique lorsqu'il s'était coupé dans le jardin. Il se plaisait à croire qu'un courant était passé entre eux, qu'ils s'étaient pris de sympathie l'un pour l'autre. Et aussitôt il se reprochait d'avoir cette pensée, d'y attacher de l'importance, car il savait pertinemment qu'il

11

ne se serait pas soucié de sympathie ou d'antipathie si Akande avait été autre qu'il était.

Ce matin-là, pourtant, ces réflexions étaient bien loin. Il ne se préoccupait que de lui-même, que de la peur, des affreux symptômes. Gardant son calme, s'efforçant d'être détaché, il décrivit cette façon qu'il avait de tomber quand il sortait du lit le matin, la perte d'équilibre, le sol montant à sa rencontre.

« Des maux de tête ? Des nausées ? » interrogea le Dr Akande.

Non, rien de tout cela, dit Wexford, l'espoir s'insinuant par la porte qu'on lui ouvrait. Et puis, c'est vrai, il avait eu un léger refroidissement. Mais c'est que quelques années plus tôt il avait eu cette thrombose à l'œil, et depuis ce temps-là... Eh bien, il s'attendait constamment à quelque chose de ce genre, une attaque peut-être, Dieu l'en préserve !

« J'ai pensé au syndrome de Ménière, avança-t-il en néophyte.

— Je ne suis nullement partisan de mettre les livres à l'index, dit le médecin, mais, personnellement, je brûlerais volontiers toutes les encyclopédies médicales.

— C'est vrai que j'en ai consulté une, admit Wexford. Et les symptômes ne correspondaient pas, à part les chutes.

— Pourquoi ne pas laisser faire les spécialistes et vous en remettre à moi pour le diagnostic ? »

Il y était tout disposé. Akande lui palpa la tête, ausculta son torse puis testa quelques-uns de ses réflexes.

« Vous avez pris le volant pour venir ici ? »

La gorge nouée, Wexford hocha la tête.

« Ne conduisez plus. Pas pendant quelques jours. Bien entendu, vous pouvez reprendre votre voiture pour rentrer chez vous. La moitié de la population de Kingsmarkham a attrapé ce virus. Je l'ai moi-même contracté.

— Un virus ?

— C'est bien ce que j'ai dit. C'est un virus bizarre, qui s'attaque apparemment aux canaux semi-circulaires des oreilles. Or, ceux-ci régissent l'équilibre.

— Ce n'est vraiment que ça ? Un virus ? Un virus peut

12

vous faire tomber ainsi, à l'improviste ? Je me suis étalé de tout mon long dans le jardin, hier.

— Ça devait faire une sacrée longueur. Vous n'avez pas eu d'apparitions miraculeuses ? Personne n'est venu vous exhorter à écouter la voix de votre conscience tourmentée ?

— Vous voulez dire que les visions sont un autre symptôme ? Oh ! non, je comprends. Comme sur le chemin de Damas. Vous n'allez pas me dire que Paul n'avait qu'un vulgaire virus ? »

Le Dr Akande éclata de rire.

« L'opinion admise est qu'il souffrait d'épilepsie. Non, ne faites pas cette tête. C'est bien un virus, je vous assure, et non un cas spontané d'épilepsie. Je ne vais rien vous prescrire. Ça passera tout seul d'ici un jour ou deux. En fait, je ne serais pas étonné si ça passait tout de suite, maintenant que vous savez que vous n'avez pas de tumeur au cerveau.

— Comment avez-vous deviné... ? Mais je suppose que vous avez l'habitude des craintes irrationnelles de vos patients.

— C'est compréhensible. Quand ce ne sont pas les ouvrages médicaux, ce sont les journaux qui ne leur laissent jamais oublier leur santé cinq minutes. »

Akande se leva et tendit la main. Wexford trouva que c'était bien sympathique, cette habitude de serrer la main aux patients comme le faisaient les médecins des années plus tôt, du temps où ils rendaient visite à domicile et envoyaient la note.

« Les humains sont d'étranges créatures, dit pensivement le médecin. Ce matin par exemple, j'attends une personne qui vient pour sa cuisinière. J'ai demandé qu'on m'envoie la malade, mais apparemment cela ne convenait pas. J'ai le sentiment — sans fondement, je l'avoue, une simple intuition — qu'elle ne va pas déborder de joie en découvrant que je suis ce que le patron de mon beau-père appelait "un homme de couleur". »

Pour une fois, Wexford resta sans voix.

« Je vous ai embarrassé ? J'en suis désolé. Ces choses affleurent à peine à la surface et parfois elles remontent.

— Vous ne m'avez pas embarrassé. C'est seulement que je n'ai rien trouvé à répondre en guise de protestation ou de réconfort. J'étais simplement d'accord, et cela, je n'avais pas envie de le dire. »

Akande lui donna une petite tape sur l'épaule, ou du moins une tape dirigée vers l'épaule mais qui atterrit sur le bras.

« Prenez deux ou trois jours de repos. Vous devriez être rétabli jeudi. »

Au milieu du couloir, Wexford rencontra la blonde qui se dirigeait vers le bureau d'Akande.

« Je sais que je vais perdre ma cuisinière, j'en ai le pressentiment », lui dit-elle au moment où elle le croisait.

Un miasme qui était un mélange de Paloma Picasso et de Rothman Kingsize flotta dans son sillage. Elle n'avait sûrement pas voulu dire que la cuisinière allait mourir ?

Il sortit d'un pas ragaillardi en poussant les deux battants de la double-porte. Une seule des voitures garées dans le parking pouvait être à elle, la Lotus Elan avec la plaque personnalisée AK3. Elle devait avoir payé cher, c'était une des premières. Annabel King, imagina-t-il. Anne Knight ? Alison Kendall ? Il n'y avait pas pléthore de noms anglais commençant par K, et d'ailleurs elle n'était certainement pas d'origine anglaise. Anna Karénine, pensa-t-il absurdement.

Akande avait dit qu'il pouvait reprendre sa voiture pour rentrer chez lui. En fait, Wexford aurait aimé rentrer à pied, il était séduit par l'idée de marcher maintenant qu'il avait cessé de tomber — et d'avoir peur de tomber. Curieux, ce que l'esprit était capable de faire faire au corps. S'il laissait la voiture ici, il n'aurait qu'à revenir la chercher plus tard.

Sur les marches basses du centre médical, la jeune femme descendait en se dandinant et l'enfant en sautillant. Bien disposé, Wexford baissa la vitre et leur demanda si elles souhaitaient qu'il les dépose. Quelque part, n'importe où. Il était d'humeur à faire un détour de plusieurs kilomètres si besoin était.

« Nous ne montons pas avec des inconnus. N'est-ce pas, Kelly ? » dit très fort la mère à l'enfant.

14

Mortifié, Wexford rentra la tête. Elle avait parfaitement raison, et lui tort. Elle avait agi avec sagesse. Il risquait d'être un violeur doublé d'un pédophile dissimulant sournoisement ses intentions infâmes sous le prétexte d'une visite chez le médecin. En sortant, il croisa une voiture qui entrait, une vieille Ford Escort repeinte en rose vif qui lui sembla familière. On voyait rarement des voitures roses. Mais à qui appartenait-elle ? Il avait une excellente mémoire visuelle — les visages et les paysages urbains s'y fixaient avec netteté — mais les noms s'effaçaient.

Il s'infiltra dans South Queen Street. Ce serait agréable d'apprendre la nouvelle à Dora, et il se laissa aller à imaginer l'horreur, l'angoisse partagée, le courage de façade sur leurs deux visages s'il avait dû lui apprendre qu'il avait rendez-vous à l'hôpital pour un scanner du cerveau. Rien de tout cela n'arriverait. Aurait-il été courageux, dans le cas contraire ? Lui aurait-il menti ?

En ce cas, il lui aurait fallu mentir à trois personnes. En s'engageant dans l'allée de son garage privé, il vit que la voiture de Neil y était déjà, obligeamment garée sur l'extrême gauche pour lui laisser le passage. La voiture de Neil et Sylvia, eût-il mieux fait d'apprendre à dire, car ils se la partageaient désormais, sa fille ayant dû se défaire de la sienne quand elle avait perdu son emploi. Ils n'auraient peut-être même pas les moyens de conserver celle-ci, au train où allaient les choses.

Je devrais être content, pensa-t-il, je devrais être flatté. Tout le monde n'a pas des enfants qui viennent se réfugier dans le giron de papa-maman quand le malheur s'abat. Les siens n'y manquaient jamais. Il n'aurait pas dû avoir cette réaction, cette réponse immédiate à la vue de l'auto des Fairfax, qui était de se demander : qu'est-ce qu'il y a encore ?

L'adversité est bénéfique à certains mariages. Le couple en guerre met ses querelles de côté pour s'unir contre le monde entier. Quelquefois. Encore faut-il que le ménage soit dans une sacrée mauvaise passe avant que cela se produise. Le mariage de l'aînée de Wexford battait de l'aile

15

depuis longtemps, et différait principalement des mauvais mariages des autres en ce qu'elle et Neil s'obstinaient à rester ensemble, cherchant sempiternellement de nouveaux remèdes par souci pour leurs deux fils.

Un jour, Neil avait confié à son beau-père : « Je l'aime. Je l'aime vraiment », mais c'était il y avait longtemps. Bien des larmes avaient coulé depuis et bien des paroles cruelles avaient été prononcées. A maintes reprises, Sylvia avait amené les enfants à Dora et tout aussi souvent Neil s'était loué une chambre dans un motel d'Eastbourne Road. Les études de Sylvia et son travail d'assistante sociale n'avaient pas réglé les problèmes, pas plus que les somptueux voyages à l'étranger et les déménagements pour des maisons plus belles et plus spacieuses. Au moins, l'argent ou l'absence d'argent n'avait jamais été en cause. Il y en avait largement, très largement assez.

Jusqu'au moment où le cabinet d'architectes du père de Neil (dont le père et le fils formaient les deux associés) avait senti le poids de la récession, puis sa morsure, puis s'était fait assommer et laminer jusqu'à la faillite. Neil était sans emploi depuis cinq semaines, Sylvia depuis presque six mois.

Wexford entra chez lui et s'immobilisa un instant, écoutant leurs voix : celle de Dora, posée et calme, celle de Neil indignée, encore incrédule, celle de Sylvia autoritaire. Il ne doutait pas qu'ils l'attendaient, qu'ils étaient venus pensant le trouver là, prêt à se laisser distraire de sa tumeur cérébrale ou de son embolie par leur catalogue d'ennuis : pas de travail, pas d'avenir, une dette hypothécaire croissante.

Il ouvrit la porte du salon et Sylvia se rua sur lui pour se pendre à son cou. C'était une femme grande et vigoureuse, tout à fait à même de l'embrasser sans s'accrocher à lui. Pendant quelques secondes, il crut cette démonstration d'affection motivée par l'anxiété pour sa santé, pour sa vie même.

« Papa, dit-elle — gémit-elle. Papa, devine à quoi nous en sommes réduits, Neil et moi ? C'est incroyable, mais c'est arrivé. Tu ne vas pas le croire. Neil s'inscrit au chômage ! A la charité publique !

16

— Pas exactement, ma chérie, dit Neil, employant un terme d'affection que Wexford n'avait pas entendu sortir de sa bouche depuis bien des années. Ce sont plutôt des indemnités.

— Bon, ça revient au même. Assistance, allocations ou indemnités, c'est du pareil au même. C'est incroyable, c'est épouvantable que ça nous arrive à nous. »

Fascinant, comme la voix toute douce de Dora pénétrait ces éclats stridents. Elle les transperça comme un mince fil métallique coupe en deux un gros bloc de cheddar extra-fort.

« Qu'a dit le Dr Akande, Reg ?

— C'est un virus. Apparemment, il traîne beaucoup dans le coin. Je dois prendre deux ou trois jours de congé, c'est tout.

— Quel soulagement ! Un virus », dit Dora d'un ton enjoué.

Sylvia eut un reniflement de dédain.

« Ça, j'aurais pu vous le dire. Je l'ai eu la semaine dernière. Je tenais à peine sur mes jambes.

— Alors c'est dommage que tu ne me l'aies pas dit, Sylvia.

— J'ai d'autres chats à fouetter, non ? Ça me ferait bien rire, si je n'avais à me battre que contre un petit vertige. Maintenant que tu es là, papa, tu arriveras peut-être à dissuader Neil de le faire. Moi, je ne suis pas de taille, il ne s'intéresse jamais à ce que je dis. N'importe qui a plus d'influence sur lui que sa propre femme.

— A le dissuader de faire quoi ?

— Je viens de te le dire. De s'inscrire au... Je n'en connais plus la dénomination exacte, c'est l'endroit qui sert à la fois de centre d'allocations et de bureau de placement... Mais on n'appelle plus ça comme ça.

— Plus depuis des années, dit Neil. C'est le Centre pour l'emploi.

— Pourquoi devrais-je l'en empêcher ?

— Parce que c'est détestable, dégradant, que ce n'est pas le genre d'endroit que fréquentent les gens comme nous.

17

— Et que font les gens comme nous ? s'enquit Wexford d'un ton qui aurait dû la mettre en garde.

— Ils trouvent quelque chose dans les offres d'emplois du *Times*. »

Neil rit et Wexford sourit tristement, sa colère cédant la place à la pitié. Neil épluchait les petites annonces du quotidien depuis des semaines ; il avait écrit, comme il l'avait expliqué à son beau-père, plus de trois cents lettres de candidature, tout cela en vain.

« Ce n'est pas le *Times* qui te donnera de l'argent, répliqua Neil, et Wexford perçut l'amertume de sa voix si Sylvia en était incapable. De plus, il faut que je sache à quoi m'en tenir pour notre hypothèque. Ils peuvent peut-être empêcher le constructeur de reprendre possession de la maison. Moi, je n'en ai pas le pouvoir. Ils peuvent me conseiller au sujet des écoles des enfants, même si ce n'est que pour me dire de les envoyer au lycée d'Etat de Kingsmarkham. Quoi qu'il en soit, j'obtiendrai de l'argent. Par mandat postal, je crois ? En tout cas, je le saurai bientôt. Et ça vaudrait mieux pour moi, Reg, ça vaudrait mieux. Il nous reste seulement deux cent soixante-dix livres sur notre compte-joint, le seul que nous ayons. C'est aussi bien, puisqu'ils veulent savoir de combien d'économies on dispose avant d'accorder des indemnités.

« Veux-tu un prêt ? proposa paisiblement Wexford. Nous pourrions vous faire une petite avance. »

Il réfléchit, s'éclaircit la gorge.

« Disons mille livres ?

— Merci, Reg, merci beaucoup, mais il vaut mieux pas. Cela ne ferait que retarder l'échéance. Je vous suis très reconnaissant de cette proposition. Un emprunt doit être remboursé et je ne vois pas comment je serais en mesure de le faire avant des années. Je dois partir, dit-il après avoir consulté sa montre. Mon rendez-vous avec le conseiller est à dix heures trente.

— Ah ! Parce qu'ils te fixent rendez-vous ? »

Dora avait parlé sans réfléchir. C'était étrange, comme un sourire pouvait assombrir une physionomie. Neil n'avait presque pas sourcillé.

« Eh bien, oui : on me fait l'honneur d'un rendez-vous !
Vous voyez à quel point le fait d'être au chômage est dégradant ? Je n'ai plus ma place parmi ceux qui peuvent prétendre aux faveurs de la société. Aux yeux du monde, je fais partie de la queue, de la file d'attente, de ceux qui ont encore de la chance qu'on veuille bien les recevoir, ceux qu'on renvoie chez eux les mains vides en leur disant de revenir demain. J'ai probablement perdu en même temps ma situation et mon nom de famille. Quelqu'un viendra m'appeler et dira : "Neil, maintenant Mr Stanton va vous recevoir." A treize heures, bien que je sois convoqué pour dix heures trente...

— Je suis navrée, Neil, je ne voulais pas...

— Non, bien sûr, vous ne vouliez pas. C'est inconscient. Ou plutôt, c'est un décalage de la conscience, un ajustement entre la manière dont on pense à un architecte prospère surchargé de contrats et à un chômeur. Maintenant, il faut que j'y aille. »

Il ne prendrait pas la voiture. Sylvia en avait besoin. Il ferait à pied les huit cents mètres jusqu'au Centre, et ensuite...

« Il prendra le car, j'imagine, dit Sylvia. Pourquoi pas ? Une fois sur deux, c'est moi qui dois le faire. Et tant pis s'il n'y en a que quatre par jour. Nous sommes forcés de surveiller notre consommation d'essence. Il peut bien faire huit kilomètres. Autrefois, tu nous racontais que ton grand-père faisait huit kilomètres dans les deux sens pour aller à l'école quand il n'avait que dix ans. »

Il y avait dans sa voix un désespoir résolu que Wexford n'aimait pas entendre, autant qu'il déplorait sa tendance à s'apitoyer sur elle-même et sa susceptibilité. Il entendit Dora proposer de garder les garçons pendant le week-end pour que Sylvia et Neil puissent s'échapper, même si ce n'était qu'à Londres où vivait la sœur de Neil, et il abonda dans son sens avec un peu trop d'enthousiasme.

« Quand je pense, dit Sylvia, qui était encline à de douloureuses réminiscences, que j'ai trimé comme une esclave pour devenir assistante sociale ! »

Elle adressa un signe de tête à son mari qui partait, et ajouta alors qu'il était encore à portée de voix :

« Neil n'a pas vraiment adapté son mode de vie pour m'aider. J'ai dû m'arranger pour faire garder les garçons. Parfois, à minuit j'étais encore en train d'étudier. Et tout ça pour quoi ?

— Les choses finiront forcément par s'arranger, ma chérie, dit Dora.

— Je ne trouverai jamais une autre place d'assistante sociale, je le sens. Tu te souviens des enfants de Stowerton, papa ? Ces gosses qui étaient restés tout seuls chez eux ? »

Wexford s'en souvenait. Deux de ses hommes étaient allés cueillir les parents à Gatwick, à la descente de l'avion en provenance de Ténériffe.

« Les Epson, c'est bien comme ça qu'ils s'appelaient ? Lui était noir et elle blanche...

— Qu'est-ce que ça vient faire là-dedans ? Pourquoi y mêler le racisme ? Ça a été mon dernier boulot d'assistante avant les compressions de personnel. J'étais loin d'imaginer que je me retrouverais femme au foyer avant que ces gosses aient été rendus à leurs parents. Vraiment, tu veux bien garder les enfants ce week-end, maman ? »

C'était la femme qu'il avait vue au volant de la voiture rose. Fiona Epson. Mais cela n'avait pas d'importance. Wexford hésita entre monter s'étendre ou faire fi des ordres du médecin en retournant travailler. Le travail eut le dessus. En quittant la maison, il entendit Sylvia chapitrer sa mère sur ce qu'elle appelait « les formes acceptables de langage politiquement correct ».

2

QUAND LA FAMILLE AKANDE avait emménagé à Kingsmarkham environ un an plus tôt, les propriétaires qui
habitaient de part et d'autre du 27 Ollerton Avenue avaient
mis leur maison en vente. Pour insultant que ce fût envers
Raymond et Laurette Akande et leurs enfants, d'un point
de vue pratique cela tourna à leur avantage. La récession
était à son paroxysme et les maisons furent longues à trouver preneur. Mais le prix demandé baissant régulièrement,
de nouveaux propriétaires finirent par prendre possession
des lieux. Ils se révélèrent des gens sympathiques, aussi
aimables et ouverts que les autres voisins d'Ollerton
Avenue.

« Remarquez bien mon choix des mots, souligna Wexford. J'ai dit "aimables", j'ai dit "ouverts", je n'ai pas dit
qu'ils n'étaient pas racistes. Nous sommes tous racistes
dans ce pays.

— Oh, allons ! protesta l'inspecteur Michael Burden. Je
ne le suis pas. Vous non plus. »

Ils prenaient le café dans la salle à manger de Wexford,
pendant que les petits Fairfax, Robin et Ben, et Mark, le
fils de Burden, regardaient Wimbledon à la télévision dans
la pièce voisine, en compagnie de Dora. C'est Wexford qui
avait abordé ce sujet, il savait à peine pourquoi. Peut-être
à cause de l'accusation de Sylvia quand ils avaient discuté
des Epson. Il y avait assurément réfléchi.

21

« Ma femme ne l'est pas, ni la vôtre, continua Burden. Et nos enfants non plus.

— Nous sommes tous racistes, répéta Wexford comme si son compagnon n'avait rien dit. Sans exception. Ceux qui ont dépassé la quarantaine sont pires, c'est à peu près tout ce qu'on peut dire. Vous comme moi, nous avons été élevés dans l'idée que nous étions supérieurs aux Noirs. Ce n'était peut-être pas explicite, mais c'était bien là. Nous avons été conditionnés ainsi, et c'est ancré en nous, c'est indéracinable. Ma femme avait une poupée noire qu'on appelait la Négresse et une blanche qu'on appelait Pamela. On parlait des Noirs en disant les Nègres. Quand avez-vous entendu quelqu'un qui n'est pas sociologue comme ma fille Sylvia faire référence aux Blancs en parlant de Caucasiens ?

— Ma mère disait "moricaud" et elle pensait être polie. "Nègre" était insultant, en revanche "moricaud" était convenable. Mais c'était il y a longtemps. Les choses ont changé.

— Non. Pas beaucoup. C'est seulement qu'il y a plus de Noirs autour de nous. Mon gendre me disait l'autre jour qu'il ne remarquait plus la différence entre un Blanc et un Noir. Je lui ai dit : "Tu ne remarques pas la différence entre le clair et le foncé, alors ? Tu ne vois pas si une personne est grosse et l'autre mince ?" En quoi ce genre de réflexion peut-il aider à venir à bout du racisme ? On sera sur la bonne voie quand, pour désigner un Noir, on dira "le type avec la cravate rouge". »

Burden sourit. Les garçons firent irruption en claquant la porte derrière eux pour annoncer que Martina et Steffi en étaient à un set chacune. Les noms de famille existaient à peine pour eux et leur génération.

« On peut prendre les biscuits au chocolat ?

— Demandez à votre grand-mère.

— Elle est allée dormir, dit Ben. Mais elle avait promis qu'on pourrait en prendre après le déjeuner, et après le déjeuner, c'est maintenant. C'est ceux au chocolat avec des pépites de chocolat. On sait où ils sont.

— N'importe quoi en échange d'une vie tranquille ! dit

22

Wexford, et il ajouta gravement, la voix un peu sévère : Mais si vous ouvrez le paquet, il faut tout finir. C'est compris ?

— *Kein Problema* », répondit Robin.

Quand les Burden et Mark furent partis, Wexford prit le questionnaire que son gendre lui avait laissé pour qu'il y jette un coup d'œil. Le ES 461, ou plutôt sa photocopie. Neil était retourné avec l'original à son entretien au Centre pour l'emploi. Sa méthode face au malheur consistant à s'enfoncer, à s'humilier au maximum, il avait pris la peine de photocopier dans leur intégralité les dix-neuf pages de ce que le Centre pour l'emploi avait choisi d'appeler un formulaire. Il avait emporté la liasse de feuillets turquoise, verts, jaunes et orange à la Boîte à Copies de Kingsmarkham, qui disposait d'une photocopieuse couleur, afin que Wexford contemple un ES 461 dans toute sa splendeur (selon ses propres termes) et constate les exigences d'un gouvernement bienveillant à l'égard de ses citoyens sans emploi.

Il fallait prendre connaissance de trois pages de remarques préliminaires avant de compléter ledit formulaire, puis suivaient quarante-cinq questions, maintes comportant des sous-questions dont la lecture lui donna le vertige. Certaines étaient anodines, certaines d'une tristesse désespérée, d'autres sinistres : « Votre état de santé limite-t-il vos aptitudes professionnelles ? » disait la question trente, après la vingt-neuvième : « Quel est le plus bas salaire pour lequel vous seriez prêt à travailler ? » On n'avait pas placé la barre très haut, pour l'enquête : « Possédez-vous un diplôme (brevet d'études, certificat général d'éducation, diplôme d'une chambre de commerce) ? » « Disposez-vous de votre propre moyen de transport ? » interrogeait la question neuf. Et la quatrième : « Si vous n'avez pas exercé d'activité professionnelle au cours de ces douze derniers mois, à quoi avez-vous employé votre temps ? »

Cette dernière question le mit en colère. En quoi cela regardait-il ces conseillers, ces fonctionnaires à la petite semaine, cette branche du gouvernement ? Il se demanda quelles réponses ils attendaient à part « à chercher du travail ». A faire une croisière aux Bahamas ? A dîner au Quat'Saisons ? A collectionner la porcelaine chinoise ? Il repoussa les pages multicolores et alla dans le salon où Navratilova bataillait toujours sur le court central.

« Pousse-toi, dit-il à Robin, qui occupait tout le sofa.

— *Pas de problème*.* »

Dans le temps, les médecins vous disaient de revenir les voir la semaine suivante ou quand les symptômes auraient disparu. De nos jours, la plupart d'entre eux sont trop occupés pour cela. Ils ne veulent pas recevoir de patients dépourvus de symptômes s'ils peuvent l'éviter. Il y en a trop de l'autre espèce, de ceux qui vraiment devraient garder la chambre et être examinés chez eux, mais qu'on oblige à se traîner tant bien que mal jusqu'au centre médical et à disséminer leurs virus dans la salle d'attente.

Celui de Wexford s'était apparemment envolé dès l'instant où le Dr Akande avait prononcé la formule magique. Il n'avait aucune intention d'y retourner pour une simple visite de contrôle et désobéit même au médecin en ne prenant pas un seul jour de repos. Quelquefois, il repensait à la question du formulaire, celle qui demandait au malheureux chômeur à quoi il avait consacré son temps, et il s'interrogeait sur la manière dont il y répondrait lui-même. Quand il ne travaillait pas, par exemple quand il était en congé mais qu'il ne partait pas : A lire, à bavarder avec ses petits-enfants, à réfléchir, à essuyer la vaisselle, à s'en jeter un vite fait à l'Olive avec un ami. A lire. Seraient-ils satisfaits ? Ou était-ce tout autre chose qu'ils comptaient trouver ?

Quand le Dr Akande lui téléphona une semaine plus tard, Wexford se sentit d'abord coupable, puis plein d'appréhension. Dora avait décroché. On allait vers les neuf heures du soir, ce mercredi du début juillet, et le soleil n'était pas encore couché. Les portes-fenêtres étaient ouvertes et Wexford, assis dans l'encadrement, relisait *L'Etranger* de

* Tous les termes marqués d'un astérisque apparaissent en français dans le texte original. (*N.d.T.*)

24

Camus trente ans après la première fois, tout en assenant de grandes claques aux moustiques à l'aide du *Kingsmarkham Courier.*

« Que veut-il ?

— Il ne l'a pas dit, Reg. »

Il existait juste une infime possibilité qu'Akande fût un généraliste si consciencieux, si scrupuleux qu'il prenait la peine de s'enquérir des patients qui n'avaient eu qu'un problème de santé mineur. A moins — et le cœur de Wexford fit un petit bond dans sa poitrine — que la « maladie des chutes » ne fût pas le problème sans gravité diagnostiqué par Akande, le résultat d'une épidémie généralisée mais somme toute bénigne. A moins qu'elle fût, en réalité, beaucoup plus sérieuse, ses symptômes les signes avant-coureurs d'une...

« Je viens. »

Il prit le récepteur. Aux premiers mots d'Akande, il sut qu'on n'allait pas lui annoncer, mais lui demander quelque chose. Le médecin ne dispensait pas sa sagesse, il venait le chapeau à la main ; cette fois, c'était à lui, le policier, d'établir le diagnostic.

« Je suis désolé de vous ennuyer avec ça, Mr Wexford, mais j'espérais que vous pourriez m'aider. »

Wexford attendit.

« Ce n'est probablement rien. »

Cette phrase, si souvent entendue, lui donnait toujours un petit frisson. D'après son expérience, c'était presque toujours quelque chose et, si on le signalait à son attention, quelque chose de mauvais.

« Si j'étais vraiment inquiet, je me mettrais en rapport avec le commissariat mais nous n'en sommes pas là. Ma femme et moi ne connaissons pas grand monde à Kingsmarkham, bien sûr, nous sommes relativement nouveaux ici. Etant mon patient...

— Que s'est-il passé, docteur ? »

Un petit rire comme pour désavouer ce qu'il allait dire, une hésitation, puis Akande répondit en usant d'une curieuse circonlocution :

« J'essaie en vain de localiser ma fille. »

Il s'interrompit, se reprit.

« Ce que je voulais dire, c'est que je ne sais par quel moyen découvrir où elle est. Evidemment, elle a vingt-deux ans. Elle est adulte. Si elle ne vivait pas chez nous, si elle était indépendante, je ne saurais même pas qu'elle n'est pas rentrée, je ne...

— Vous dites que votre fille a disparu ? coupa Wexford.

— Non, non, ce serait exagéré. Elle n'est pas rentrée à la maison, et elle n'est pas là où nous pensions qu'elle allait la nuit dernière, c'est tout. Mais, comme je le disais, elle est adulte. Si elle a changé d'avis et est allée ailleurs, ma foi ! c'est son droit.

— Cependant, vous vous seriez attendus à ce qu'elle vous prévienne ?

— Je suppose. On ne peut guère compter sur elle dans ce domaine, ni sur les jeunes en général, comme vous le savez peut-être, mais nous ne l'avons jamais prise à... A nous mentir, en quelque sorte. A agir différemment de ce qu'elle nous a dit. C'est ainsi que pour ma part je vois la chose. En revanche, ma femme s'inquiète, et c'est peu dire. Elle est très angoissée. »

C'était toujours leur femme, songea Wexford. Ils projetaient leurs émotions sur leur femme. Ma femme est un peu préoccupée à ce sujet. Cela contrarie ma femme. J'ai pris cette décision parce que, franchement, toute cette histoire a des répercussions sur la santé de ma femme. Eux, les hommes, virils et machos, ils voulaient vous faire croire qu'ils n'étaient pas accessibles à la peur et à l'angoisse, pas plus qu'à des désirs, des aspirations, des passions, des besoins.

« Comment s'appelle-t-elle ?

— Melanie.

— Quand avez-vous vu Melanie pour la dernière fois, Dr Akande ?

— Hier après-midi. Elle avait un rendez-vous à Kingsmarkham, après quoi elle devait prendre le car pour aller chez une amie, à Myringham. Cette amie fêtait son vingt et unième anniversaire hier soir, et Melanie allait y rester pour la nuit. Comme la majorité est à dix-huit ans, ils marquent le coup deux fois, une à dix-huit ans et une autre à vingt et un ans. »

Wexford en savait quelque chose. Il était autrement plus intéressé par la terreur contenue qu'il décelait dans la voix d'Akande, terreur que le médecin dissimulait sous un optimisme pathétique.

« Nous ne comptions pas la voir rentrée avant cet après-midi. Si rien ne les y oblige, ils ne se lèvent pas avant midi. Ma femme travaillait, et moi aussi. Nous pensions la trouver à la maison à notre retour.

— Est-il possible qu'elle soit rentrée puis à nouveau sortie ?

— Oui, elle a sa clef. Mais elle n'est pas allée chez Laurel, l'amie en question. Ma femme a téléphoné aux parents. Melanie ne s'est pas montrée. Et pourtant, je ne vois pas de raison de s'inquiéter outre mesure. Laurel et elle s'étaient fâchées. Ou du moins, disputées. J'ai entendu Melanie lui dire au téléphone — et je me le rappelle mot pour mot : "Maintenant je raccroche, et ne compte pas sur moi mercredi."

— Melanie a-t-elle un petit copain, docteur ?

— Plus maintenant. Ils ont rompu il y a environ deux mois.

— Mais il pourrait y avoir eu une... réconciliation ?

— Je suppose que oui, dit-il à contrecœur, puis il répéta avec espoir : Je suppose que oui. Vous voulez dire qu'elle l'aurait revu hier et qu'ils seraient partis ensemble ? Voilà qui ne plairait pas à ma femme. Elle a des idées assez strictes sur ce chapitre. »

On pouvait présumer qu'elle préférait la fornication au viol ou au meurtre, se dit Wexford assez aigrement, sans exprimer sa pensée tout haut.

« Dr Akande, vous avez probablement raison de dire que ce n'est rien. Melanie se trouve dans un endroit où elle n'a pas accès au téléphone. Voulez-vous me passer un coup de fil demain matin ? Aussi tôt que vous le souhaitez. Enfin, rectifia-t-il après une hésitation, à partir de six heures. Quoi qu'il arrive. Qu'elle revienne, téléphone, ou qu'elle ne fasse ni l'un ni l'autre.

— Quelque chose me dit qu'elle essaie de nous joindre en ce moment.

— En ce cas, n'occupons pas la ligne plus longtemps. »

Le téléphone sonna à six heures cinq.

Il ne dormait pas. Il venait tout juste de se réveiller. Peut-être parce qu'il s'inquiétait inconsciemment pour la petite Akande. En soulevant le combiné, avant même que le médecin eût parlé, il sut qu'il n'aurait pas dû attendre, qu'il aurait dû agir la veille.

« Elle n'est pas rentrée et elle n'a pas téléphoné. Ma femme se fait énormément de souci. »

Vous aussi sans doute, pensa Wexford. Moi, à votre place, je m'en ferais.

« Je vais passer vous voir. Dans une demi-heure. »

Sylvia s'était mariée pratiquement dès qu'elle avait quitté l'école. Il n'avait pas eu le temps de s'inquiéter, de se demander où elle était ou ce qui lui arrivait. Mais sa fille cadette, Sheila, lui avait causé des nuits blanches, des nuits de terreur. Lorsqu'elle revenait pour les vacances de son cours d'art dramatique, elle se faisait une spécialité de disparaître avec des petits amis, sans téléphoner, sans laisser aucun indice sur son adresse, et puis trois ou quatre jours plus tard elle appelait de Glasgow, Bristol ou Amsterdam. Il n'avait jamais pu s'y faire. Il raconterait aux Akande quelques anecdotes rassurantes sur ses propres expériences, décida-t-il en prenant sa douche et en s'habillant, mais il signalerait la disparition de Melanie. Comme il s'agissait d'une femme, et d'une toute jeune femme, on organiserait des recherches pour la retrouver.

Certains jours il allait au travail à pied, par souci pour sa santé, mais, d'habitude, c'était deux heures plus tard qu'il se mettait en route. Le matin était brumeux, tout était silencieux, le soleil d'un blanc intense dans un ciel blanc. La rosée perlait sur l'herbe des bas-côtés qui, sous la brûlure de l'été, avait pris la couleur de la paille. Il ne vit pas âme qui vive dans les deux premières rues puis, tournant pour quitter Mansfield Road, il croisa une vieille femme qui promenait un minuscule yorkshire. Personne d'autre. Deux

28

voitures le dépassèrent. Un chat, portant une souris dans sa gueule, traversa la route entre le 32 et le 25 d'Ollerton Avenue, où il se glissa par une ouverture masquée d'un rabat dans la porte d'entrée.

Wexford n'eut pas besoin de frapper au 27. Le Dr Akande l'attendait déjà sur le perron.

« C'est très aimable à vous. »

Résistant à la tentation de répondre « Pas de problème » dans une des versions polyglottes de Robin, Wexford passa devant lui et pénétra dans la maison. Le genre d'endroit où la vie s'écoulait agréable, monotone et banale. Il n'avait pas souvenir d'être déjà entré dans un des pavillons de quatre pièces d'Ollerton Avenue. La rue elle-même, bordée d'arbres, était fortement ombragée à cette époque de l'année. Cela priverait de lumière l'intérieur de la maison jusqu'à ce que le soleil passe de l'autre côté. Pendant quelques instants, avant d'être vraiment entré dans la pièce, il ne distingua donc pas la femme qui se tenait à la fenêtre, scrutant l'extérieur.

La pose classique, l'attitude par excellence de la parente, l'épouse ou l'amante qui attend et attend. *Anne, ma sœur Anne, ne vois-tu rien venir ? — Je ne vois que l'herbe qui verdoie et la route qui poudroie...* Elle se retourna et vint à sa rencontre, grande, mince, environ quarante-cinq ans, et vêtue de l'uniforme des infirmières de l'Hôpital royal de Stowerton — robe bleu marine à manches courtes, ceinture bleu marine à boucle d'argent un peu trop fantaisie, deux ou trois badges épinglés sur le sein gauche. Wexford ne s'attendait pas à une femme aussi belle, à une apparence si saisissante, à une silhouette si élégante. Pourquoi donc ?

« Laurette Akande. »

Elle tendit la main. Une longue main fine à la paume couleur maïs, au dos café foncé. Elle réussit à sourire. Il pensa qu'ils avaient toujours des dents superbes, et aussitôt le sang lui monta au visage comme cela ne lui était plus arrivé depuis l'adolescence. Mais oui, il était raciste. Comment ! Mais de l'instant où il avait mis les pieds dans cette pièce il s'était dit : « Tiens, c'est drôle, ici c'est exactement pareil que chez n'importe qui, même style d'ameublement, mêmes pois de senteur dans le même genre de vase... » Il s'éclaircit la gorge et parla d'une voix ferme.

« Vous vous inquiétez pour votre fille, Mrs Akande ?

— Nous nous inquiétons tous les deux. Je pense que nous avons des motifs pour cela, vous ne croyez pas ? Cela fait deux jours, à présent. »

Il remarqua qu'elle n'avait pas dit que ce n'était rien, que ce n'était pas étonnant vu le comportement des jeunes.

« Asseyez-vous, je vous prie. »

Son attitude était péremptoire, un peu brusque. Il lui manquait la suavité tout anglaise de son mari, son attitude agréable envers les patients. L'heure n'était pas au récit des frasques juvéniles de Sheila. Laurette Akande s'exprimait d'un ton cassant.

« Il est temps d'officialiser la situation, je pense. Il faut signaler sa disparition. N'êtes-vous pas trop haut placé pour vous en charger ?

— Je ferai l'affaire pour l'instant. Vous pourriez peut-être me donner des détails. Nous allons commencer par le nom et l'adresse des gens chez qui elle était censée passer la nuit. Je vais également noter le nom du petit ami. Au fait, quel était ce rendez-vous qu'elle avait à Kings-markham avant d'aller à Myringham ?

— C'était au Bureau d'embauche », dit le Dr Akande.

Sa femme corrigea avec précision :

« A l'antenne locale du Centre pour l'emploi et la main-d'œuvre. Melanie était à la recherche d'un travail. »

« Elle a essayé d'en trouver bien avant d'avoir fini ses cours, dit Laurette Akande. Elle a eu son diplôme cet été.

— A l'université du Sud ?

— Non, répondit le mari. A l'université de Myringham, l'ancien Institut universitaire de technologie. Tous les instituts d'enseignement supérieur sont des universités, maintenant. Elle étudiait la musique et la danse, les Arts du spectacle selon l'intitulé. Je n'ai jamais voulu qu'elle suive cette voie. Elle a eu une mention "Bien" en histoire. Pourquoi n'aurait-elle pas fait des études d'histoire ? »

Wexford crut deviner la nature profonde de cette objec-

30

tion contre la musique et la danse. « Ils font de si merveilleux danseurs ! » « Ils ont des voix si magnifiques pour le chant ! » Que de fois il avait entendu ces remarques faussement généreuses !

« Comme vous le savez peut-être, dit Laurette, les Noirs d'Afrique sont les membres de la société britannique qui possèdent le plus haut niveau d'instruction. Les statistiques le démontrent. Pour cette raison, nous fondons de grandes espérances sur nos enfants. Melanie aurait dû se préparer à un métier. »

Elle se rappela brusquement que l'éducation de Melanie n'était pas l'objet de cette situation critique.

« Enfin, à présent cela n'a plus d'importance. Il n'y avait aucun débouché pour elle dans la voie qu'elle voulait suivre. Son père l'avait prévenue, mais ils n'écoutent jamais. Je lui ai conseillé de se recycler dans la gestion ou un domaine du même genre. Elle est allée au Centre pour l'emploi, a pris un formulaire et obtenu un rendez-vous avec la conseillère chargée des nouveaux demandeurs, pour mardi à quatorze heures trente.

— Et donc, quand est-elle partie d'ici ?

— Mon mari avait sa consultation de l'après-midi. C'était mon jour de repos. Melanie a emporté un sac avec ses affaires pour la nuit. Elle a dit qu'elle pensait arriver chez Laurel à dix-sept heures et je me rappelle lui avoir dit de ne pas y compter, ce n'était pas parce qu'elle avait rendez-vous qu'elle serait reçue immédiatement, il se pouvait qu'elle attende une bonne heure. Elle est partie d'ici à quatorze heures dix afin d'avoir tout le temps d'y aller. Je le sais parce qu'il faut un quart d'heure pour aller d'ici à la grand-rue à pied. »

Quel témoin admirable aurait fait Laurette Akande ! Wexford se surprit à espérer qu'elle ne serait jamais appelée à la barre. Sa voix était calme et posée. Elle ne prononçait pas un mot de trop. Quelque part, sous l'accent du sud-est de l'Angleterre, restait une trace du pays africain d'où elle était venue, peut-être étudiante.

« Vous aviez l'impression qu'elle irait directement du Centre chez ces gens de Myringham ?

31

— J'en avais l'absolue certitude. Par le car. Elle espérait attraper celui de seize heures quinze, c'est pourquoi j'ai remarqué qu'elle attendrait peut-être avant de rencontrer la conseillère. Elle voulait prendre ma voiture mais j'ai dû refuser. J'en avais besoin le lendemain matin. Je devais être à l'hôpital à huit heures, au moment où l'équipe de jour prend la relève. Aujourd'hui aussi, dit-elle en regardant sa montre. Avec la circulation qu'il y a à cette heure-ci, il faut une demi-heure pour faire un trajet qui ne prend que dix minutes en temps normal. »

Ainsi, elle allait travailler ? Wexford avait guetté un signe de l'anxiété qui la tenaillait, selon ce que le Dr Akande affirmait avec tant d'insistance. Il n'en avait vu aucun. Soit elle ne s'inquiétait pas, soit elle s'imposait une discipline de fer.

« Où est Melanie à votre avis, Mrs Akande ? »

Elle eut un petit rire, un rire léger qui donnait la chair de poule.

« J'espère vivement qu'elle n'est pas là où je crois le plus probable qu'elle se trouve. Dans l'appartement, ou plutôt la chambre d'Euan, en sa compagnie.

— Melanie ne nous ferait pas ça, Letty.

— Elle n'aurait pas le sentiment de nous faire quoi que ce soit. Elle n'a jamais apprécié que nous nous souciions de sa sécurité et de son avenir. Je lui ai demandé si elle voulait être de ces filles que ces garçons-là engrossent exprès, pour s'en vanter fièrement. Euan a déjà deux enfants de deux filles différentes, et il n'a pas encore vingt-deux ans. Tu le sais, tu te souviens qu'elle nous a parlé de ces enfants. »

Ils avaient oublié la présence de Wexford, qui toussa. Le Dr Akande dit d'un air malheureux :

« C'est pour cette raison qu'elle a rompu. Elle était tout aussi indignée et bouleversée que nous. Elle n'est pas retournée à lui, j'en ai la conviction.

— Dr Akande, dit Wexford, j'aimerais que vous m'accompagniez au poste pour signaler la disparition de Melanie. Je pense qu'il s'agit d'une affaire sérieuse. Il faut chercher votre fille sans relâche jusqu'à ce qu'on la trouve. »

Morte ou vive. Mais cela, il ne le dit pas.

Le visage sur la photographie n'avait rien de « caucasien ». Melanie Elizabeth Akande avait le front bas, le nez large et assez épaté, les lèvres protubérantes, pleines et épaisses. Rien de la beauté classique de sa mère n'apparaissait sur ces traits. Son père était originaire du Nigeria, apprit Wexford, sa mère de Freetown à la Sierra Leone. Les yeux étaient immenses, les cheveux noirs une masse de boucles drues. En examinant le cliché, Wexford fit une étonnante découverte. Même si pour lui elle n'était pas belle, il voyait bien que selon d'autres critères, pour des millions d'Africains, d'Afro-Caribéens et d'Afro-Américains, elle serait passée pour une très jolie fille. Pourquoi était-ce toujours les Blancs qui fixaient la norme ?

Le formulaire concernant les cas de disparition, rempli par son père, indiquait une taille de 1,68 m, des cheveux noirs, des yeux marron foncé, et l'âge de vingt-deux ans. Akande dut téléphoner à sa femme, à l'hôpital, pour se rappeler que Melanie pesait cinquante-trois kilos et portait un jean bleu, une chemise blanche et un long gilet brodé lorsqu'ils l'avaient vue pour la dernière fois.

« Vous avez aussi un fils, je crois.

— Oui, il fait sa médecine à Edimbourg.

— Mais il n'y est sûrement pas en ce moment. Pas en juillet.

— Non, pour autant que je sache il est en Asie du Sud-Est. Il est parti il y a trois semaines avec deux copains. Ils comptaient aller au Viêt-nam, mais ils n'y sont probablement pas encore arrivés.

— En tout cas, sa sœur ne peut pas être avec lui, dit Wexford. Je suis forcé de vous poser cette question, docteur : En quels termes étiez-vous avec Melanie, vous et votre épouse ? Y avait-il des désaccords ?

— Nous étions en bons termes », dit très vite le médecin.

Il hésita puis nuança ses propos.

« Ma femme a des idées bien arrêtées. Il n'y a pas de mal à ça, bien sûr, et il ne fait aucun doute que nous avions pour Melanie de grands espoirs, que peut-être elle ne pouvait assumer.

« — Aime-t-elle vivre chez vous ?

— Elle n'a pas réellement le choix. Je ne suis pas en mesure de payer un logement à mes enfants, d'ailleurs je ne pense pas que Laurette apprécierait beaucoup... Laurette attend de Melanie qu'elle vive chez nous jusqu'à...

— Jusqu'à quand, docteur ?

— Jusqu'à ce qu'elle accepte l'idée d'un recyclage. Laurette part du principe que Melanie restera chez nous pendant ce temps, qu'elle ne s'en ira pas avant d'être suffisamment autonome et responsable pour s'acheter son propre appartement.

— Je vois. »

Elle était sûrement chez le petit copain, pensa Wexford. D'après le médecin, ils s'étaient connus durant leur premier trimestre à ce qui était alors l'IUT de Myringham, avant que ce genre d'établissement ne fût promu au statut d'université. Euan Sinclair venait de l'East End de Londres et avait obtenu son diplôme en même temps que Melanie, mais dès cette époque les disputes, avec leur cortège de colères et d'insultes, les avaient désunis. Un des enfants d'Euan, qui avait maintenant pas loin de deux ans, était né alors que son père sortait avec Melanie depuis un an.

Akande connaissait son adresse actuelle. Il l'énonça comme si elle était inscrite en lettres amères sur son cœur.

« Nous avons essayé de lui téléphoner mais il n'y a pas moyen d'avoir le numéro. La ligne a peut-être été coupée pour non-paiement de la facture ?

— Probablement.

— Ce jeune homme est un Antillais. »

Le snobisme dressait donc aussi la tête dans ce milieu !

« Un Afro-Caribéen, comme nous sommes supposés dire. Selon ma femme, c'est un garçon qui pourrait briser la vie de Melanie. »

Ce fut le sergent Vine qui alla à Londres voir Euan Sinclair dans le studio qu'il louait à Stepney Street. Akande avait dit qu'il ne serait pas surpris qu'Euan y vive avec une des mères de ses enfants, voire avec l'enfant. Cela rendait fort peu probable que Melanie y soit aussi, mais Vine garda sa réflexion pour lui. La police de Myringham s'était chargée d'envoyer un agent chez Laurel Tucker, l'amie de Melanie.

« J'irai moi-même au Centre », dit Wexford à Burden.

Pendant quelques secondes, son adjoint ne répondit pas. Il lisait, avec une stupéfaction croissante, le prospectus publicitaire d'une entreprise qui se faisait fort d'équiper les véhicules des particuliers de manière à rendre tout vol impossible.

« Ça se transforme en piège en métal. Au bout de deux minutes, la voiture s'arrête et plus rien ne la fera repartir. Ensuite l'alarme hurle à vous tourner les sangs. Imaginez ça sur la M2 à cinq heures et demie du soir, les embouteillages, les dangers pour la sécurité... Pourquoi voulez-vous y aller ? demanda enfin Burden en relevant la tête. Archbold pourrait le faire, ou Pemberton.

— Je n'en doute pas. Ils y vont déjà assez souvent quand quelqu'un agresse un employé ou décide de tout casser. J'y vais parce que je veux voir par moi-même à quoi ça ressemble. »

3

C E SERAIT une belle journée, pourvu que l'on supporte l'humidité. L'atmosphère lourde, sans être vraiment brumeuse, donnait une impression de densité. On avait envie d'emplir ses poumons d'air frais, mais l'air frais, c'était cette chaleur moite et il faudrait s'en contenter. Un soleil ardent était filtré par des mailles nuageuses derrière lesquelles le ciel devait être d'un bleu profond, intense, mais ressemblait à une opale laiteuse, couvert d'un réseau statique et filamenteux de cirrus.

Les gaz d'échappement étaient emprisonnés par l'air immobile sous le plafond nuageux. Le long du trottoir, Wexford passa par des endroits où quelqu'un s'était arrêté pour bavarder tout en fumant. L'odeur flottait encore, ici celle d'une cigarette française, là celle d'un cigare. Bien qu'il fût encore tôt, pas tout à fait dix heures, des relents nauséabonds de fruits de mer refluaient de la poissonnerie. Dépasser une femme dont la peau exhalait une légère senteur fleurie ou un parfum musqué procurait un agréable soulagement. Il s'arrêta pour lire le menu du nouveau restaurant indien, Le Nawab : poulet korma, agneau tikka, poulet tandoori, crevettes biryani, murghe raja. Les trucs habituels, mais on pouvait en dire autant d'un rosbif ou d'un poisson pané servi avec des frites. Tout était dans la façon d'accommoder la sauce. Burden et lui pourraient le tester au déjeuner, s'ils avaient un moment. Sinon, ce serait un plat à emporter au Moonflower, le fast-food cantonais.

Le bureau local du Centre pour l'emploi était situé de ce côté-ci du pont de Kingsbrook, un peu plus bas sur Brook Road, entre le Marks & Spencers et la Société nationale du bâtiment. Pas particulièrement judicieux comme emplacement, songea Wexford, qui en était frappé pour la première fois. Ceux qui venaient pointer devaient frémir devant un édifice susceptible de leur rappeler de lourdes hypothèques ou une adjudication, et ne devaient guère être réconfortés par la vue des clients sortant du magasin avec des sacs bourrés de spécialités culinaires qu'ils n'avaient plus les moyens de s'offrir. Pourtant, aucun de ceux qui avaient leur mot à dire n'y avait pensé ; mais peut-être que le Centre pour l'emploi s'était installé là en premier. Il ne s'en souvenait plus.

Le parking sur le côté — « Rigoureusement réservé au personnel » — comportait un accès sur la rue principale. Des marches flanquées de balustrades en pierre écornée conduisaient à une double-porte en verre et aluminium. Dedans, l'atmosphère sentait le renfermé. Difficile de dire ce que ça sentait au juste, car Wexford aperçut deux panneaux d'interdiction de fumer (« Rigoureusement interdit ») et personne ne désobéissait. Ce n'était pas non plus l'odeur des corps. S'il avait donné libre cours à son imagination, ce dont il jugea préférable de s'abstenir, il aurait dit que c'était l'odeur du désespoir, de la défaite.

La grande salle était divisée en deux secteurs ; l'un, le plus vaste, constituait le Bureau des allocations où en pointant on allait fournir la preuve de son existence, de son immédiate proximité et de son état permanent de demandeur d'emploi ; l'autre recensait les offres d'embauche. Au premier abord, une profusion d'offres. Un panneau d'affichage sur pieds réclamait des réceptionnistes, un autre du personnel de nettoyage et de restauration, un troisième des vendeurs, des cadres, des chauffeurs, du personnel de bar et autres. Une lecture plus attentive révéla à Wexford que seuls ceux qui avaient de l'expérience pouvaient postuler — on exigeait références, CV, qualifications et compétences — et pourtant on ne voulait que des jeunes. Aucune des fiches ne stipulait vraiment : « 30 ans maximum », mais l'énergie était une des conditions requises, ou bien un physique jeune et dynamique.

Les gens étaient assis, dispersés sur trois rangées de chaises. Tous avaient logiquement moins de soixante-cinq ans, mais les plus âgés en paraissaient davantage. Les jeunes en particulier semblaient désespérés. Les sièges étaient d'une terne nuance de gris, et Wexford remarqua une certaine cohérence dans la couleur, une alliance assez malencontreuse de beige crème, de bleu marine et de gris. Au bout de chaque rangée de sièges, sur la moquette mouchetée, une plante artificielle était piquée dans une urne grecque en plastique. Sur le côté, plusieurs portes étaient marquées de l'inscription « Privé », et une autre, qui donnait sur le parking, « Rigoureusement privé ». Ces gens-là avaient la passion de la rigueur.

Apparemment, dès qu'on arrivait on prenait un ticket portant un numéro à une sorte de distributeur. Quand ce numéro et celui d'un des guichets s'allumaient en rouge sur le panneau, on se levait et on allait pointer. Cela semblait se dérouler ainsi, un peu comme chez le médecin. Wexford hésita entre le comptoir et les guichets numérotés. A chacun de ceux-ci, une personne debout ou assise discutait avec un de ses collègues des complexités de la demande qu'elle traitait. Comme le révélait le badge gris et bleu marine épinglé sur son chemisier, l'employée la plus proche était « Ms [1] I. Pamber, Agent admin. ».

Le bureau voisin était provisoirement libre. Wexford s'approcha de « Ms W. Stowlap, Agent admin. » et demanda poliment s'il pouvait voir un responsable. Elle jeta un coup d'œil vers lui et dit d'un ton revêche :

« Il faut attendre votre tour. Vous ne savez donc pas que vous devez prendre une carte au distributeur ?

— Voici la seule carte que j'aie. »

Elle l'avait exaspéré. Ce fut sa carte d'inspecteur principal qu'il présenta tout en lançant : « Police ! » d'un ton cassant.

---

1. *Ms* : préfixe qui peut tout aussi bien signifier *Mrs* que *Miss*, et ne définit donc pas la situation de famille d'une femme. (*N.d.T.*)

C'était une femme maigre, aux sourcils blancs et au visage constellé de taches de son. Rougir ne l'avantageait pas. La marée rose monta jusqu'aux racines de ses cheveux roux pâle.

« Désolée, dit-elle. C'est le directeur qu'il vous faut. Mr Leyton. »

Pendant qu'elle se mettait en quête du directeur, Wexford se demanda ce qui pouvait motiver tout ce formalisme, ces « Ms » et ces « Mr », ces initiales à la place des prénoms. Cela semblait en décalage avec l'attitude contemporaine. Non qu'il y vît un inconvénient, surtout lorsqu'il songeait à la manie de Ben et Robin d'appeler tout le monde par le prénom, même le Dr Crocker qui avait près de soixante ans de plus qu'eux.

Discrètement, sans les dévisager, il passa en revue les gens qui attendaient. Vraiment beaucoup de femmes, au moins la moitié. Avant que son épouse ne lui cloue le bec en le traitant de sexiste cocardier et antédiluvien, Mike Burden avait coutume de dire que si toutes les femmes mariées n'accaparaient pas les emplois, le taux de chômage serait divisé par deux. Un Noir, quelqu'un qui avait vaguement l'air de venir du Sud-Est asiatique, deux ou trois Hindous... Kingsmarkham devenait plus cosmopolite de jour en jour. Sur le rang du fond, Wexford repéra la jeune femme corpulente qu'il avait vue dans la salle d'attente du centre médical. En caleçon rouge et vert à fleurs et en tee-shirt blanc étriqué, elle était avachie sur son siège, les jambes écartées, les yeux rivés sur le poster qui, sous le dessin d'un ballon de baudruche aux couleurs gaies, recommandait « la session d'orientation approfondie » et conseillait aux candidats à l'emploi de « donner du souffle à leurs recherches ».

Elle fixait ce poster avec des yeux aveugles, comme réduite à l'apathie à coups de massue, sans pensées, sans même de la rancœur, dans un désespoir absolu. Cette fois, elle n'était pas accompagnée de Kelly, la fillette qui courait sur les chaises et déchirait les magazines. Probablement l'enfant était-elle restée avec une grand-mère ou une voisine, et non, espérait Wexford, dans une de ces garderies où l'on attache les tout-petits dans des poussettes devant des vidéos de monstres furieux. Toutefois, mieux valait encore cela que de les laisser seuls. A côté de la femme, plus précisément deux sièges vides plus loin, une jolie fille nette et soignée formait avec elle un contraste cruel. Tout en elle respirait la bourgeoisie, de ses longs cheveux soyeux, blonds comme les blés et coupés aussi droit qu'un ourlet de rideau, à ses mocassins marron, en passant par sa chemise blanche et sa jupe en blue-jean. Une autre Melanie Akande, songea Wexford, une nouvelle diplômée qui avait découvert que les études ne débouchent pas automatiquement sur un emploi...

« Puis-je vous aider ? »

Il se tourna. L'homme avait la quarantaine, le visage rubicond, les cheveux noirs et les traits épais — le genre d'homme dont l'apparence suggère un tempérament sanguin. Sur sa veste de sport en tweed gris était épinglé le badge indiquant son nom et sa haute fonction : « Mr C. Leyton, Directeur. » Il avait une voix rude et éraillée, l'accent d'une région située au nord du Trent.

« Voulez-vous que nous allions discuter quelque part, en privé ? »

Il avait posé la question comme s'il s'attendait à une réponse négative — Mais non, ne vous dérangez pas.

« Oui, dit Wexford.

— Alors, c'est à quel sujet ? demanda Leyton par-dessus son épaule en le conduisant par-delà le comptoir et les guichets réservés aux nouveaux demandeurs.

— Ça peut attendre que nous soyons dans cet endroit privé dont vous parliez. »

Leyton haussa les épaules. L'homme à la carrure massive et au crâne rond qui se tenait devant la porte s'écarta à leur approche. Le Centre pour l'emploi avait plus grandement besoin d'un vigile que la plupart des banques, et recevait régulièrement la visite de la gent en uniforme. Le désespoir, la paranoïa et l'indignation, le ressentiment, la peur et l'humiliation engendrent tous la violence. La plupart de ceux qui venaient ici étaient en proie à la colère ou à la peur.

Un peu tard, le directeur dit en fermant la porte derrière eux :

« Je suis Cyril Leyton. Quel est le problème ?

— J'espère qu'il n'y en aura aucun. Je veux savoir si une nouvelle demandeuse d'emploi s'est présentée ici mardi pour voir un de vos conseillers. Mardi 6 juillet à quatorze heures trente. »

Leyton retroussa les lèvres et haussa les sourcils. Son expression aurait convenu au chef du MI5[1] s'entendant réclamer par un sous-fifre quelconque — un balayeur ou un chauffeur, peut-être — l'accès à des documents top secret.

« Je ne veux pas consulter de documents, s'impatienta Wexford. Je veux seulement savoir si elle est venue ici. Et j'aimerais parler à la personne qui l'a reçue.

— C'est que...

— Mr Leyton, ceci est une enquête de police. Vous savez, je suppose, qu'il me suffit de deux ou trois heures pour obtenir un mandat. A quoi bon atermoyer ?

— Quel est son nom ?

— Melanie Akande. A, K, A, N, D, E.

— Si elle est venue mardi, cela devrait figurer sur l'ordinateur, à présent, dit Leyton à contrecœur. Attendez une minute. »

Son attitude était déplorable : froide, aigre, rébarbative. Wexford devinait que son plaisir suprême, dans la vie, était de mettre des bâtons dans les roues. Quel effet faisait-il aux demandeurs d'emploi ? Peut-être ne les voyait-il jamais, étant trop « haut placé » (comme disait Laurette Akande) pour ça.

Sur les murs de la pièce toute grise s'alignaient des fichiers. Il y avait là une chaise grise pareille à celles de la salle principale, un petit bureau en métal gris et dessus un téléphone gris. La vue qu'on avait de la fenêtre semblait une débauche de couleurs, même si ce n'était que le parking de la clientèle à l'arrière du Marks & Spencers. Cyril Leyton revint, chargé d'un épais carton auxquels des documents étaient fixés par un élastique.

« Votre Miss Akande est venue à son rendez-vous à qua-

1. *Military Intelligence* : le Service de renseignement britannique. (*N.d.T.*)

41

torze heures trente et a rapporté son ES 461. C'est le formulaire requis par...

— Je sais ce que c'est.

— Bien. La CND, c'est-à-dire la conseillère aux nouveaux demandeurs, qui l'a reçue est Miss Bystock, mais vous ne pouvez pas lui parler, elle est en congé-maladie. Un virus, précisa Leyton, se dégelant un peu.

— Si elle est en congé de maladie, comment savez-vous que c'est Miss Bystock qui a reçu Melanie Akande, et non Mr Stanton ?

— Allons ! Elle a tracé ses initiales sur la demande. Vous voyez ? »

Couvrant ostensiblement tout ce qui n'était pas le coin inférieur droit de la feuille, Leyton montra à Wexford les initiales au crayon : A.B.

« Quelqu'un d'autre l'a-t-il vue ? Un autre CND ? Le personnel administratif ?

— Pas à ma connaissance. Pourquoi l'auraient-ils vue ? »

Wexford répliqua avec une extrême brusquerie :

« Ce n'est pas à moi qu'il faut le demander. Cela n'avance à rien de faire de l'obstruction. »

La bouche de Leyton s'ouvrit sans laisser échapper un son.

« Mr Leyton, cela constitue un délit d'entraver la police dans l'exercice de son devoir. Le saviez-vous ? Melanie Akande a disparu. On ne l'a pas vue depuis qu'elle a quitté ce bâtiment. C'est une affaire très grave. Vous lisez sans doute les journaux ? Vous regardez la télévision ? Vous savez ce qui arrive dans le monde où nous vivons ? Auriez-vous une raison particulière de compromettre l'aboutissement de cette enquête ? »

Le directeur, encore plus congestionné, dit lentement :

« J'ignorais. J'aurais été... Enfin, je n'avais aucune idée que...

— Vous voulez dire que le traitement que vous m'avez réservé est votre façon d'être habituelle ? »

Leyton ne répondit pas. Puis il sembla se ressaisir.

« Je suis navré. Je subis un stress énorme, ici. Est-ce

42

que... Est-ce que quelque chose lui est arrivé ? A cette femme ?

— C'est ce que je m'efforce de découvrir. Voulez-vous poser la question à votre équipe, je vous prie ? » dit Wexford en lui remettant la photographie.

Cette fois, il attendit hors de cette pièce grise à l'odeur de renfermé. Il pensait au vers d'un hymne : « Fragiles enfants de poussière... » Ce bureau évoquait une cellule taillée dans la poussière. Il lut les autres affiches, celle préconisant des tests professionnels (qu'est-ce que ça pouvait bien être ?) et celle interpellant les employeurs : « Choisissez-vous toujours le candidat le plus apte à pourvoir au poste vacant ? » Il décida de pourvoir à son édification intellectuelle en prenant connaissance d'une des brochures disposées à proximité.

Elle était étonnamment pertinente. « Soyez vigilant, disait la page de garde. Ne prenez pas de risques quand vous recherchez un emploi. » A l'intérieur, Wexford lut :

« A faire : Dire à un ami ou un parent où vous allez et à quelle heure vous comptez revenir... Vous arranger pour qu'on vienne vous chercher après l'entretien si celui-ci a lieu en dehors des heures de bureau... Vous documenter le mieux possible avant l'entretien sur la société recruteuse, surtout si l'annonce ne donne aucun détail... Vous assurer que l'entretien se déroulera sur le lieu de travail ou, sinon, dans un endroit public.

« A ne pas faire : Répondre à une annonce qui promet des gains importants presque sans effort... Accepter de prolonger l'entretien par un verre ou un dîner, même si en apparence tout se passe très bien... Laisser le recruteur orienter la conversation sur des sujets personnels qui n'ont aucun rapport avec le poste... Accepter que le recruteur vous raccompagne chez vous... »

On n'avait pas proposé de poste à Melanie, on ne l'avait pas envoyée à un entretien d'embauche. A moins que...

Cyril Leyton revint avec l'agent administratif que son badge désignait comme Ms I. Pamber, une jolie brune aux yeux d'un bleu saisissant, qui devait avoir un peu moins de trente ans et portait une jupe grise et un chemisier rose.

Aucun des membres du personnel n'était en jeans, tout le monde arborait une tenue correcte et un peu surannée.

« Je l'ai vue, cette jeune fille que vous cherchez. »

Wexford hocha la tête.

« Vous lui avez parlé ?

— Oh, non ! Je n'en avais aucune raison. Je l'ai seulement vue se lever et aller parler à Annette — à Miss Bystock.

— Vous souvenez-vous de l'heure ?

— Son rendez-vous était fixé à quatorze heures trente, et l'on n'accorde jamais plus de vingt minutes. Je suppose qu'il devait être environ trois heures moins vingt.

— A condition qu'elle ait été reçue à l'heure par Miss Bystock. Etait-ce le cas ? Ou a-t-elle dû attendre une demi-heure ?

— Non, c'est impossible. Les conseillers ont leur dernier rendez-vous à quinze heures trente, et je sais qu'Annette avait encore trois personnes à voir après elle. »

Ainsi, Laurette Akande s'était trompée sur ce point. Il demanda à Leyton l'adresse d'Annette Bystock. Pendant que le directeur était parti la chercher, il poursuivit :

« L'avez-vous vue quitter le bâtiment ? Passer la double-porte à l'entrée ?

— Je l'ai seulement vue parler à Annette.

— Merci de votre aide, Miss Pamber. Au fait, dites-moi : en ces temps où le prénom est roi, pourquoi avez-vous tous un "Ms" ou "Mr" sur vos badges, suivi d'une initiale et du nom de famille ? Cela semble très pompeux.

— Oh ! Ce n'est pas ça ! »

Elle était charmante, pensa-t-il. Chaleureuse et un tout petit peu aguichante.

« En réalité, je m'appelle Ingrid. Personne ne m'appelle jamais Miss Pamber. Mais ils disent que c'est pour notre protection. »

Levant la tête, elle le contempla à travers ses longs cils foncés. Il n'avait jamais vu des yeux d'un bleu aussi intense, le bleu d'une gentiane, d'une porcelaine de Delft ou d'un saphir.

« Je ne vous suis pas.

44

— La plupart des clients sont normaux. Ils sont agréables, dans l'ensemble. Mais on rencontre des vrais tarés, vous savez. Des fous. On en a eu un qui a voulu jeter de l'acide sur Cyril — Mr Leyton. Il ne l'a pas touché, mais il a essayé. Vous ne vous rappelez pas ? »

Wexford s'en souvenait vaguement, bien qu'il eût été en congé à l'époque.

« Heureusement, les gens capables de commettre une chose pareille sont très rares. Mais si nous avions notre identité complète sur nos badges, "Ingrid Pamber" par exemple, ce serait facile de nous retrouver dans le bottin et... Bon, il arrive que vous tombiez sur quelqu'un qui croit être amoureux de vous, ou, c'est plus probable, quelqu'un qui vous déteste. Vous comprenez, nous avons du travail et eux pas. C'est ça, le fond du problème. »

Combien de « I. Pamber » figuraient dans l'annuaire de Kingsmarkham et de sa région ? Wexford soupçonnait qu'il n'y en avait qu'un. Néanmoins, dissimuler les prénoms était une sage précaution. L'idée lui vint que pas mal de gens pouvaient se croire épris d'Ingrid Pamber.

Une autre affiche attira son regard. Celle-ci recommandait aux demandeurs d'emploi de ne donner d'argent à personne pour leur trouver du travail. Le système semblait prêter le flanc à de nombreux abus.

L'adresse d'Annette Bystock en poche, il sortit et descendit l'escalier. Dans la demi-heure écoulée depuis qu'il était entré, plusieurs jeunes étaient venus s'asseoir sur les balustrades en pierre. Deux fumaient, les autres avaient les yeux dans le vague. Ils ne firent pas attention à lui. Jeté sur le trottoir, peut-être par l'un d'entre eux, gisait un ES 461, le questionnaire multicolore. Il était ouvert à la troisième page et quand Wexford se pencha pour le ramasser, il vit qu'on avait répondu à la question quatre d'une si monumentale maladresse : « Si vous n'avez pas exercé d'activité professionnelle au cours de ces douze derniers mois, à quoi avez-vous employé votre temps ? » En capitales soigneuses sur l'espace alloué étaient inscrits deux mots : « A branler. »

Cela le fit rire. Il essaya de reconstituer l'itinéraire de Melanie Akande au sortir du Centre pour l'emploi. Si l'on se fiait au dire d'Ingrid Pamber, elle aurait eu largement le temps de prendre le car de quinze heures quinze pour Myringham, qui n'était pas à plus de cinq minutes de marche.

Wexford chronométra le temps qu'il lui fallait pour arriver à l'arrêt le plus proche. Ce genre de durée étant presque toujours plus court qu'on ne s'y attend, il constata que cela lui avait pris non cinq minutes mais trois. Cependant, Melanie n'aurait pas pu avoir le car précédent. Il étudia l'horaire encadré, quelque peu vandalisé sous le verre fendu en diagonale, mais néanmoins lisible. Les cars passaient toutes les heures, dans le premier quart d'heure. Elle aurait eu devant elle vingt bonnes minutes d'attente.

C'était pendant ces attentes forcées que les femmes acceptaient qu'on les dépose. L'aurait-elle fait ? Il devait demander aux parents si, par exemple, il lui arrivait de faire de l'auto-stop. Il attendrait quand même le rapport de Vine, et les informations en provenance de Myringham. D'ici là, avait-on remarqué quelque chose aux alentours de l'arrêt ?

Il ressortit du pressing bredouille. On ne voyait pas la rue du débit de boissons, dont la vitrine était masquée par des piles trop denses de bouteilles et de canettes. Il entra chez son marchand de journaux habituel, qui lui fournissait son quotidien depuis des années. Sitôt qu'elle l'aperçut, la femme derrière le comptoir commença à s'excuser du retard dans les livraisons, ces derniers temps. Wexford écourta, disant qu'il n'avait rien remarqué et que de toute façon il ne s'attendait pas à ce qu'un gamin ou une gamine se lève au point du jour pour lui apporter son *Independant* à sept heures et demie tapantes. Il lui montra la photographie.

Le fait que Melanie Akande fût noire était à leur avantage. Dans une ville où les Noirs étaient très peu nombreux, on l'avait aperçue, on se souvenait d'elle, même ceux qui ne lui avaient jamais parlé. Dinny Lawson, la marchande de journaux, la connaissait de vue mais pour autant qu'elle le sût Melanie n'était jamais entrée dans sa boutique. Quant aux gens qui attendaient le car, parfois elle les remarquait, d'autres pas. C'était du mardi après-midi que parlait Wexford ? Ce qu'elle pouvait lui dire, c'est que personne, blanc

46

ou noir, n'était monté dans le car de quinze heures quinze pour Myringham. Absolument personne.

« Comment pouvez-vous être aussi formelle ?

— Attendez que je vous explique. Mon mari m'a dit (ça devait être samedi ou dimanche) que c'était étonnant qu'ils laissent le car en service l'après-midi car personne n'y montait jamais. Le matin, ça oui ! Surtout ceux de huit heures quinze et de neuf heures quinze. Et ceux qui reviennent le soir, ils sont bondés. Alors j'ai dit que j'allais faire attention et juger par moi-même. Cette semaine, la porte de la boutique est restée ouverte toute la journée, il faisait si chaud ! Je voyais l'arrêt sans même m'approcher de la porte. Le fait est qu'il avait raison. Personne n'est monté dans ceux de quatorze heures quinze, de quinze heures quinze et de seize heures quinze, que ce soit lundi, mardi ou hier. Mon mari était prêt à parier cinq livres, j'étais bien contente de ne pas l'avoir pris au mot... »

Ainsi, Melanie avait disparu quelque part entre le Centre pour l'emploi et l'arrêt d'autocar. Non, disparu était un mot trop fort. Pour l'instant. Malgré ce qu'elle avait dit à ses parents, elle n'avait peut-être jamais eu l'intention de prendre ce car. Elle avait peut-être prévu de retrouver quelqu'un dès la fin de son entrevue avec la conseillère.

En ce cas, existait-il une possibilité qu'elle en eût fait part à Annette Bystock ? Celle-ci pouvait être de ces gens dont l'attitude cordiale et chaleureuse incite les autres à la confidence, à des confidences sans rapport apparent avec le sujet. Il était tout à fait possible qu'Annette lui ait demandé si elle était disponible pour un entretien ce jour-là, et que Melanie ait dit que non, car elle allait retrouver son petit ami...

Ou alors il n'y avait pas de rendez-vous avec un petit ami, pas de confidences, rien à confier, et Melanie avait accepté qu'un inconnu l'accompagne à Myringham. Après tout, Dinny Lawson n'affirmait pas que de tout l'après-midi, personne n'avait attendu près de l'arrêt, mais seulement qu'elle n'avait vu personne monter dans le car quand il était arrivé.

Dora Wexford avait pris l'habitude de préparer d'énormes quantités de mets roboratifs à la famille de sa fille lorsqu'ils venaient manger. Son mari lui avait fait remarquer que même si Neil et Sylvia étaient au chômage, ils n'étaient pas dans la misère, ils n'étaient pas réduits à l'indigence, mais cela avait eu peu d'effet. Ce soir-là, il rentra chez lui juste à temps pour avoir sa part de velouté de carottes à l'orange avant le plat de résistance, composé de rognons d'agneau, de feuilles de filo farcies aux épinards et au ricotta, de pommes de terre nouvelles et de haricots verts. Les cuillers à dessert sur la table indiquaient l'arrivée ultérieure d'un luxe rare qui ne survenait jamais quand ils étaient seuls tous les deux : un pudding.

Pâle et dégingandé, Neil dévorait comme pour se consoler. Au moment où Wexford vint s'asseoir parmi eux, il décrivait à sa belle-mère sa visite stérile au Centre. Il n'avait pas droit aux indemnités car avant de perdre son emploi il était travailleur indépendant.

« Quelle différence ça fait ? s'étonna Wexford.

— En tant que travailleur indépendant, expliqua Neil avec minutie, je n'ai pas cotisé auprès des Assurances sociales de première classe pendant les deux années fiscales antérieures à ma demande.

— Mais tu as cotisé ?

— Oh oui, j'ai cotisé ! Mais dans une autre classe. Ça aussi, je l'ai expliqué.

— A qui ? A Miss Bystock ou à Mr Stanton ?

— Comment savez-vous... ? s'écria Neil en le regardant avec des yeux ronds.

— J'ai mes raisons », répondit laconiquement Wexford. Il expliqua tout de même : « J'y suis allé aujourd'hui, pour un autre motif.

— C'était Stanton. »

Wexford se demanda soudain pourquoi Sylvia paraissait si satisfaite d'elle-même. Soucieuse de sa ligne, elle avait mangé les rognons, refusé les feuilles de filo et venait de déposer son couteau et sa fourchette en diagonales précises sur son assiette, un petit sourire aux lèvres. L'un après l'autre, Ben et Robin redemandèrent des pommes de terre.

« Alors vous promettez de les manger jusqu'à la dernière miette.

— *Problem yok*, dit Robin.

— Que vas-tu faire ? Il faut absolument qu'ils t'accordent quelque chose.

— C'est Sylvia qui doit présenter la demande, figurez-vous. Elle ne travaillait qu'à mi-temps mais elle a cumulé juste le nombre d'heures requis, si bien qu'elle va remplir les formalités pour elle, les garçons et moi. »

Après avoir recommandé à Ben de mastiquer correctement au lieu d'engloutir de grosses bouchées, Sylvia annonça sans cacher son triomphe :

« Je pointe un mardi sur deux. C'est de A à K le mardi, de L à R le mercredi et de S à Z le jeudi. Je touche des allocations pour toute la famille. Et en plus, ce sont eux qui rembourseront l'hypothèque. Neil est ulcéré, n'est-ce pas, Neil ? Il préférerait que je fasse des ménages.

— Ce n'est pas vrai.

— Si, c'est vrai. Je ne vais pas faire comme si ça ne me plaisait pas, parce que ça me plaît, justement. Quelle impression j'éprouve, d'après vous, après toutes ces années où mon mari m'a dit, d'abord, que je n'étais pas capable de gagner de l'argent, et puis quand j'en ai été capable, que ce que je gagnais ne valait pas la peine que je travaille et que tout irait aux impôts ?

— Je n'ai jamais rien dit de tout ça.

— Une impression géniale ! continua Sylvia comme si de rien n'était. Maintenant, c'est de moi qu'ils dépendent, tous autant qu'ils sont. L'argent, et il y en a un bon paquet, sera entièrement versé à mon nom. Au temps pour le sexisme, au temps pour le chauvinisme...

— Ils ne rembourseront pas l'hypothèque, l'interrompit Neil. Presque tout ce que tu dis est parfaitement erroné. Ils paieront uniquement les intérêts de l'hypothèque, et ils fixent un plafond par rapport à la somme hypothéquée, au-delà duquel ils n'iront pas. Nous allons mettre la maison en vente.

— Pas question.

— Bien sûr que si. Nous n'avons pas le choix. Nous la

vendrons et nous achèterons un pavillon mitoyen sur Mansfield Road, si nous avons de la chance. On dirait un pudding de Noël, Dora, c'est un de mes desserts préférés. Tu
n'arranges pas la situation, Sylvia, en racontant un ramassis
de mensonges pour faire valoir les droits de la femme.

— Eh ! Vous savez que les hommes ont une pomme
d'Adam ? » intervint Ben.

Le bénissant intérieurement pour cette diversion, Wexford dit que oui, il le savait, et qu'il supposait d'ailleurs
que ce n'était un secret pour personne.

« Bon, mais vous savez pourquoi on lui donne ce nom-
là ? Je parie que non. C'est parce que quand le serpent a
donné la pomme à Eve, elle a très bien réussi à l'avaler,
mais un morceau s'est coincé dans la gorge d'Adam et c'est
pour ça que les hommes ont cette boule qui dépasse...

— Si cette histoire n'est pas du sexisme pur et simple,
je me demande ce que c'est. Robin, tu les termines ces
pommes de terre, oui ou non ?

— *Non pasa nada.*

— Je ne vois pas ce que ça veut dire, répliqua Sylvia
avec mauvaise humeur.

— Allez, m'man. Tu devines pas ? »

Refusant pudding et café, Wexford sortit dans le vestibule pour téléphoner au sergent Vine.

Il avait fallu du temps à Barry Vine pour retrouver Euan
Sinclair. Il rentrait à peine de Londres. Après avoir dîné, il
rédigerait son rapport, qui serait sur le bureau de son chef
à neuf heures du matin.

« Faites-moi tout de suite le topo, dit Wexford.

— Je n'ai pas retrouvé la fille. »

Pour commencer, Vine s'était rendu à l'adresse indiquée
par le Dr Akande. C'était une assez imposante demeure
victorienne du quartier de l'East End, occupée par trois gé-
nérations de Sinclair et de Lafay. La grand-mère, quoique
résidant là depuis trente ans, ne parlait qu'une sorte de pa-
tois. Trois de ses filles habitaient également la maison, ainsi
que quatre de leurs enfants, mais pas Euan. Il avait démé-
nagé trois mois plus tôt.

Les femmes, très méfiantes à l'égard de la police, s'étaient montrées évasives. Claudine, la mère d'Euan, occupait le rez-de-chaussée avec l'homme dont elle avait eu ses deux plus jeunes enfants, un nommé Samuel Lafay, qui se trouvait être le frère de l'ex-mari de la sœur aînée...

« Bon, abrégez », dit Wexford.

Il était clair que Vine se délectait à exposer les croisements complexes de cette généalogie touffue. Il semblait avoir passé une bonne journée. Après lui avoir demandé pour la forme pourquoi il l'interrogeait sur son fils, un homme intègre, un intellectuel qui menait une vie rangée, Claudine Sinclair ou Lafay l'avait envoyé dans une HLM de Whitechapel. L'appartement était habité par une certaine Joan-Anne, mère de la fille d'Euan Sinclair. Joan-Anne ne voulait jamais revoir Euan, même s'il devenait millionnaire elle n'accepterait pas un penny de lui pour subvenir à l'entretien de Tasha, non, même s'il se mettait à genoux devant elle, maintenant elle était avec un type bien qui n'avait jamais passé un seul jour de sa vie à se tourner les pouces. Elle indiqua à Vine une adresse à Shadwell, où habitait Sheena (« pauvre idiote, qu'il retourne donc chez elle ! »), la mère du fils d'Euan.

Euan était allé pointer, lui dit Sheena. Le jeudi, c'était son jour. Après avoir pointé, il allait habituellement boire un verre avec des potes, mais il finirait par rentrer, elle ne savait vraiment pas quand. Non, Vine ne pouvait pas attendre ici, elle ne le lui permettrait pas. Cette idée la rendait nerveuse, Vine l'avait bien vu. Sans doute à cause des voisins. Les voisins l'auraient identifié avec cet instinct mystérieux qu'ont certaines personnes pour repérer infailliblement un policier, et ils observeraient combien d'heures il passait chez Sheena. Pendant tout ce temps, le fils d'Euan hurlait à tout rompre dans la pièce d'à côté. Sheena alla s'occuper de lui et revint avec un beau petit garçon rageur qui semblait déjà trop lourd pour être porté par ce petit bout de femme.

« Oh, arrête ce boucan, Scott, arrête ce boucan ! » répétait-elle inlassablement, et en pure perte.

51

Scott braillait en la regardant, il braillait en regardant le visiteur. Vine partit et revint à seize heures.

Sheena et son fils étaient toujours seuls. Scott braillait encore par intermittence. Non, Euan n'était pas revenu. S'il lui avait téléphoné ? Comment ça ? Pourquoi aurait-il téléphoné ? Le sergent renonça. Sheena donna à Scott un sac de chips au vinaigre et le colla devant une cassette-vidéo de « Miami Vice ». Quand l'enfant fut calmé, Vine interrogea la jeune femme au sujet de Melanie Akande, mais de toute évidence Sheena n'avait jamais entendu parler d'elle. Alors que Vine la sondait un peu, Euan Sinclair entra.

Grand, beau, très mince, Euan avait une allure qui lui avait rappelé Linford Christie. Ses cheveux très courts avaient dû être rasés entièrement huit jours plus tôt. Il marchait avec cette grâce particulière qu'ont les jeunes Noirs, tout le mouvement partant des hanches, le torse droit et immobile. Mais c'était son élocution qui l'avait surpris. Pas trace de l'accent créole de la génération précédente, ni du cockney de l'East End, ni de la prononciation caractéristique de l'Estuaire, mais quelque chose de plus proche de celle d'un collège privé.

Mi-blagueur mi-sérieux, Wexford lui dit :

« Alors comme ça, Barry, en plus d'être raciste vous êtes snob. »

Vine ne le contesta pas. Il dit qu'il avait eu l'impression qu'Euan Sinclair s'était entraîné à parler ainsi pour des raisons stratégiques indéfinissables. L'idée lui était soudain venue, pour la première fois, qu'Euan pourrait nier connaître Melanie en présence de Sheena.

« C'est la première chose qui me serait venue à l'esprit, dit Wexford.

— Il ne l'a pas fait, pourtant. C'est ça le plus bizarre. J'ai bien vu que c'était du nouveau pour elle et que ça ne lui plaisait pas. Lui, il s'en fichait royalement. »

Il avait rencontré Melanie la semaine passée. Lors de la remise des diplômes, à l'université. Ils avaient bavardé et elle avait accepté de le revoir le mardi suivant, à Myringham. Sous le regard horrifié de Sheena, Euan expliqua que

Melanie devait aller à l'anniversaire de Laurel Tucker et lui avait demandé de l'y accompagner.

Vine voulut savoir où ils avaient convenu de se retrouver, et Euan indiqua un pub de Myringham. Vers seize heures. Le Wig and Ribbon, sur la rue principale, restait ouvert de onze heures à vingt-trois heures. Elle n'était pas venue. Euan avait attendu jusqu'à dix-sept heures trente. Alors, il avait aperçu quelqu'un qu'il connaissait, un ancien de la fac. Ils étaient partis dans un autre pub, puis dans un autre encore, et Euan avait fini la nuit à dormir par terre dans la chambre du type.

Sheena fut incapable de se contenir plus longtemps.

« Tu m'as raconté que tu étais chez ta grand-mère ! »

Du ton qu'un homme emploie pour constater qu'il pleut, il lui répondit :

« J'ai menti. »

Sheena se dirigea dignement vers la porte. Juste avant que celle-ci se referme sur elle, Euan lança :

« Tu ferais mieux de ne pas me laisser seul avec le gosse. Je ne suis pas baby-sitter. C'est un boulot de femme, non ? »

« Je vais vérifier auprès du gars qu'il prétend avoir rencontré, dit Vine. Mais je le crois. Il m'a donné son nom et son adresse sans sourciller.

— On dirait bien que Melanie n'est jamais arrivée à Myringham. Il s'est passé quelque chose qui l'a détournée de son chemin, dans la grand-rue de Kingsmarkham. Quelque part sur deux cents mètres de trottoir. Quant à ce que c'était, il nous reste à le découvrir. »

4

L<small>A FAMILLE</small> T<small>UCKER</small>, composée de Laurel et Glenda, leur père et sa seconde épouse, avait peu d'éléments nouveaux à apporter. Ils ne souhaitaient pas être mêlés à quoi que ce soit. Certes, Laurel attendait Melanie en fin d'après-midi le 6 juillet et avait été contrariée quand il fut clair qu'elle ne viendrait pas. Mais elle n'avait pas été tellement surprise. Après tout, elles s'étaient disputées.

Le sergent de Myringham qui l'interrogeait avait demandé :

« Pour quel motif ? »

Laurel avait assisté à la remise des diplômes, avait été témoin de la rencontre entre Melanie et Euan et les avait vus partir ensemble. Melanie lui avait téléphoné le lendemain, disant qu'elle envisageait de se remettre avec lui. Il était seul, il n'avait personne dans sa vie depuis qu'ils avaient rompu et elle l'avait invité à l'accompagner à l'anniversaire de Laurel le mardi. Laurel avait dit qu'elle ne voulait pas de lui, qu'elle ne l'aimait pas, qu'il ne lui avait jamais plu. Pas étonnant qu'il ne fréquente plus personne — qui aurait voulu de lui ? Melanie avait répliqué que si Euan ne pouvait pas venir à la boum elle ne viendrait pas non plus, et elles s'étaient fâchées.

« Elle a pourtant annoncé à ses parents qu'elle allait à cette fête, dit Burden à Wexford. Elle passait d'abord chez les Tucker et de là, elle irait à la soirée.

— Mais elle ne leur a pas dit qu'elle avait rendez-vous

avec cet Euan, n'est-ce pas ? Ils ne le supportent pas. La mère est une femme de caractère, je dirais presque qu'elle est capable d'enfermer sa fille. Melanie avait décidé de ne pas aller à la fête. Elle s'en tiendrait à ce qu'elle avait dit et n'irait pas si Euan n'était pas aussi le bienvenu. Elle le retrouverait au Wig and Ribbon, et il ne fait guère de doute qu'elle comptait rester avec lui, passer la nuit avec lui.

— Oui, mais où ? Pas chez cette Sheena. Les gens de cet âge prennent-ils une chambre d'hôtel ?

— Non, dit Wexford en riant, pas s'ils vivent grâce au supplément.

— Au quoi ?

— Au supplément familial. Si Melanie a envisagé cet aspect de la question, elle a sans doute pensé qu'ils iraient chez la mère d'Euan, dans le Bow. Elle y était très probablement déjà allée. Et le lendemain, elle rentrerait à la maison.

— C'est sidérant ! dit Burden d'un air pincé. Ils n'ont pas de boulot, ils vivent grâce à, comment, déjà ? au supplément familial et ils claquent leur argent en verres, en rendez-vous galants, et Dieu sait combien en billets de train.

— Ce n'est pas très important, Mike, car nous savons qu'elle n'est pas allée à Londres. Elle n'est même pas allée à Myringham. Elle n'a pas rejoint Euan, puisqu'il a passé la soirée avec un certain John Varcava au Wig and Ribbon, au Wild Goose et au Silk's Club avant d'aller dans le studio que Varcava loue à Myringham, à trois heures du matin, dit Wexford en vérifiant d'un coup d'œil sur le dernier rapport de Vine. Tout est corroboré par un barman, une serveuse, le patron du Silk's Club et la logeuse de Varcava, qui en est presque venue aux mains avec les deux lascars à cause du vacarme qu'ils faisaient chez elle au beau milieu de la nuit.

— Alors, qu'est-il arrivé à Melanie dans les quelques minutes qui ont suivi son départ du Centre pour l'emploi ? La dernière personne qu'elle a vue, d'après vous, est cette Annette Bystock, la conseillère aux nouveaux demandeurs. Cela servirait-il à quelque chose de l'interroger ?

— Elle était en congé de maladie. Elle a peut-être repris

le travail, à présent, quoique en général les gens ne recommencent pas un vendredi, ils s'accordent toute la semaine. Mais que sommes-nous en train de dire, Mike ? Que Melanie Akande a confié les détails d'un rendez-vous secret à une parfaite inconnue ? A une femme avec qui elle n'a parlé qu'un quart d'heure, et seulement de formulaires à remplir et de perspectives d'embauche ? Et puisque nous en sommes là, quel rendez-vous secret ? Elle en avait déjà un avec Euan. Et voilà qu'elle en aurait eu un autre juste une heure avant de le retrouver ?

— Bon, dit Burden en haussant le épaules, c'est vous qui avez parlé de tout ça, pas moi. Mon imagination n'a pas galopé si loin. Tout ce que je dis, c'est qu'on devrait aller bavarder avec Annette Bystock, pour la simple raison qu'elle a été la dernière personne à voir Melanie...

— Vous alliez dire "vivante", n'est-ce pas ? »

« C'est seulement grâce à Dieu que je n'en suis pas là » n'était pas une citation que Michael Burden risquait de reprendre un jour à son compte. Il ne se faisait pas cette réflexion en voyant des victimes de la famine à la télévision, pas plus qu'en passant devant la demi-douzaine de sans-abri qui couchaient dans la rue à Myringham. Il ne se la fit pas en entrant au Centre pour l'emploi et en observant les chômeurs qui attendaient, assis sur les chaises grises.

S'il n'était pas de leur nombre, à son avis, cela n'avait rien à voir avec la grâce divine, et tout à voir avec son zèle, sa détermination et sa ténacité. Il était de ceux qui demandent aux chômeurs pourquoi ils ne se trouvent pas du travail et aux sans-logis pourquoi ils ne se trouvent pas un toit. S'il avait vécu dans le Paris des années 1780, il aurait conseillé aux affamés qui réclamaient du pain de manger du gâteau. Dans son pantalon beige immaculé et sa veste neuve en lin beige moucheté de bleu marine (ça, comme disait parfois Wexford, personne ne l'aurait pris pour un policier !), il observait les chômeurs en songeant que le jogging en nylon froissé était un vêtement hideux. Légèrement pire que le survêtement. L'idée ne lui était jamais venue que ce sont des vêtements bon marché, chauds en hiver et frais en été, faciles d'entretien et très confortables, et il ne considéra pas davantage la question à cet instant. Il tourna son attention vers les agents administratifs derrière leurs bureaux respectifs, pour décider lequel il aborderait.

Jenny Burden disait de son mari que, s'il avait le choix, il se renseignerait toujours auprès d'un homme plutôt que d'une femme, demanderait son chemin à un homme, dans une boutique s'adresserait de préférence à un vendeur, et s'installerait à côté d'un homme dans le train. Cela ne plaisait pas à Burden qui affirmait que c'était le faire passer pour un homosexuel, mais ce n'était pas du tout cela qu'elle voulait dire. Au Centre pour l'emploi il avait le choix car, derrière les bureaux, un homme et trois femmes étaient assis. Toutefois, l'homme avait le teint basané et son badge le désignait comme « Mr O. Messaoud ». Burden, qui se défendait chaudement d'être le moins du monde raciste, écarta néanmoins Osman Messaoud en raison de la couleur de sa peau et de son nom (ce dont il n'avait conscience que de façon subliminale) et se dirigea vers Wendy Stowlap, la rousse aux taches de son. Elle se trouvait momentanément libre, et c'était la raison que Burden aurait fournie pour justifier son choix.

« C'est au sujet de la jeune fille disparue ? demanda-t-elle quand il se fut enquis d'Annette Bystock.

— Simple enquête de routine, dit Burden d'un ton affable. Miss Bystock est-elle revenue ?

— Elle est encore souffrante. »

Il se tourna et faillit entrer en collision avec la cliente suivante de Wendy Stowlap, une grande et grosse femme en jogging en nylon rouge. Elle exhalait une forte odeur de cigarettes. Ils ont toujours les moyens de fumer, se dit Burden. Deux des garçons assis sur la balustrade de pierre fumaient eux aussi, en laissant traîner leurs pieds dans un tas de mégots et de cendres. Burden leur adressa un long regard sévère en fronçant les sourcils. Ses yeux s'attardèrent particulièrement sur le jeune Noir à la coiffure rasta, une crête montagneuse de tresses emmêlées couronnée d'une casquette en tricot, formée de cercles concentriques multicolo-

57

res. Le genre de chapeau qu'il appelait un béret écossais, comme l'auraient fait son père et son grand-père avant lui.

Les garçons ne lui accordèrent pas la moindre attention. Comme si son corps était transparent et que leurs regards le transperçaient jusqu'à la maçonnerie derrière lui, jusqu'au trottoir, l'angle entre Brook Road et la grand-rue. Ils lui donnaient l'impression d'être invisible. Avec un haussement d'épaules courroucé, il retourna à la voiture qu'il avait garée dans la zone « rigoureusement privée » réservée au seul personnel du Centre.

L'adresse que Wexford lui avait donnée se trouvait dans le sud de Kingsmarkham. C'était autrefois un des meilleurs quartiers de la ville ; à la fin du XVIIIᵉ siècle, les plus prospères d'entre ses citoyens s'étaient fait bâtir de grandes maisons, chacune dotée d'un ou deux arpents de jardin. Pour la plupart elles existaient encore, mais morcelées, leurs jardins comblés par de nouvelles maisons et des rangées de parkings. Ladyhall Gardens avait subi le même sort, mais les vestiges victoriens, plus réduits, étaient respectivement divisés en deux ou trois appartements.

Non sans prétention, on avait baptisé le numéro quinze « Ladyhall Court ». C'était une maison de deux étages, à pignons, construite dans la pierre blanche qui était ici le matériau à la mode dans les années 1890. Un rideau de sycomores cuivrés dissimulait en grande partie la vue qu'on avait du rez-de-chaussée depuis la rue. Burden devina qu'il y avait deux appartements par étage, les deux situés à l'arrière accessibles par une porte latérale. Au-dessus du bouton de sonnette correspondant à l'étage supérieur, une carte annonçait : John et Edwina Harris, et au-dessus du bouton de l'appartement du bas : Ms A. Bystock.

N'obtenant pas de réponse de l'appartement 1, il sonna chez les Harris. Pas de réponse non plus. La porte de la façade était équipée d'une serrure en haut, d'une autre au milieu et d'une poignée de cuivre, terne et noircie. A tout hasard, Burden actionna la poignée, et constata avec surprise — et réprobation — qu'elle cédait.

Il se retrouva dans un vestibule au plafond orné de moulures en plâtre et au sol carrelé de vinyle d'un modernisme résolu. L'escalier de marbre gris était flanqué d'une balustrade en fer. Il n'y avait qu'une seule porte, vert foncé, où le chiffre 1 était peint en blanc. Le heurtoir était en cuivre de même que la poignée, tous deux astiqués avec soin, et le bouton de sonnette reluisait comme de l'or.

Burden sonna, attendit. Elle pouvait être au lit. Si elle était malade, c'était fort probable. Il guetta l'écho d'un mouvement, un bruit de pas ou le grincement d'une latte de parquet. Il sonna à nouveau. Le heurtoir était presque inutile, il produisait un petit claquement frénétique, comme une frêle voix d'enfant essayant de se faire entendre.

Vraisemblablement, elle ne viendrait pas à la porte. S'il était cloué au lit, seul chez lui, et qu'un visiteur inattendu se présentait, il ne répondrait pas. Quelqu'un s'occupait sans doute d'elle, une voisine peut-être, et cette personne devait avoir une clef.

Il s'agenouilla et regarda par la fente de la boîte aux lettres. A l'intérieur il faisait très sombre, plus sombre que dans le couloir. Progressivement, à travers la petite ouverture rectangulaire, il distingua une entrée plongée dans la pénombre, un tapis rouge cloué, un guéridon, des fleurs séchées dans un petit panier doré.

Il se releva, pressa à nouveau la sonnette, frappa à l'aide du minuscule heurtoir, s'accroupit et appela par l'ouverture : « Miss Bystock ! » puis, plus fort : « Miss Bystock ! Vous êtes là ? »

Après une dernière tentative, il sortit et contourna la maison, écartant les branches au feuillage tanné qui rendait tout si sombre. Cette petite fenêtre devait être la cuisine, cette autre la salle de bains. Pas de sycomores, ici, seulement des joncs dorés hauts jusqu'à la taille, de part et d'autre d'une allée bétonnée. Derrière la dernière fenêtre, près de la porte latérale, les rideaux étaient fermés. Il regarda derrière lui, comme on fait lorsqu'on se sent observé. De l'autre côté de la rue, dans un immeuble de style 1900 doté d'un jardinet en façade, quelqu'un le surveillait effectivement d'une fenêtre du haut. Un visage qui paraissait aussi ancien que la maison, ridé, renfrogné, furibond.

Burden reporta son attention vers la fenêtre d'Annette

Bystock, un peu intrigué par ces rideaux fermés. Etait-elle malade au point d'avoir besoin d'obscurité au milieu de la matinée ? Il pensa soudain qu'elle n'était pas malade du tout, qu'elle n'avait pas envie d'aller au travail et était partie faire un tour.

Il n'aurait pas été surpris si l'ancêtre qui l'observait de sa fenêtre était descendu et avait traversé la rue pour lui taper sur l'épaule. S'y attendant presque, il se retourna à nouveau. Mais le visage était toujours là-haut, montrant une expression identique, et si parfaitement immobile qu'un instant Burden se demanda s'il s'agissait d'un être de chair et de sang ou d'une sorte de fac-similé, la silhouette en bois d'un témoin à l'expression rébarbative et furieuse, placée là-haut par l'occupant des lieux de même que certains plantent un chat en carton peint dans leur jardin, pour effrayer les vrais.

Cela n'avait pas de sens. Il s'accroupit et tenta de voir entre les rideaux, mais l'interstice était extrêmement fin, une simple ligne. Au mépris de ce que l'observateur pouvait penser ou faire, il s'agenouilla sur le revêtement en béton et essaya de regarder sous les rideaux. Il y avait un intervalle d'un centimètre environ entre l'ourlet du tissu et le cadre inférieur de la fenêtre.

Il faisait noir, là-dedans. On ne voyait pas grand-chose. Tout d'abord, il ne distingua presque rien. Puis, à mesure que ses yeux s'accoutumaient à l'obscurité de la chambre, il identifia l'extrémité d'une table, peut-être une coiffeuse, le pied en bois lustré d'un meuble sur un tapis bleu, un bout de tissu fleuri frôlant le sol. Et une main. Une main qui pendait sur cet imprimé de lis et de roses, une main blanche immobile, aux doigts ouverts.

Elle devait être en porcelaine, en plâtre ou en plastique. Ça ne pouvait être une vraie main. Ou alors, c'était une vraie main et la malade dormait. Quelle sorte de sommeil résistait à tant d'appels et de cris ? Presque involontairement, oubliant qu'il pouvait être vu, il tambourina au carreau. La main ne bougea pas. Celle à qui elle appartenait n'eut pas un sursaut, pas un cri de surprise.

Burden rentra dans la maison en courant. Que n'avait-il

appris à crocheter une serrure ! Ouvrir celle-ci aurait été un jeu d'enfant pour nombre d'hommes et de femmes qu'il rencontrait en une journée de travail. Dans les films, les portes cédaient facilement sous la pression d'une épaule. Ça le faisait toujours ricaner de voir, à la télévision, un acteur se ruer contre une porte massive et la faire voler en éclats à la première bourrade. Ils y mettaient une telle discrétion ! Il savait que ses propres efforts seraient bruyants et ameuteraient très probablement les voisins. Mais il n'y pouvait rien.

Il se précipita contre la porte, l'épaule en avant. Le bois frémit et craqua mais il se fit plus de mal qu'il n'en infligea à la porte. Il se massa l'épaule, respira à fond et se jeta contre l'obstacle, encore, et encore, et encore. Cette fois, il y assena un coup de pied, un coup violent, et la porte gémit. Un autre coup de pied (la dernière fois qu'il avait frappé comme ça, c'était dans un ballon, sur le terrain de foot de l'école) et la porte se fendit et s'ouvrit brusquement. Il enjamba les débris et s'arrêta pour reprendre haleine.

L'entrée était minuscule. Elle formait un coude et devenait un couloir dont les cinq portes étaient closes. Burden le parcourut, crut ouvrir la porte de la chambre et se retrouva devant un placard à balais. La chambre à coucher devait être à côté, la porte n'était pas tout à fait fermée mais entrebâillée d'un centimètre. Il respira un bon coup et la poussa.

Elle reposait, comme endormie, la tête sur l'oreiller, le visage caché par une masse de cheveux bruns bouclés. Une épaule était nue, l'autre et le reste du corps couverts par les draps et l'édredon fleuri. L'épaule nue était prolongée par un bras blanc un peu rond et la main qu'il avait vue, traînant presque par terre.

Il ne toucha à rien, ni aux rideaux ni aux draps, ni à cette tête enfouie dans l'oreiller, rien qu'à cette main pendante. D'un doigt, il l'effleura au-dessus des articulations. Elle était dure et froide comme de la glace.

5

ILS ENCOMBRAIENT la chambre, elle était si petite ; le légiste, les photographes, les agents traditionnellement dépêchés sur le lieu du crime, tous indispensables, chacun ayant une tâche spécifique. Une fois les fenêtres photographiées et les rideaux ouverts, ce fut un peu mieux, et quand on emporta le corps, la plupart d'entre eux partirent avec lui. Wexford souleva le châssis inférieur de la fenêtre à guillotine et regarda le fourgon convoyant la dépouille d'Annette Bystock disparaître en direction de la morgue.

Il faudrait procéder à l'identification dans les formes, mais il savait que c'était bien elle grâce au passeport qu'il avait trouvé dans un tiroir de la coiffeuse. Le document tout neuf portait la couverture bordeaux et or de la Communauté européenne, et avait été délivré un peu plus de douze mois auparavant. Le nom de sa détentrice était Bystock, Annette Mary, sa nationalité britannique, et sa date de naissance le 22.11.1954. La photo était visiblement celle de la morte, parfaitement identifiable en dépit des effets sur ses traits de la strangulation — l'enflure, la cyanose, la langue entre les dents. Les yeux étaient les mêmes. Elle avait fixé l'objectif avec une appréhension presque aussi horrifiée qu'en regardant le visage de son meurtrier.

C'étaient des yeux ronds et foncés. Ses cheveux, sombres et exubérants, formaient une masse embroussaillée qui avait dû encadrer largement son visage, à moins qu'elle n'eût trouvé un moyen de les discipliner. Quand Burden l'avait découverte, elle portait une chemise de nuit rose à fleurs blanches. Un cardigan en lainage blanc, abandonné en travers du lit, avait fait office de liseuse. Pas de bagues aux doigts, pas d'anneaux aux oreilles. Sur la table de nuit de gauche étaient posés une montre en or à bracelet noir, une bague en or sertie d'une pierre rouge — probablement un rubis — qui semblait avoir de la valeur, un peigne et un tube d'aspirine à moitié vide ; sur la table de nuit de droite, un roman de Danielle Steel en édition de poche, un verre d'eau, une boîte de pastilles pour la gorge et une clef Yale.

Il y avait une lampe de chevet sur chacune des deux tables, un simple pied blanc en forme de vase, coiffé d'un abat-jour bleu plissé. Celle de droite, la plus éloignée de la porte, était intacte. L'autre avait le pied ébréché, et le fil avait été arraché du socle. Ce fil encore relié à sa prise avait à présent disparu, emporté dans un sac en plastique par l'agent Pemberton, mais lorsqu'ils étaient entrés dans la chambre pour la première fois il gisait sur le sol, à quelques centimètres de la main pendante d'Annette Bystock.

« Le décès remonte au moins à trente-six heures, avait dit à Wexford Sir Hilary Tremlett, le médecin légiste. Je serai à même de vous donner des précisions quand je l'aurai examinée de plus près. Voyons, nous sommes vendredi, c'est bien ça ? A première vue, je dirais qu'elle est morte dans la nuit de mercredi à jeudi, certainement avant minuit. »

Il partit avant que le fourgon mortuaire fût hors de vue. Wexford referma la porte de la chambre.

« Un tueur plein d'assurance, dit-il à Burden. Je dirais même un tueur expérimenté. Il devait être très sûr de lui. Il n'a pas pris la peine d'apporter une arme, il était certain de s'en procurer une sur place. Tout le monde a chez soi des fils électriques, et si par malchance il n'avait pu en trouver de convenable, il restait toujours les couteaux, les objets lourds, un marteau. »

Burden hocha la tête.

« Ou alors, l'endroit lui était familier. L'homme savait ce qu'il y trouverait.

— Est-ce forcément un homme ? Ou faites-vous simplement preuve de préjugés ?

— Sur ce point, répondit Burden en souriant, le vieux Tremlett pourra peut-être nous éclairer. Mais j'imagine mal une femme s'introduire dans un appartement par effraction et arracher le fil d'une lampe pour étrangler quelqu'un.

— Tout le monde sait que vous cultivez d'étranges idées sur les femmes. Le meurtrier, ou la meurtrière, n'est pas entré par effraction, sans quoi il en resterait des traces. Annette Bystock l'a fait entrer ou lui avait donné la clef.

— C'était quelqu'un qu'elle connaissait, par conséquent ? »

Wexford eut un haussement d'épaules.

« Que diriez-vous de ce scénario ? Elle ne se sent pas bien le mardi soir, elle se couche, se sent plus mal encore le lendemain matin, aussi elle téléphone au Centre pour annoncer qu'elle ne viendra pas, ensuite elle appelle chez une amie ou une voisine et demande qu'on lui apporte quelques provisions. Venez voir. »

Burden le suivit dans la cuisine. Elle était trop exiguë pour contenir une table mais sur le comptoir étroit, à gauche, il y avait un carton d'épicerie, de trente centimètres sur vingt-trois, et d'environ vingt-trois centimètres de haut. Les articles à l'intérieur semblaient intacts. Au-dessus, ils trouvèrent un ticket de caisse de supermarché, daté du 8 juillet. Au-dessous, une boîte de corn flakes, deux petits pots de yaourt aux fraises, une boîte de lait, un petit pain complet enveloppé dans un papier de soie, un paquet de cheddar prétranché et un pamplemousse.

« Ainsi, l'amie qui lui faisait ses courses a rapporté ça hier, constata Wexford. Si cette amie travaille, il est probable que c'était dans la soirée. Oui, Chepstow, qu'y a-t-il ?

— Je n'ai pas encore fait cette pièce, chef, dit l'homme chargé de relever les empreintes.

— Alors nous allons vous laisser la place.

— Il y a une clef sur la table de nuit. Pourquoi ne l'a-t-elle pas donnée à l'amie ? demanda Burden tandis qu'ils entraient dans la salle à manger d'Annette Bystock. La porte de l'immeuble n'était pas verrouillée quand je suis arrivé. Laissait-elle la porte de son appartement ouverte ? Pourquoi agir ainsi, par les temps qui courent ? C'est inviter les cambrioleurs à entrer. »

Si Wexford se crispa, Burden ne le remarqua pas.

« Elle ne pouvait pas remettre la clef à son amie si celle-ci n'était pas là, Mike. L'homme n'a pas encore maîtrisé l'art d'envoyer les objets matériels par téléphone, par radio ou par satellite. Si elle préférait ne pas sortir du lit pour ouvrir la porte, elle n'avait pas d'autre possibilité que de ne pas la verrouiller. Une fois la personne arrivée, elle pourrait lui remettre une clef.

— Mais entre-temps quelqu'un d'autre est entré.

— Ça en a tout l'air.

— Il faut retrouver l'amie.

— Oui. Je me demande si elle a aussi appelé une voisine ou si elle n'a passé qu'un seul coup de fil mercredi matin, si, pour ainsi dire, elle n'a pas fait d'une pierre deux coups. Après tout, Mike, qui sont nos amis ? Pour l'essentiel, ceux que nous avons côtoyés sur les bancs de l'école, pendant une formation ou au travail. Je crois qu'en toute probabilité le Bon Samaritain qui a apporté les yoghourts et le pample-mousse travaille au Centre pour l'emploi.

— Karen et Barry font le tour des voisins, en ce moment, mais la plupart d'entre eux sont au travail. »

Wexford, qui s'était approché de la fenêtre, se tourna et passa la pièce en revue. Il observa les tableaux d'Annette Bystock sur le mur : un dessin à la plume, mièvre et anodin, représentant un moulin à vent, une aquarelle lumineuse d'un arc-en-ciel sur des collines verdoyantes ; des photographies encadrées, l'une, en noir et blanc, d'une fillette de trois ans en robe à fronces et socquettes blanches, l'autre d'un couple dans un jardin de banlieue, la femme coiffée d'anglaises, dans une robe à jupe large et à taille étroite, l'homme vêtu d'un pantalon ample en flanelle grise et d'un pull-over. Sa mère enfant, pensa Wexford. Ses parents jeunes mariés.

L'ameublement se composait d'un canapé et de deux fauteuils assortis, d'une table basse en laque, d'une bibliothèque qui contenait peu de livres et dont les étagères centrales servaient à exposer des animaux en porcelaine. Sur l'étagère du bas, il y avait peut-être vingt disques-laser et autant de cassettes. Le tapis rouge de l'entrée se prolongeait pour couvrir le sol du salon, mais par ailleurs l'harmonie de couleurs était fade, surtout du beige et du marron. Ses parents avaient probablement eu un salon beige et une chambre à coucher bleue. Rien n'indiquait qu'Annette Bystock eût été relativement jeune, elle qui n'avait pas encore quarante ans à l'heure de sa mort. Aucune volonté de briser les conventions, aucun signe d'audace, même minime.

« Où est la télévision ? demanda Wexford. Où est le magnétoscope ? Pas de radio, pas de magnétophone, pas de lecteur-laser ! Rien de rien.

— C'est étrange. Peut-être qu'elle n'en avait pas, peut-être qu'elle était une sorte de fondamentaliste qui ne croyait pas à ces trucs-là. Non, attendez une minute, elle avait des disques-laser... Vous voyez cette console, là-bas ? Celle à deux étagères ? Vous n'avez pas l'impression qu'il y avait un téléviseur au-dessus et un magnétoscope au-dessous ? »

On en voyait la trace, un rectangle de poussière sur la surface cirée du haut, et un autre un peu plus grand sur celle du bas.

« Il semblerait que le cambrioleur ait accepté son invite, dit Wexford. Je me demande ce qu'elle avait d'autre. Un ordinateur, peut-être ? Un micro-ondes dans la cuisine, bien qu'il soit difficile de dire où elle l'aurait casé.

— Et ce serait pour ça qu'on l'a tuée ?

— J'en doute. Si notre assassin l'avait tuée pour s'emparer de ce qu'elle avait dans l'appartement, il aurait pris la montre et la bague. Cette bague m'a l'air de valoir un bon prix.

— Ou alors il est possible que la télé et le magnétoscope soient en réparation.

— Oh, bien sûr ! C'est possible. Tout est possible. On a déjà répertorié un cas d'autostrangulation réussie, de sorte qu'elle pourrait être le second. Et elle aurait vendu le plus clair de ses biens pour payer ses obsèques. Allons, Mike ! »

Retournant dans la chambre, désormais disponible pour un examen arbitraire, Wexford ouvrit la porte du placard et, sans commentaire bien que Burden fût derrière lui, inspecta les vêtements rangés à l'intérieur. Deux jeans, un pantalon en velours côtelé, deux autres en coton, plusieurs mini-jupes pas très courtes en taille quarante et deux jupes plus longues en quarante-deux, qui semblaient indiquer qu'Annette avait récemment pris du poids. Des pulls pliés sur les étagères, des chemisiers, tous quelconques, inoffensifs et sages. Derrière la seconde porte étaient accrochés un manteau d'hiver bleu marine, un imperméable beige, deux vestes — l'une bordeaux, l'autre noire. Elle ne s'était donc jamais vêtue élégamment pour sortir le soir, pour aller à une réception ?

Wexford prit la bague sur la table de nuit et la montra à Burden, sur sa paume ouverte.

« Un beau rubis. Il a plus de prix que toutes les télés, les lecteurs de cassettes et les gadgets-vidéo Nicam réunis. Alors, dit-il en marquant une hésitation, lequel de nous deux va poser la question le premier ?

— Elle me brûle les lèvres depuis que j'ai su qu'elle avait été assassinée.

— A moi aussi.

— Bon, dit Burden, j'y vais. Existe-t-il un lien quelconque entre la mort d'Annette Bystock et le fait qu'elle semble avoir été la dernière personne à voir Melanie Akande vivante ? »

Ils étaient encore là quand Edwina Harris rentra chez elle. Elle poussa la porte d'entrée, pénétra dans le hall, vit les scellés jaunes sur la porte de l'appartement 1, et les contemplait, éberluée, quand le sergent Karen Malahyde s'approcha d'elle.

« Ai-je oublié de fermer la porte de l'immeuble à clef ? Je me contente toujours de la claquer en sortant, et il n'est jamais rien arrivé. »

Elle mesura la portée de ce qu'elle venait de dire.

« Que s'est-il passé ?

— Pouvons-nous monter, Mrs Harris ? »

Karen lui annonça la nouvelle avec ménagement. Cela lui fit un choc, mais sans plus. Annette Bystock et elle avaient été voisines, pas amies et jamais intimes. Au bout de quelques minutes, elle fut en mesure d'apprendre à Karen que les parents d'Annette étaient morts et qu'elle n'avait ni frère ni sœur. Edwina Harris pensait qu'Annette avait été mariée mais ne savait rien de plus.

Non, elle n'avait rien vu ni entendu d'anormal ces derniers jours. Elle vivait dans l'appartement du haut avec son mari et lui non plus n'avait rien remarqué, sinon il lui en aurait parlé. En fait, elle ne savait pas qu'Annette était souffrante. Ce n'était pas elle qui avait apporté les provisions.

« Comme je l'ai dit, je n'étais pas très liée avec elle.

— Qui l'était ?

— A ma connaissance, elle n'avait pas d'homme dans sa vie.

— Des amies femmes, alors ? »

Mais Edwina Harris n'aurait su le dire. Elle n'était entrée qu'une fois dans l'appartement 1 et ne se souvenait pas avoir remarqué si Annette avait la télévision.

« Mais qui n'a pas la télé ? Elle avait une radio, un petit poste blanc. Je le sais parce que quand j'y suis allée, elle me l'a montré. Elle avait renversé du vernis à ongles rouge dessus et n'arrivait pas à le faire partir, elle se demandait avec quoi l'enlever. J'ai suggéré du dissolvant, mais elle avait déjà essayé.

— Il y a quelqu'un qui habite en face », intervint Burden.

Un peu embarrassé, il s'aperçut qu'il ne pouvait affirmer si c'était un homme ou une femme.

« Une personne très âgée, dit-il sans se compromettre. On dirait que rien ne lui échappe. Etait-ce une connaissance d'Annette ?

— Mr Hammond ? Il n'est jamais venu ici. Il n'a pas quitté sa chambre depuis... Oh ! ça doit bien faire trois ans. »

Edwina Harris n'était pas disposée à reconnaître le corps. Elle n'avait jamais vu de cadavre et ne comptait pas commencer maintenant. Annette avait une cousine, quelque part, elle l'avait entendue faire allusion à une cousine. Jane quelque chose. Cette dame avait envoyé une carte d'anniversaire et le facteur l'avait glissée dans sa boîte au lieu de celle d'Annette. C'est ainsi qu'Edwina Harris avait appris l'existence de la cousine, en rapportant la carte à Annette.

Ce fut Wexford qui la questionna à propos de la porte de l'immeuble.

« Elle ne restait jamais ouverte la nuit.

— En êtes-vous sûre ?

— Je suis sûre de ne jamais l'avoir laissée ouverte.

— Bizarre, dit Burden quand ils l'eurent quittée. Les femmes qui vivent au rez-de-chaussée ont la réputation de redouter les intrus au point d'en être insomniaques. Elles posent des alarmes, des barreaux à toutes les fenêtres... Du moins, c'est ce que j'ai lu.

— Apparences et réalité », dit Wexford.

Dans la journée, ils retrouvèrent la cousine d'Annette, une femme mariée, mère de trois enfants, qui résidait à Pomfret. Jane Winster accepta de venir à Kingsmarkham identifier le corps.

En apprenant ce qui s'était passé, Cyril Leyton refusa d'abord d'y croire. Incrédule au téléphone, il répondit brutalement : « Vous me faites marcher ! » puis : « C'est une blague ? » Enfin convaincu, il répéta inlassablement : « Mon Dieu, mon Dieu... »

Le lendemain n'aurait d'un samedi que le nom, comme Wexford le dit à Burden. Il n'y aurait pas congé et tous les départs en vacances seraient annulés. La remarque de Burden à propos des femmes qui habitaient au rez-de-chaussée lui rappela la réunion prévue le samedi soir au lycée de Kingsmarkham. Il se demanda s'il serait en mesure d'y prendre part. Il avait déjà prononcé deux fois la conférence qu'il projetait à des réunions de *Women, Aware !* et il avait aimé parler en public. Il ne raterait pas cette réunion-ci, sauf en cas de force majeure. Si, par exemple, quelqu'un était arrêté pour le meurtre.

Les jeunes — Wexford détestait le terme « ados » et se refusait à l'utiliser — étaient toujours assis sur la balustrade en pierre devant le Centre pour l'emploi. Ce n'étaient peut-être pas les mêmes, mais pour lui ils étaient semblables. Cette fois, il les examina avec une attention particulière afin de les reconnaître à l'avenir : un garçon au crâne rasé, en tee-shirt gris ; un autre en veste de cuir noir et pantalon jogging, dont les maigres cheveux étaient retenus en arrière dans une queue de cheval ; un autre court sur pattes, aux cheveux blonds bouclés ; et un Noir coiffé d'une multitude de tresses et d'un de ces grands bérets souples en tricot. A les jauger ainsi, il se rendit compte de ce qu'il venait de faire : il avait agi comme il avait dit lui-même à Burden que faisaient les racistes, aussi formula-t-il différemment sa description : un garçon coiffé d'une multitude de tresses et d'un béret souple en tricot.

Ils le regardèrent avec indifférence, trois d'entre eux du moins. Celui à la queue de cheval ne le regarda pas du tout. Cependant, il s'attendait à une remarque marmonnée sur son passage, une insulte ou un sarcasme, mais ils ne dirent rien. Il gravit les marches et trouva porte close, mais de l'autre côté de la vitre une jeune fille vint vers lui pour lui ouvrir.

Il ne l'avait encore jamais vue. Elle était petite, avec des traits anguleux et des cheveux auburn. Le badge épinglé sur son tee-shirt noir l'identifiait comme « Ms A. Selby, Assistante admin. ». Il lui dit bonjour et combien il regrettait de les retenir ainsi après la fermeture, mais elle était trop timide pour répondre. Il la suivit entre les guichets, jusqu'au fond où elle ouvrit une porte barrée non seulement d'un « Rigoureusement privé » mais d'un « Entrée interdite ».

Il n'avait pas eu l'intention que cela se déroule sous cette forme. Cyril Leyton — car, à coup sûr, il était l'instigateur de tout ceci — était manifestement un proviseur manqué*. Les chaises, celles-là mêmes où, en temps normal, les clients attendaient de pointer, étaient disposées sur cinq rangs, une table de métal gris devant chacune d'elles. Sur ces chaises, les membres du personnel avaient pris place. Ils étaient plus nombreux que Wexford ne l'aurait imaginé. Il vit avec un amusement un peu horrifié que Leyton les avait répartis en fonction de la hiérarchie : au premier rang, les deux superviseurs, le conseiller aux nouveaux demandeurs et tous les cadres ; les agents administratifs derrière ;

70

puis les assistants administratifs, ceux qui tenaient le standard, se chargeaient du courrier, manipulaient la photocopieuse. Au dernier rang, à l'extrême gauche, l'agent de sécurité au crâne rond occupait le siège correspondant sans doute au grade le plus bas.

Sur chaque table, devant chaque membre du personnel, on avait placé un carnet. Il ne manquait plus que l'ardoise, pensa Wexford, et peut-être une règle que Leyton aurait utilisée pour taper sur les doigts. L'air diligent et important, le directeur savourait la situation maintenant que le premier choc était passé. Son visage rubicond luisait. Depuis la dernière fois où Wexford l'avait vu, il s'était fait couper les cheveux à ras et la tondeuse avait laissé une vilaine irritation enflammée sur son cou.

« J'aime à croire que personne ne manque à l'appel », dit-il.

Wexford se borna à hocher la tête. Si ridicule que fût cette mise en scène toute militaire, les carnets s'avéreraient peut-être utiles. A condition que ces gens comprennent qu'ils ne devaient pas noter ce que lui disait, mais ce qu'ils savaient.

« Je tâcherai de ne pas vous retenir longtemps, promit-il pour commencer. A présent, vous êtes certainement tous au courant de la mort violente de Miss Bystock. Cela passera aux informations de dix-huit heures trente sur notre chaîne locale et dans les journaux de demain, aussi rien ne s'oppose à ce que je vous révèle dès maintenant qu'il s'agit d'un meurtre. »

Quelque part dans l'assistance quelqu'un étouffa un cri. Cela pouvait être Ingrid Pamber, dont les yeux bleus restaient fixés sur lui avec gravité, ou la frêle petite blonde assise à côté d'elle, qui devait avoir vingt-cinq ans mais n'en faisait pas plus de quinze. Son badge était trop loin pour qu'il arrive à lire son nom. Dans la rangée devant elle, Peter Stanton, l'autre conseiller aux nouveaux demandeurs, était assis tel un jeune cadre dynamique à un séminaire, ses longues jambes élégantes croisées, une cheville sur le genou opposé, les coudes sur les accoudoirs, la tête en arrière. Il était très séduisant dans le genre beau ténébreux, et il semblait bien s'amuser.

« Elle a été assassinée à son domicile de Ladyhall Court, dans Ladyhall Avenue. Nous ne savons pas encore quand. Nous ne le saurons que lorsque l'autopsie sera terminée et que les échantillons prélevés auront été analysés. Nous ne saurons ni comment elle est morte, ni pourquoi. Dans ce domaine, l'aide de ceux qui la connaissaient nous sera extrêmement précieuse. Miss Bystock avait très peu de famille et peu d'amis. Les gens qu'elle fréquentait sont ceux avec qui elle travaillait, c'est-à-dire vous.

« Vous possédez peut-être, à vous tous, les informations dont nous avons besoin pour mettre la main sur celui, ou celle, qui a tué Miss Bystock et le remettre à la justice. Votre coopération sera pour nous inestimable. J'aimerais que vous acceptiez tous d'être interrogés par mes agents demain, soit chez vous, soit au commissariat de Kingsmarkham si vous préférez. D'ici là, si l'un d'entre vous a quelque chose à me confier maintenant, quoi que ce soit qui pourrait être important, ou urgent, je serai dans le bureau de Mr Leyton pendant la prochaine demi-heure, et je vous serais reconnaissant de venir m'y trouver pour me communiquer cette information. Merci. »

Alors qu'ils pénétraient dans le petit bureau gris, Cyril Leyton dit d'un air important :

« Je peux vous apprendre tout ce que vous voulez savoir. Il ne se passe pas grand-chose ici dont je ne sois informé.

— J'ai dit devant tout le monde que si quelqu'un avait quelque chose d'urgent à me dire, il serait bon de le faire sur-le-champ. Avez-vous quelque chose à me dire ? »

Le teint de Leyton vira au vermillon.

« En fait non, pas précisément, mais je...

— A quelle heure Miss Bystock a-t-elle téléphoné mercredi pour avertir qu'elle ne viendrait pas travailler ? Pouvez-vous me le dire ?

— Moi ? Certainement pas. Je ne suis pas standardiste. Je peux vous trouver quelqu'un qui...

— Oui, Mr Leyton, dit patiemment Wexford, je suis certain que vous en êtes capable, mais tout votre personnel

72

sera interrogé demain. Vous ne m'avez pas entendu quand je l'ai expliqué tout à l'heure ? Je vous demande ce que vous avez, vous, à m'apprendre. »

Leyton fut sauvé par un coup léger à la porte. Il ouvrit et Ingrid Pamber entra. Wexford qui, comme la plupart des hommes, remarquait toujours si une femme était particulièrement jolie, avait pris bonne note de celle-ci. Elle avait le type de beauté qui le séduisait le plus. Un air de santé et de fraîcheur, des cheveux bruns, lisses et brillants, retenus en arrière par une barrette, des traits fins, un teint « de lis et de rose » comme aurait dit son père, une silhouette harmonieuse, mince mais bien loin de l'idéal anorexique prévalant à notre époque. Sa tenue était, à son avis, la plus flatteuse pour une jolie femme : une jupe droite courte, un chandail moulant — en l'occurrence en coton crème et à manches courtes —, des escarpins à talons, aussi éloignés que possible d'une chaussure masculine.

Elle adressa à Wexford un sourire triste, presque un rire à travers les larmes. Il semblait spontané mais l'inspecteur principal crut y sentir du calcul. Ses iris avaient une couleur si intense qu'ils semblaient répandre leur éclat bleuté.

« C'est moi... C'est moi qui m'occupais d'elle. Pauvre Annette ! Je prenais soin d'elle.

— Vous étiez amies, Miss Pamber ?

— J'étais sa seule et unique amie. »

Ingrid Pamber prononça ces mots doucement, mais d'un ton théâtral. Elle s'assit en face de Wexford. En dépit de ses précautions, sa jupe était trop courte pour ne pas remonter d'une quinzaine de centimètres au-dessus de ses genoux. La position qu'elle avait prise, les genoux et les chevilles serrés ramenés sur le côté, semblait étudiée pour montrer sous leur jour le plus avantageux les jambes d'une femme, mais d'une femme pudique, pas de ces starlettes hollywoodiennes qui croisent haut la jambe, les pieds cambrés dans des sandales à talons aiguilles. Il croyait cerner Ingrid Pamber, une fille dont le sex-appeal tenait à une fausse réserve, une façon discrète de révéler son corps, une séduction presque timide. En d'autres siècles, elle aurait excellé à jouer de son jupon pour faire entrevoir sa cheville, ou d'un châle qui en glissant aurait laissé apercevoir le creux de son décolleté.

« Est-ce vous qui avez pris l'appel de Miss Bystock, mercredi matin ?

— Oui. Oui, c'est moi. Elle a demandé au standard de me passer la communication.

— Ce qui était des plus incorrects, intervint Leyton. Il faudra que j'en parle à Mr Jones et Miss Selby. L'appel aurait dû m'être transmis personnellement.

— Mais je vous l'ai dit ! protesta Ingrid. Je vous l'ai dit trente secondes plus tard.

— Oui, peut-être, mais là n'est pas la...

— Mr Leyton, dit Wexford, je vous saurais gré de nous laisser. J'aimerais m'entretenir seul à seule avec Miss Pamber.

— Dites donc ! C'est mon bureau !

— Oui, je sais, et c'est fort obligeant à vous de le mettre à ma disposition. Je vous verrai plus tard. »

Wexford se leva et ouvrit la porte à Leyton. Celui-ci l'avait à peine franchie qu'Ingrid Pamber pouffa de rire. L'une des choses les plus difficiles que nous soyons appelés à faire est de feindre l'affliction quand nous sommes heureux, ou la joie quand nous souffrons. Ingrid se rappela trop tard que, en qualité d'unique amie d'Annette, elle était censée être triste. Elle baissa les yeux en se mordant les lèvres.

Il attendit un moment avant de lui demander :

« Pouvez-vous me dire à quelle heure a eu lieu cet appel ?

— Il était neuf heures et quart.

— Comment pouvez-vous être si précise ? »

Elle le regarda avec de grands yeux et il ressentit leur pouvoir.

« Nous commençons à neuf heures trente et nous sommes supposés être là dès neuf heures quinze. Ces temps derniers, j'étais arrivée un peu en retard et... et j'étais contente d'avoir réussi à être ponctuelle. J'ai regardé la pendule, j'ai vu qu'il était neuf heures et quart, et juste à cet instant on m'a mise en communication avec Annette.

— Qu'a-t-elle dit, Miss Pamber ?

— Qu'elle pensait avoir attrapé un virus, qu'elle se sentait affreusement mal, et que je devais dire à Cyril qu'elle ne viendrait pas. Elle m'a demandé si ça ne m'ennuyait pas de lui apporter un litre de lait en rentrant du travail, elle ne voulait rien d'autre, elle ne pouvait rien avaler. Elle a dit qu'elle ne mettrait pas le verrou pour que je puisse entrer. C'est le genre de porte qui a une poignée comme à l'intérieur d'un appartement, si vous voyez ce que je veux dire. »

Wexford hocha la tête. C'était donc elle, l'amie dont il avait supposé l'existence.

« Alors j'ai répondu que je passerais, et à la minute où je raccrochais, un homme a téléphoné pour elle. Il n'a pas donné son nom mais je savais qui c'était. »

Elle lui lança un regard oblique assez espiègle.

« Quoi qu'il en soit, reprit-elle, j'ai dit qu'elle était restée chez elle, étant souffrante.

— Et vous lui avez apporté du lait ?

— Oui. Il était à peu près dix-sept heures trente.

— Elle était couchée ?

— Oui. Je m'apprêtais à rester un peu, à papoter, vous savez, mais elle m'a dit de ne pas trop m'approcher pour éviter la contagion. Elle avait fait une liste de ce qu'elle voulait que je lui achète le lendemain, et je l'ai emportée. Elle a dit qu'elle me passerait un coup de fil au boulot, le matin.

— Elle l'a fait ?

— Non, mais ce n'était pas grave, répondit Ingrid Pamber, qui paraissait tout à fait inconsciente de la portée du fait. J'avais sa liste. Je savais ce qu'elle voulait.

— Elle vous avait donné une clef ?

— Oui. J'ai fait les courses, j'ai acheté les corn flakes, le pamplemousse et le reste, et je les ai apportés à la même heure hier soir. J'ai tout laissé dans le carton. J'ai pensé qu'elle rangerait.

— Vous n'êtes pas allée la voir ?

— Hier soir ? Non. Je n'entendais rien. J'ai pensé qu'elle dormait. »

Il décela la culpabilité dans sa voix. Elles étaient peut-être amies, mais la veille, Ingrid n'avait pas eu envie de se donner de mal pour Annette. Elle était pressée, aussi elle s'était hâtée de déposer les commissions et était repartie sans aller voir dans la chambre... A moins que cela se fût passé tout autrement.

« Donc, en quittant l'appartement mercredi soir vous aviez la clef, et, bien entendu, vous n'avez pas simplement claqué la porte derrière vous ?

— Oh non ! »

Comme ses yeux étaient bleus ! Ils semblaient devenir plus bleus encore, comme fluorescents, du bleu chatoyant d'un paon tandis que leur regard sérieux plongeait dans le sien.

« Donc, quand vous y êtes retournée jeudi soir, c'est à dire hier soir, vous avez trouvé la porte fermée et vous vous êtes servie de la clef pour entrer ?

— Mais oui, absolument. »

Il changea de sujet.

« Je suppose que Miss Bystock avait la télévision ? Un magnétoscope ?

— Oui, répondit-elle, surprise. Je me rappelle l'époque où elle a acheté le magnétoscope. C'était vers Noël, l'année dernière.

— Quand vous êtes allée là-bas, hier et avant-hier soir, avez-vous vu le poste de télévision ?

— Je ne sais pas, je... Je suis certaine de l'avoir vu mercredi. Annette m'a demandé de fermer les rideaux en partant, pour que le soleil ne décolore pas le tapis. C'est drôle, non ? C'est la première fois que j'entendais ça. Enfin. Je les ai tirés, et j'ai vu la télé et le magnétoscope. »

Il hocha la tête.

« Et hier ?

— Je ne sais pas. Je n'ai pas remarqué. »

Trop pressée, pensa Wexford. Elle était passée en coup de vent, pas de temps à perdre. Quelque chose dans son expression sembla émouvoir la jeune femme.

« Vous ne voulez pas dire... qu'elle était morte à ce moment-là, qu'elle était déjà morte... Ce n'est pas possible !

— J'ai bien peur que si, Miss Pamber. Selon toute apparence.

— Oh, mon Dieu ! Et moi qui ne savais pas... Si j'étais entrée dans sa chambre...

— Cela n'aurait rien changé.

— On ne l'a tout de même pas tuée pour... pour une télé et un magnétoscope ?

— Ce ne serait pas la première fois qu'une pareille chose arrive.

— Pauvre Annette ! Je suis effondrée. »

Pourquoi avait-il la nette impression qu'elle ne l'était pas tant que ça ? Elle employait les termes conventionnels sur le ton conventionnel, et son visage arborait le masque conventionnel du chagrin. Mais dans ces yeux-là dansaient la vie, l'énergie et le bonheur.

« Et l'homme qui a téléphoné pour lui parler ? Qui pensiez-vous que c'était ? »

Elle mentit à nouveau. Il s'étonna qu'elle pût croire qu'il ne s'en apercevrait pas.

« Oh ! juste un ami. Un de ses voisins, en fait.

— Qui pensiez-vous que c'était, Miss Pamber ?

— Je ne sais pas, dit-elle en le regardant droit dans les yeux. Honnêtement, je ne sais pas.

— Il y a deux secondes vous le saviez, et maintenant vous l'ignorez ? Je vous reposerai la question demain. »

La lumière de ses yeux disparut. Il la regarda partir, quitter la pièce, céder la place à un Leyton indigné. Elle avait beaucoup menti, et il pouvait définir l'instant précis où les mensonges avaient commencé : c'était lorsqu'il avait pour la première fois prononcé le mot « clef ». Il regarda, par-delà la grisaille du bureau, le parking du Marks & Spencers, où le vent d'été faisait voler un sac vert pomme. Une femme enlevait ses achats d'un chariot pour les ranger dans le coffre de sa voiture. C'était le même type de femme qu'Annette, brune, petite mais avec une taille de guêpe, le teint vif, des jambes parfaites. Pourquoi Ingrid avait-elle menti à propos de l'homme qu'elle avait eu au téléphone ? Pourquoi avait-elle menti à propos de la clef ? Et sur quels points encore avait-elle menti ?

77

Annette était déjà morte quand Ingrid était venue chez elle le jeudi soir. Ingrid avait fermé la porte derrière elle. Qui donc l'avait ouverte la nuit précédant la visite de Burden ?

6

CEUX QUI AVAIENT un travail et s'y rendaient tous les jours étaient des privilégiés. Avec le recul, Barry Vine se demanda ce qu'il aurait pensé d'une telle réflexion quelques années plus tôt. C'était vrai désormais, on ne pouvait le nier. Il fut surpris de constater que les occupants des appartements 3 et 4 de Ladyhall Court avaient tous un emploi.

Cependant, les Greenall n'étaient pas à leur travail la semaine précédente ; ils étaient rentrés de vacances cinq heures après la découverte du corps. L'occupant de l'appartement 4, Jason Partridge, un avoué qui avait passé six mois plus tôt les examens du Barreau, vivait là depuis à peine quelques semaines et ne se rappelait pas avoir vu Annette. Vine, qui savait fort bien qu'une tendance à trouver les policiers de plus en plus jeunes était le signe qu'on avançait en âge, se demanda ce qu'il fallait conclure quand un avoué avait l'air d'un potache.

En face de Ladyhall Gardens se trouvaient une vieille bâtisse divisée en trois appartements, trois bungalows en brique rouge et un chantier où six maisons semblables à la première avaient été démolies. Les nouvelles seraient bien dans le ton des années quatre-vingt-dix : une composition évoquant Port Meirion[1] réunirait perpendiculairement une

1. Port Meirion : village gallois où fut tournée la série « Le Prisonnier ». (*N.d.T.*)

79

demeure gothique à planches à clin, un immeuble en brique et une maison de style géorgien aux murs plâtrés ; tous les toits seraient dénivelés, toutes les fenêtres de formes différentes. Pour l'instant, il n'y avait que les fondations, l'infrastructure et les murs s'élevant à une hauteur de 1,80 m. Cela réduisait le nombre des résidants qui avaient vue sur Ladyhall Court aux habitants des bungalows et de la vieille bâtisse.

Comme on était un samedi, les occupants des bungalows étaient chez eux. Vine s'entretint avec un couple assez jeune, Matthew Ross et sa compagne Alison Brown ; ni l'un ni l'autre n'avaient regardé par la fenêtre dans la nuit du 7 au 8 juillet. Ils ne savaient rien d'Annette Bystock et ne se souvenaient pas l'avoir jamais vue.

Le bungalow voisin était partagé par deux femmes, Diana Graddon, qui devait avoir la trentaine, et Helen Ringstead, de vingt ans plus âgée. Mrs Ringstead était plus une locataire qu'une amie. Diana Graddon avoua avec franchise qu'elle n'aurait pu se permettre de vivre là sans cet apport, même si, depuis qu'elle avait perdu son emploi, les Allocations payaient son loyer. Elle avait bien connu Annette, dans le temps. En fait, c'est elle qui, une dizaine d'années plus tôt, alors qu'elle venait de s'installer dans Ladyhall Avenue, avait signalé à Annette qu'un appartement était à vendre de l'autre côté de la rue.

« Mais nous avons cessé tout contact, dit Diana Graddon. Elle m'a laissée tomber, pour dire les choses comme elles sont. Je ne sais pas pourquoi. C'était vraiment trop bête, alors qu'on habitait l'une en face de l'autre ! Mais après avoir emménagé ici, elle n'a plus voulu me connaître.

— Quand l'avez-vous vue pour la dernière fois ?

— Ça devait être lundi. Lundi dernier. Je partais pour quelques jours. Je l'ai vue rentrer du travail alors que j'allais prendre le car. On s'est juste dit bonjour, on ne s'est pas vraiment parlé. »

Elle s'était absentée jusqu'au jeudi matin. Quant à Helen Ringstead, elle déclara qu'elle ne faisait jamais attention aux gens qui allaient et venaient dans la rue.

Le visage ridé que Burden avait pris, dans un moment d'extravagance, pour un masque ou une silhouette en carton appartenait à un homme de quatre-vingt-treize ans nommé Percy Hammond. Quatre ans, et non trois, avaient passé depuis qu'il était descendu de son premier étage, et le plus clair du temps il restait dans sa chambre, qui surplombait Ladyhall Avenue. Des bénévoles lui livraient ses repas et, deux fois par semaine, une aide ménagère passait. Depuis trente ans il était veuf, ses fils étaient morts et sa seule amie était la locataire du rez-de-chaussée qui, bien qu'aveugle et âgée de quatre-vingts ans, gravissait chaque jour l'escalier pour lui rendre visite.

Ce fut elle qui fit entrer Burden. Après s'être présentée — « Gladys Prior » —, lui avoir par deux fois demandé son propre nom puis l'avoir prié de l'épeler, elle passa devant lui, monta les marches d'un pas sûr, sa main sur la rampe plus par convention que pour y prendre appui. Dans un fauteuil près de la fenêtre, Percy Hammond contemplait la rue déserte. Le visage qui, vu de près, évoquait le faciès d'un dinosaure se tourna vers Burden, et son possesseur dit :

« Je vous ai déjà vu quelque part.

— Non, Percy. Pour le coup vous faites erreur. C'est un officier de police qui vient pour son enquête. Il s'appelle Burden, inspecteur Burden, B.U.R.D.E.N.

— Très bien, je n'ai pas l'intention de lui écrire. Et, je le maintiens, je l'ai déjà vu. Qu'en savez-vous, vous qui ne voyez rien du tout ? »

Bien loin de la peiner, ce sarcasme cruel sembla amuser Mrs Prior. Elle s'assit en pouffant de rire.

« Où ai-je bien pu vous voir ? s'interrogeait Percy Hammond. Et quand ai-je bien pu vous voir ?

— Hier matin, de l'autre côté de la..., commença Burden, aussitôt interrompu.

— Ça va, pas la peine de me le dire ! Etes-vous donc incapable de reconnaître une question rhétorique ? Je sais qui vous êtes. Vous tentiez de vous introduire dans la maison, du moins c'est ce que j'ai pensé. Hier matin. A dix heures, n'est-ce pas ? Ou un peu plus tard, vers les onze heures ? Je n'ai plus une aussi bonne notion du temps qu'autrefois. Je suppose que vous ne cherchiez pas à entrer par effraction, mais plus probablement à regarder à l'intérieur.

— Bien sûr qu'il ne voulait pas entrer par effraction, Percy ! C'est un policier.

— Vous êtes naïve, Gladys, oui, bien naïve. Je suppose que l'inspecteur B.U.R.D.E.N. contemplait le cadavre à travers les rideaux ? »

C'était une façon d'exprimer la chose, quoique un peu froidement.

« C'est exact, Mr Hammond. Je souhaite vivement savoir, non si vous m'avez vu mais si vous avez vu quelqu'un d'autre que moi. Vous observez assez souvent la rue, de votre fenêtre ?

— Il ne quitte pas cette fenêtre de toute la sainte journée, confirma Mrs Prior.

— Et la nuit ? demanda Burden.

— Il fait clair la nuit, à cette époque de l'année, répondit Hammond, une lueur de plaisir dans ses yeux aux paupières tombantes. Il ne fait pas noir avant dix heures du soir, et à quatre heures il commence à faire jour. En général, je me couche à dix heures et je me lève à trois heures et demie. Je ne peux pas dormir plus longtemps, à mon âge. Et quand je ne suis pas dans mon lit, je suis à ma fenêtre, à ma tour de garde. Savez-vous ce qu'est une mizpah ?

— Je mentirais si je vous disais que oui.

— Le lieu de guet qui dominait la plaine de Syrie. Vous les jeunes, vous ne connaissez pas votre Bible et c'est bien dommage. Cette fenêtre est ma mizpah.

— Et ces deux dernières nuits, avez-vous remarqué quelque chose d'inhabituel dans la... hem, plaine de Syrie, Mr Hammond ?

— Pas la nuit dernière mais celle d'avant...

— Deux chats se sont battus sur l'auvent ! » chantonna Mrs Prior en riant.

Percy Hammond l'ignora.

« Un jeune gars est sorti de Ladyhall Court. Je ne l'avais

encore jamais vu et je savais qu'il n'habitait pas là. Je les connais tous de vue, ceux qui vivent là-bas.

— A quelle heure ?

— A l'aube, c'était à quatre heures. Peut-être un peu plus tard. Je l'ai revu, je l'ai vu sortir en portant quelque chose, une sorte de gros poste de TSF.

— Un poste de TSF ! soupira Gladys Prior. Peut-être que je n'y vois pas clair mais je suis à la page, moi. On appelle ça des télés et des radios.

— Il y est retourné et il est ressorti avec un autre machin, dans un carton. Je n'ai pas pu voir ce qu'il en a fait. S'il avait une voiture, elle était garée après le coin de la rue. Je me suis dit qu'il faisait un déménagement et qu'il s'arrangeait pour en finir tôt, avant les embouteillages.

— Pourriez-vous le décrire, Mr Hammond ?

— Il était jeune, à peu près de votre âge. Et à peu près de la même taille. Il vous ressemblait vraiment beaucoup. Il faisait encore un peu sombre, vous comprenez, le soleil n'était pas encore levé. Tout a l'air gris et noir à cette heure-là. Je ne pourrais pas vous dire la couleur de ses cheveux...

— Il s'emmêle les pédales, commenta Mrs Prior.

— Non, Gladys. Comme je l'ai dit, il était entre quatre heures trente et cinq heures du matin. Je l'ai vu entrer et sortir, puis entrer une seconde fois et ressortir avec ces cartons, un jeune gars de vingt-cinq, trente ans, 1,80 m. Au moins 1,80 m.

— Vous le reconnaîtriez ?

— Bien sûr que je le reconnaîtrais ! J'ai le sens de l'observation. Il faisait peut-être sombre mais je le reconnaîtrais n'importe où. »

Percy Hammond tourna vers Burden les traits farouches et renfrognés, la bouche aux commissures tombantes et le lourd double menton qui formaient sa physionomie ordinaire, une lueur intense dans ses yeux de saurien.

« Mesdames, apprenez à être prudentes dans la rue, disait la première ligne du programme. Venez écouter les recommandations des experts en matière de vigilance. Que vous soyez en voiture ou à pied, que vous marchiez seule dehors la nuit ou que vous soyez chez vous. Savez-vous comment réagir face à une agression en pleine rue ? Savez-vous vous protéger si votre voiture tombe en panne sur l'autoroute ? Savez-vous vous défendre contre un violeur ? »

Le texte dressait la liste des orateurs : l'inspecteur principal R. Wexford, de la brigade criminelle de Kingsmarkham, traiterait de « Crimes de rues, crimes au foyer » ; l'auxiliaire féminine Clare Scott, conseillère en matière de violences sexuelles, des « Changements d'attitude face aux plaintes pour viol » ; l'agent Oliver Adams expliquerait comment « Conduire seule en toute sécurité » ; Mr Ronald Pollen, expert en autodéfense et ceinture noire de judo, présenterait sa passionnante cassette-vidéo et exposerait « Les techniques de riposte ». Organisatrice : Mrs Susan Riding, présidente du Rotary Club féminin de Kingsmarkham ; présidente d'honneur : Mrs Anouk Khoori.

« As-tu déjà entendu parler d'une certaine Anouk Khoori ? C'est un nom curieux, non ? Il a une consonance arabe.

— Oh Reg ! répondit Dora sans une hésitation. Tu ne m'écoutes jamais. Je t'ai raconté en détail qu'elle est venue à l'Institut des femmes parler de la condition féminine dans les Emirats arabes unis.

— Tiens, tu vois, j'avais raison ! Elle est arabe.

— Elle n'en a pas l'air, en tout cas. Elle est blonde. Très belle, d'une façon un peu tapageuse. Très riche, à mon avis. Son mari possède une chaîne de magasins, Tesco ou Safeway. Non, Crescent. Tu sais bien, ils poussent partout comme des champignons.

— Tu parles de ces supermarchés qu'on voit de l'autoroute ? Ceux qui ressemblent aux palais des *Mille et Une Nuits*, avec des arches pointues et des croissants de lune sur le toit ? Quel rapport avec la prévention contre le viol et les sévices corporels ? Elle ne va tout de même pas conseiller aux femmes de se voiler ?

— Non, elle vient uniquement pour se faire voir du public. Son mari et elle se sont fait construire une maison immense sur l'ancien emplacement du vieux manoir de Mynford. Elle se présente aux élections partielles du Conseil. On dit qu'elle ambitionne d'entrer au Parlement, mais c'est sûrement impossible, elle n'est même pas anglaise. »

Wexford haussa les épaules. Il n'en savait rien et n'aurait pu s'en désintéresser davantage. La tâche toute proche qui l'attendait, il la redoutait et l'aurait évitée s'il l'avait pu. Sur le chemin, il retrouverait Burden à l'Olive and Dove pour boire un verre, mais après — cela ne pouvait être repoussé plus longtemps — il irait chez les Akande.

L'Olive était ouvert à toute heure, désormais. On pouvait commander un brandy dès neuf heures du matin si l'on en avait envie, et un nombre surprenant de visiteurs européens en manifestaient l'envie. Au lieu de se faire vider en bloc à quatorze heures trente, les clients pouvaient continuer à boire tout au long de l'après-midi et de la soirée, jusqu'à ce que le bar ferme enfin à minuit. Il était onze heures dix quand Wexford y arriva et trouva Burden installé à l'extérieur, à une table ombragée.

Des pots, des tonneaux, des vases et des paniers suspendus déversaient presque à l'excès leurs fuchsias, leurs géraniums et d'autres fleurs éclatantes aux noms inconnus. Elles étaient toutefois inodores, et l'air se chargeait des relents des gaz d'échappement et des remugles de la rivière, dont les eaux basses s'étaient couvertes d'une écume d'algues à cause de la sécheresse. Quelques feuilles jaunies étaient tombées sur la table. Leur chute en juillet était un peu précoce mais n'en rappelait pas moins l'imminence de l'automne.

Burden avait commandé un demi d'Adnams dans une chope en étain qu'à l'Olive on appelait un pichet.

« Je prendrai la même chose, dit Wexford. Ou plutôt une Heineken. Puisons du courage dans la boisson. »

Après la lui avoir apportée, Burden lui dit :

« Le vieux a incontestablement vu quelqu'un. Les arbres ne masquent pas la maison, d'en haut. Il a vu le voleur emporter la télévision et le magnétoscope.

— Mais pas l'assassin ?

— Pas s'il était quatre heures trente. Annette était morte depuis cinq heures, à ce moment-là. Il affirme qu'il le reconnaîtrait. D'un autre côté, il commence par dire que

85

l'homme avait à peu près mon âge, puis qu'il avait dans les vingt-cinq, trente ans. Evidemment, il ne faisait pas très clair, ajouta Burden, baissant les yeux avec modestie.

— Non, Dorian [1], sans doute pas.

— Moquez-vous tant que vous voulez, mais si cet homme me ressemble, il se peut que nous tenions une piste.

— C'est un meurtrier que nous cherchons, Mike, pas un cambrioleur. »

Le soleil avait tourné. Wexford déplaça sa chaise pour se mettre à l'ombre.

« Donc, où Melanie Akande trouve-t-elle sa place dans cette histoire ?

— Nous n'avons même pas cherché son corps.

— Où commenceriez-vous, Mike ? Ici, dans la grand-rue ? Dans les caves du Centre pour l'emploi ? Encore faudrait-il que ces caves existent, ce dont je doute. Tout le long du réseau des Chemins de Fer britanniques, vers la gare Victoria ?

— J'ai parlé à ces loubards, vous savez, ceux qui traînent devant le Centre. Ils y sont toujours, et ce sont toujours plus ou moins les mêmes. Qu'est-ce qui les attire là-bas ? Ils ne doivent pointer que tous les quinze jours mais ils y restent tout le temps. Ce serait différent s'ils entraient pour demander du travail.

— Ils le font peut-être.

— J'en doute. J'en doute très fortement. Je leur ai demandé s'ils avaient vu une jeune fille noire. Vous savez ce qu'ils m'ont répondu ?

— "Ça se pourrait, j'sais pas ?"

— Parfaitement. C'est exactement ce qu'ils ont dit. J'ai essayé de leur faire remonter par la pensée jusqu'à mardi dernier. Rectificatif : par ce qui tient lieu de pensée à ce genre d'individus. Ça a été un sacré boulot ! On aurait dit trois vieux en train de se creuser la cervelle. C'était un peu du style : "Ben ouais, mec, c'était c'jour-là, tu sais bien, le

---

1. Allusion au *Portrait de Dorian Gray*, d'Oscar Wilde, dont le héros conservait sa jeunesse et sa beauté pendant que son portrait vieillissait. (*N.d.T.*)

jour où j'suis v'nu tôt pass'que ma mère, tu vois, elle allait..." Et ça marmonne, et ça se gratte le crâne, et alors celui d'à côté dit : "Non, vieux, non, tu t'plantes, c'était mardi pass'que j'ai dit..."

— Faites-moi grâce du reste.

— Le Noir, celui qui a des petites tresses, ou plutôt des mèches entortillées, c'est lui le pire. En l'écoutant, on croirait qu'il a le cerveau atteint. Vous savez, à côté du diabète sénile il existe un diabète juvénile. Vous croyez qu'il existe une forme juvénile de maladie d'Alzheimer ?

— Ils ne savaient rien sur elle, je suppose.

— Rien de rien. Une fille se ferait enlever sur ces marches par trois monstres de *Jurassic Park* qu'ils ne le remarqueraient pas. Tout ce que j'ai pu en tirer, c'est que celui à la queue de cheval croit avoir vu une jeune Noire de l'autre côté de la rue, mais lundi. Je vais vous dire : nous ne retrouverons personne qui ait vu Melanie après son départ du Centre. Sinon, à l'heure qu'il est ce serait déjà fait. Tout ce que nous avons, c'est un lien entre Annette Bystock et elle.

— Mais quelle est exactement la nature de ce lien, Mike ?

— Sa nature exacte, je ne la connais pas. Sa nature exacte, c'est ce pour quoi on a tué Annette, ce qu'il fallait l'empêcher de révéler. Ça crève les yeux, non ? Melanie lui a confié un secret avant de s'en aller mardi après-midi, et quelqu'un a surpris leur conversation. Soit cela, soit elles avaient convenu d'un rendez-vous que le meurtrier voulait empêcher à tout prix.

— Vous voulez dire que quelqu'un du Centre, un employé quelconque, les a entendues ?

— Ou un client.

— Mais qu'est-ce qu'il aurait entendu ? Quel genre de chose ?

— Je ne sais pas, et au fond, en ce qui nous concerne, ça n'a pas d'importance. L'essentiel, c'est que celui qui les a entendues s'est inquiété. Et même plus, il a senti que sa vie ou sa liberté était menacée. Melanie devait mourir, et comme elle avait transmis le secret, la dépositaire de ce secret devait mourir elle aussi.

— Encore un demi ? Un autre pour la route, avant que nous allions les voir ?

— "Nous" ?

— Vous m'accompagnez. »

Wexford alla chercher leurs bières. Quand il revint avec les consommations, il reprit :

« Lorsque devant moi on fait allusion à de lourds secrets, j'ai toujours besoin d'avoir une petite idée de ce qu'ils pourraient être. J'aimerais un exemple. Vous me connaissez, il me faut toujours des exemples. »

Ils n'étaient plus seuls. Une bonne partie de la clientèle de l'Olive jugeait plus agréable de rester au grand air. Un touriste américain armé d'un appareil-photo fit prendre la pose aux autres membres de son groupe, à une table abritée du soleil, et entreprit de les immortaliser. Wexford recula à nouveau sa chaise.

« Bien, commença Burden. Cet homme qu'elle s'apprêtait à rejoindre... Elle aurait pu dire son nom à Annette.

— Parce qu'elle s'apprêtait pour de bon à rejoindre un autre homme ? Première nouvelle. Qui était-ce ? Un marchand de chair blanche ?

— Un quoi ? interrogea Burden, complètement perplexe.

— C'est de l'histoire ancienne. Vous n'avez vraiment jamais entendu cette expression ?

— Je ne crois pas.

— Elle devait être en usage au début du siècle, et peut-être un peu plus tard. Un marchand de chair blanche était un trafiquant qui fournissait des filles pour la prostitution, à l'étranger.

— Et pourquoi "blanche" ? »

Wexford sentit qu'il abordait un terrain glissant. Il esquissa un sourire entendu, porta le pichet à ses lèvres et, à cet instant précis, fut aveuglé par un flash. Le photographe, qui n'était pas le touriste de tout à l'heure, marmonna ce qui pouvait être un mot de remerciement et s'engouffra dans l'Olive.

« Parce qu'on avait toujours à l'esprit l'image d'esclaves noirs. Ce n'était pas si longtemps après l'abolition de l'esclavage aux Etats-Unis. Les filles étaient emmenées contre leur gré, comme des esclaves, et réduites à la servitude dans un pays étranger, là encore comme des esclaves, à ceci près que pour elles, c'était dans des bordels. Buenos Aires venait en tête dans l'imagerie populaire. On y va ? Akande a sûrement terminé ses consultations, à présent. »

Il avait terminé et il était chez lui. Les jours passés l'avaient marqué. Quoi qu'en disent les marchands de sensationnel, des cheveux ne blanchissent pas du jour au lendemain à la suite d'un choc ou d'une angoisse, et ceux d'Akande étaient tels que le mercredi précédent, noirs, un peu striés de gris aux tempes. C'était son visage qui avait vieilli, les traits tirés, les joues hâves, toutes les protubérances du crâne apparentes sous la peau.

« Ma femme est à l'hôpital, dit-il en les faisant passer au salon. Nous essayons de ne pas modifier nos habitudes. Mon fils nous a téléphoné de Malaisie. Nous ne lui avons rien dit, il nous semblait inutile de gâcher son voyage. Il se serait senti obligé de revenir à la maison.

— Je ne suis pas certain que vous ayez eu une bonne idée. »

Wexford aperçut un objet qu'il n'avait pas remarqué précédemment : une photographie encadrée de la famille au complet, sur une étagère de la bibliothèque. C'était visiblement un portrait de studio où chacun adoptait une pose assez solennelle, les enfants en blanc, Laurette Akande, très belle et très différente de l'image traditionnelle de l'infirmière, en robe décolletée de soie bleue et bijoux en or.

« Il aurait peut-être pu nous aider. Il se peut que sa sœur lui ait fait des confidences avant son départ.

— Quelles confidences, Mr Wexford ?

— Par exemple, qu'elle avait dans sa vie un autre homme qu'Euan Sinclair.

— Mais je suis sûr qu'il n'y en avait aucun. »

Le médecin s'assit et regarda Wexford dans les yeux. Il avait une manière assez déconcertante de fixer les gens. Wexford l'avait remarqué lorsque leurs rôles étaient inverses, qu'il était pour ainsi dire le client et l'autre le conseiller omniscient. Dans le cabinet de consultation, alors qu'ils se faisaient face chacun d'un côté du bureau, les yeux noirs et pénétrants d'Akande avaient plongé profondément dans les siens.

« Je suis bien sûr qu'elle n'avait jamais eu de petit ami à part Euan. C'est-à-dire en dehors de... Je ne sais pas très bien comment formuler la chose...

— Quoi donc, Dr Akande ?

— Ma femme et moi, nous... Nous n'aimerions pas que Melanie sorte avec un Blanc. Oh, je sais ! Les choses évoluent avec le temps, des mots tels que "métissage" n'ont plus cours. Et, bien entendu, il n'était pas question de mariage, néanmoins... »

Wexford imaginait que l'infirmière-chef Akande se montrait aussi intransigeante sur ce point qu'une dame de la haute bourgeoisie du comté dont la fille se serait entichée d'un rastafarien.

« Melanie avait-elle un petit ami blanc, docteur ?

— Non, non, rien de la sorte. Seulement, la sœur de ce garçon allait au même collège, c'est ainsi que Melanie a fait sa connaissance, et elle nous a raconté qu'ils avaient bu un pot ensemble, avec la sœur. J'y fais allusion parce que c'est le seul garçon dont Melanie nous ait parlé en dehors d'Euan. Laurette a dit aussitôt qu'elle espérait que Melanie n'approfondirait pas cette relation, et je suis convaincu que notre fille ne l'a jamais fait. »

Que savait-il, ce père, de la vie de ses enfants ? Que savent des parents ?

« Melanie n'est pas allée rejoindre Euan le mardi soir, dit Wexford. Cela a été démontré sans l'ombre d'un doute.

— Je savais qu'elle n'avait pas fait ça. Je le savais. J'ai dit à ma femme qu'elle avait trop de bon sens pour retourner vers ce garçon qui n'avait aucun respect pour elle. Avez-vous... Avez-vous du nouveau pour moi ? »

Akande paraissait calme, mais ses mains se crispaient sur les accoudoirs de son fauteuil au point de faire blanchir ses articulations.

« Nous n'avons rien de précis, monsieur. »

Wexford capta beaucoup de choses dans ce « monsieur » ampoulé, beaucoup plus, probablement, que Burden lui-même. Il y perçut un réel effort de la part de l'inspecteur pour traiter cet homme comme il l'eût fait de tout autre dans la situation du médecin. Et il devinait que Burden, qui rencontrait très rarement des Noirs, se sentait mal à l'aise, non pas gêné mais nerveux, incertain de la façon dont il devait procéder.

« Nous avons fait tout ce que nous pouvions pour retrouver votre fille. Nous avons fait tout ce qui est humainement possible. »

Le médecin devait penser, tout comme Wexford, que ces mots-là n'avaient aucun sens. Ses connaissances en psychologie, et peut-être tout un vécu au contact des Blancs, lui permettaient de lire en Burden comme dans un livre ouvert. Wexford crut voir flotter un sourire moqueur sur le visage malheureux d'Akande.

« Qu'essayez-vous de me dire, inspecteur ? »

Burden n'apprécia pas cette question, prononcée avec une intonation légèrement sarcastique. Wexford enchaîna un peu trop hâtivement :

« Il faut vous préparer au pire, Dr Akande. »

Le bref éclat de rire du médecin fut choquant, vu les circonstances. Rien qu'un simple « Ha ! » aussitôt éteint, et à nouveau le visage affligé du médecin — pire qu'affligé, cette fois. Fou d'angoisse.

« Je suis prêt, répondit-il d'un ton stoïque. Nous sommes prêts. Vous allez me dire d'accepter l'idée que Melanie est certainement morte ?

— Pas tout à fait. Mais, c'est vrai, la probabilité en est très forte. »

Le silence tomba. Akande posa les mains sur ses genoux et se força à se détendre. Il poussa un soupir, lourd et profond. Atterré, Wexford vit une larme couler de chacun de ces yeux tragiques. Akande n'était pas embarrassé. Du bout de ses deux index, il sécha ses larmes, s'essuya les joues puis contempla l'extrémité de ses doigts, la tête basse.

Sans lever les yeux, afin que son visage reste dissimulé, il dit paisiblement, presque sur le ton de la conversation :

« Je me pose une question, depuis que j'ai vu les informations télévisées hier soir et que j'ai lu les journaux du

91

matin. Cette femme assassinée sur Ladyhall Avenue... Elle porte le même nom que la conseillère avec qui Melanie avait rendez-vous mardi dernier. Annette Bystock. Le journal dit qu'elle était fonctionnaire, or je suppose que cela correspond. Est-ce une coïncidence ? Je me demande s'il peut y avoir un rapport. En fait, je n'ai pas fermé l'œil de la nuit à force d'y penser.

— Melanie ne connaissait pas Annette Bystock avant cela, docteur ?

— Je suis sûr que non. Je me rappelle ses mots exacts. Elle a dit : "Je dois voir la conseillère aux nouveaux demandeurs à quatorze heures trente. Une certaine Miss Bystock." »

Avec douceur, Wexford fit observer au médecin qu'il ne lui en avait rien dit auparavant. Mrs Akande ne lui en avait rien dit lors de l'unique occasion où il s'était entretenu avec elle.

« C'est vrai. Ça m'est revenu en voyant le nom dans le journal. »

Wexford se méfiait profondément des détails qui « revenaient » aux témoins lorsqu'ils voyaient un nom dans le journal. Pauvre Akande ! Il se disait prêt, il se disait résigné, mais il n'en gardait pas moins espoir. L'espérance est peut-être une vertu, songea Wexford, mais elle cause plus de souffrance que le désespoir. Il envisagea de demander au médecin s'il savait ce que Melanie avait pu dire à Annette Bystock pour mettre leurs deux existences en danger, et pensa aussitôt que c'était une question futile. Bien évidemment, Akande n'en savait rien.

Il demanda plutôt :

« Comment s'appelle ce garçon blanc avec lequel elle a pris un pot ?

— Riding. Christopher Riding. Mais c'était il y a des mois. »

En les raccompagnant à la porte, Akande s'efforçait de refouler la question qui lui brûlait les lèvres. Vaincu, il fit une grimace et demanda :

« Y a-t-il le plus petit espoir qu'elle soit encore en vie ? »

Tant qu'on n'a pas retrouvé le corps, on ne peut la tenir pour morte. Mais ces mots-là, Wexford ne les prononça pas.

« Disons simplement qu'il faut vous préparer au pire, docteur. »

Il ne pouvait donner d'espoir, ayant la certitude quasi absolue qu'un ou deux jours plus tard il lui faudrait l'anéantir.

Les femmes emplissaient le préau ; elles étaient au moins trois cents. Alors qu'il restait dix bonnes minutes avant le début de la réunion, il en arrivait encore et l'une des organisatrices apportait des chaises supplémentaires.

« Ce n'est pas pour nous qu'elles viennent, chuchota Susan Riding à Wexford. Ne vous faites pas d'illusions. Apprendre comment on aveugle et vient à bout d'un violeur n'est qu'en partie la raison. Non, elles sont venues pour elle. Pour la voir. C'était ingénieux de lui faire présider la réunion, n'est-ce pas ? »

Wexford regardait Anouk Khoori, à l'autre bout de l'estrade. Il avait l'impression de l'avoir déjà vue il ne savait où. Peut-être tout simplement sur une photographie dans la presse. Elle était la vedette de cette petite assemblée, en passe de devenir la Première Dame de Kingsmarkham. Vraisemblablement, cela ne lui déplaisait pas. S'il était vrai que la plupart de ces femmes étaient venues pour la contempler en chair et en os, pour voir ce qu'elle portait et entendre comment elle parlait, leurs aspirations n'étaient pas démesurées. A un niveau plus modeste, elle était semblable à ces célébrités internationales dont la photo s'étale dans les journaux, dont le nom est sur toutes les lèvres et qui sont les invitées de prédilection des plateaux-télé, mais dont il est difficile de dire ce qu'elles ont fait concrètement, et impossible de savoir quels buts elles ont atteints.

« Elle n'a pas l'air d'être du Moyen-Orient », dit-il, se demandant aussitôt si ce n'était pas une réflexion raciste.

Susan Riding se borna à sourire.

« Sa famille est originaire de Beyrouth. Anouk est bien entendu un prénom français. Nous avons un peu fait leur connaissance quand nous étions au Koweït. Son jeune

93

neveu avait besoin d'une opération mineure, et Swithun s'en est chargé.

— Ils sont partis à cause de la guerre du Golfe ?

— Nous oui. Mais eux, je ne pense pas qu'ils soient définitivement partis. Ils y ont une maison, ainsi qu'une autre à Menton et un appartement à New York, d'après ce que j'ai entendu. Je savais qu'ils avaient acheté le vieux manoir de Mynford, aussi j'ai pris mon courage à deux mains et je lui ai demandé si elle accepterait d'être notre invitée d'honneur. Elle s'est montrée charmante. Au fait, Swithun est ici, et il semble devoir rester le seul homme du public. Mais ça lui est égal, ce genre de chose ne lui demande aucun effort. »

Wexford repéra le chirurgien assis à l'avant-dernier rang, l'air aussi courtois que sa femme l'avait laissé supposer. Pourquoi, quand les femmes étaient assises les jambes croisées, posaient-elle le mollet sur le genou alors que les hommes, eux, posaient la cheville sur le fémur ? Chez les femmes, c'était probablement par pudeur, mais cette explication ne tenait plus maintenant qu'elles étaient tout le temps en pantalon. Swithun Riding enserrait de sa longue main élégante sa cheville posée sur sa cuisse. A côté de lui, la jeune fille aux cheveux blonds comme les blés lui ressemblait tant qu'elle ne pouvait être que sa fille et celle de Susan. Wexford la reconnut. Quand il l'avait vue, à sa première visite au Centre pour l'emploi, elle attendait son tour pour pointer.

« Votre fils n'a pu se résoudre à soutenir moralement son père ? demanda Wexford.

— Christopher est à l'étranger pour une semaine. Il est parti en Espagne avec une bande de copains. »

Encore une vague théorie à éliminer.

A l'autre bout de la salle, Mrs Khoori fit entendre un long rire argentin. L'homme avec lequel elle bavardait — un ancien maire de Kingsmarkham — lui souriait, manifestement déjà conquis. Elle lui tapota doucement le bras en un geste d'une exquise et étonnante familiarité, avant de revenir s'asseoir derrière la table, à la place d'honneur. Là, elle ajusta son micro avec l'aisance d'une personne habituée à s'exprimer en public.

« Je vais vous présenter », dit Susan Riding.

Wexford s'attendait à un accent mais elle n'en avait aucun, seulement une toute petite pointe d'intonation française, la fin des phrases montant au lieu de tomber.

« Comment allez-vous ? dit-elle en retenant la main de Wexford un peu plus longtemps que nécessaire. Je savais que je vous rencontrerais ici, j'en avais le pressentiment. »

Pas étonnant, pensa-t-il, puisque son nom figurait sur le programme parmi ceux des orateurs. Il fut un peu embarrassé sous ce regard qui semblait l'évaluer, le soupeser. On aurait dit qu'elle se demandait jusqu'où elle pouvait aller avec lui, à quel moment il lui faudrait se replier. Oh ! sottises, balivernes... Elle avait les yeux noirs, voilà sûrement ce qui l'avait déconcerté, des yeux très noirs contrastant avec ce teint laiteux et ces cheveux très blonds.

« Allez-vous apprendre aux fragiles créatures que nous sommes à se défendre et à se protéger contre les grosses brutes ? »

Il eût été difficile de trouver une créature d'aspect moins fragile. Elle mesurait au moins 1,75 m, son corps était robuste et sinueux dans le tailleur en lin rose, ses bras et ses jambes musclés, son teint éclatant de santé. La main qu'il n'avait pas serrée arborait un diamant énorme, une seule pierre sertie sobrement sur un anneau de platine.

« Je ne suis pas un expert en arts martiaux, Mrs Khoori. Je laisserai ce soin à Mr Adams et Mr Pollen.

— Mais vous allez parler ? Autrement je serais tellement, tellement déçue !

— Je vais dire quelques mots.

— Alors il faudra que nous causions ensuite, vous et moi. Je suis inquiète, Mr Wexford, terriblement inquiète à cause de ce qui nous arrive dans ce pays. Des enfants assassinés, toutes ces pauvres jeunes filles agressées, violées et pire encore. C'est pourquoi je fais ceci, pour contribuer à mon humble façon à... disons, inverser le cours de la criminalité. Ne pensez-vous pas qu'il est du devoir de chacun d'entre nous d'agir ainsi ? »

Il s'interrogea sur l'emploi de ce « nous ». Depuis combien de temps vivait-elle ici ? Deux ans ? Etait-ce irrationnel de s'offusquer de ses prétentions à passer pour anglaise, alors qu'il respectait celles d'Akande ? Son mari était un multimillionnaire arabe... La nécessité de répondre aux remarques graves, quoique étrangement vagues de la jeune femme lui fut épargnée par Susan Riding, qui chuchota :

« Anouk, nous sommes prêts à commencer. »

Avec beaucoup d'assurance, Anouk Khoori se leva et parcourut son auditoire des yeux. Les mains levées, sa grosse bague scintillant de mille feux, elle attendit le silence — le silence complet — avant de prendre la parole.

Une heure plus tard, si l'on avait demandé à Wexford de résumer ses propos, il n'aurait pu se rappeler un traître mot. Et en même temps il avait conscience qu'elle possédait le don précieux, sur lequel tant de politiciens ont bâti leur succès, de parler pour ne rien dire mais longuement, en une suite harmonieuse de termes polysyllabiques à la mode, d'énoncer des platitudes avec une éloquence fleurie et une confiance absolue. De temps à autre elle marquait une pause sans raison apparente. A l'occasion, elle souriait. Une fois, elle secoua la tête ; une autre, elle éleva la voix et prit un ton passionné. Au moment précis où il se disait qu'elle continuerait pendant une demi-heure, que rien hormis la force physique ne pourrait l'arrêter, elle conclut, remercia l'assistance et, se tournant gracieusement vers lui, entreprit de le présenter.

Elle savait beaucoup de choses sur son compte. Wexford l'écouta, avec plus d'amusement que d'effroi, dévider tout son *curriculum vitae*. Comment savait-elle que dans le temps il avait été simple flic à Brighton ? Où avait-elle découvert qu'il avait deux filles ?

Il se leva et s'adressa aux femmes. Il leur dit qu'elles devaient apprendre à être vigilantes dans la rue, mais précisa également qu'elles devaient prendre du recul par rapport à ce qu'elles lisaient et entendaient sur la criminalité en ville. Lançant un regard légèrement mécontent à la journaliste du *Kingsmarkham Courier*, qui prenait des notes au premier rang, il expliqua que la presse était en grande partie responsable de l'hystérie qui s'emparait du pays dès qu'il s'agissait de crime. Pour illustrer son propos, il relata qu'il avait lu récemment que les retraités de Myfleet n'osaient plus sortir de chez eux à cause d'un voleur armé qui rôdait dans le village, et qui s'en était pris à maintes reprises à des femmes et des personnes âgées. La vérité, en revanche, était qu'une vieille dame, rentrant chez elle après être descendue du car à onze heures du soir, s'était fait arracher son sac par un individu qui lui avait demandé son chemin. Elles devaient être conscientes du danger, éviter de prendre des risques mais sans devenir paranoïaques pour autant. Dans les zones rurales du district, les probabilités qu'une femme soit agressée dans la rue étaient d'une sur cent. Il fallait garder cela à l'esprit.

Oliver Adams lui succéda, puis Ronald Pollen. On montra une cassette-vidéo où des acteurs simulaient la rencontre en pleine rue d'une jeune femme et d'un homme aux traits déformés par un bas. Quand, par-derrière, il l'agrippa par la taille et la gorge, la comédienne fit descendre son haut talon le long du mollet de l'agresseur pour le lui visser dans le cou-de-pied. Cela provoqua des exclamations ravies et des applaudissements dans l'auditoire. Les femmes frémirent un peu en voyant comment on enfonce les pouces dans les yeux d'un assaillant, mais leurs petits cris étouffés se muèrent bien vite en soupirs de plaisir. Toutes ces dames s'amusaient beaucoup, observa Wexford. L'atmosphère s'assombrit quand l'auxiliaire Clare Scott aborda le sujet du viol.

Combien d'entre ces femmes porteraient-elles plainte, si elles étaient violées ? La moitié, peut-être. Autrefois, il n'y en aurait eu guère plus de dix pour cent.

Les choses s'amélioraient, pourtant Wexford se demandait si les images, sur l'écran, qui présentaient la « suite » confortable du nouveau Foyer pour femmes violées de Stowerton, inciteraient beaucoup les femmes à parler franchement du seul crime pour lequel les autorités traitent souvent la victime bien plus durement que celui qui l'a perpétré.

Elles applaudissaient. Elles notaient leurs questions aux quatre intervenants. Dans l'océan de visages, il repéra Ed-

97

wina Harris et, une douzaine de sièges plus loin, Wendy Stowlap. Plus qu'un quart d'heure et il rentrerait chez lui. Pas question de se laisser entraîner à bavarder avec Anouk Khoori de la recrudescence du crime et des dangers de la Grande-Bretagne.

La première question était pour Adams. Que faire si l'on n'avait pas de téléphone de voiture et qu'on tombait en panne la nuit sur une petite nationale où il n'y avait pas de bornes téléphoniques ? Quand Adams eut répondu de son mieux, une question difficile fut posée à Clare Scott, la conseillère en matière de viols, sur les agressions sexuelles infligées par un homme avec qui on avait eu rendez-vous, par quelqu'un qui semblait bien en avoir été victime. Clare Scott fit son possible pour donner une réponse à un problème insoluble, puis Mrs Khoori, ayant déplié le feuillet suivant, le tendit à la jeune femme. Celle-ci lut, haussa les épaules et, après une brève hésitation, le passa à Wexford.

Il lut la question tout haut : « Que faire quand on sait qu'un membre de sa famille est un violeur ? »

Soudain le silence se fit. Un instant plus tôt, certaines femmes chuchotaient entre elles ; une ou deux, tout au fond, rassemblaient leurs affaires et se préparaient à partir. Mais à cet instant tout devint silencieux. Wexford vit le visage de Dora au deuxième rang, à côté de Jenny.

« La réponse évidente, dit-il, c'est qu'il faut en parler à la police. Mais cela, vous le savez déjà. »

Il hésita, puis ajouta d'une voix forte :

« J'aimerais savoir si cette question est de pure forme ou si la personne de l'assistance qui l'a écrite avait une raison personnelle de la poser. »

Le silence fut troublé par le départ de trois femmes, au dernier rang. Puis quelqu'un eut une longue quinte de toux. Wexford insista.

« On vous a assuré que vous conserveriez l'anonymat lorsque vous poseriez vos questions, mais j'aimerais savoir qui m'a fait passer celle-ci. En sortant du préau, derrière cette estrade, il y a une porte marquée "Privé". J'attendrai dans la pièce qui se trouve derrière pendant une demi-heure après la réunion, avec l'agent Scott. Il vous suffit de faire le tour du préau et de frapper à la porte. J'espère sincèrement que vous viendrez. »

Après cela il n'y eut plus d'autres questions. La plus jeune élève du lycée de Kingsmarkham vint offrir à Mrs Khoori une brassée d'œillets. Elle fut remerciée avec effusion et embrassée. Le public commença à se presser vers la sortie, certains groupes s'attardant pour discuter de ce qui avait été dit.

Bien qu'il fût interdit de fumer dans le préau, Anouk Khoori était de toute évidence incapable d'attendre une minute de plus pour prendre une cigarette. Quand Wexford la vit porter la Kingsize à ses lèvres et en approcher son briquet, il se rappela qui elle était. Il la reconnut. Elle avait eu une allure très différente en survêtement et sans maquillage, mais il ne doutait pas qu'elle était la femme venue au centre médical pour consulter le Dr Akande au sujet d'un mal dont souffrait sa cuisinière.

Il sortit dans le parking, vit Susan Riding monter dans une Range Rover, Wendy Stowlap jeter son fourre-tout dans le coffre d'une minuscule Fiat, puis il emprunta la porte latérale pour rentrer dans la pièce située au fond de l'école, où l'on entreposait les chaises et les tables à tréteaux. Clare Scott déplia deux sièges, il s'assit sur l'un et elle sur l'autre. Au mur l'horloge au gros cadran et au tic-tac sonore indiquait vingt-deux heures cinq. Clare et lui discutèrent de la validité morale qu'il y avait à trahir des membres de sa famille au nom du bien de tous, de l'obligation indéfectible de se taire par loyauté, de l'obligation contraire et des exceptions. Ils parlèrent de l'atrocité du viol. Peut-être le juste milieu consistait-il à ne trahir le coupable que dans le cas d'un crime violent. Un homme ne dénonçait pas son épouse atteinte de kleptomanie... Le temps passait et personne ne frappait à la porte. Ils décidèrent d'attendre encore cinq minutes, mais lorsqu'ils sortirent de la pièce à vingt-deux heures quarante, le préau était vide. Dehors, il n'y avait personne. L'endroit était désert.

7

S ON VISAGE lui faisait face en première page du journal du dimanche, qui passait pour un hebdomadaire sérieux. Et pas seulement son visage. La photographie les représentait, Burden et lui, attablés à la terrasse de l'Olive and Dove, mis à part qu'on ne voyait pas grand-chose de son compagnon. Impossible d'identifier Burden, sauf pour ceux qui le connaissaient bien. Lui, en revanche, était parfaitement ressemblant. Il souriait en portant à ses lèvres une pleine chope d'Heineken. Afin de prévenir tout doute éventuel, la manchette annonçait : *Wexford pourchasse le meurtrier d'Annette*, avec au-dessous cette légende : *L'inspecteur principal, chargé du crime de Kingsmarkham, s'accorde un peu de détente en se payant une bonne pinte.*

Pas un instant, songea-t-il avec amertume, la mort d'Annette Bystock n'avait quitté ses pensées. Mais à qui le dire sans paraître absurdement sur la défensive ? Il n'avait pas d'autre choix que de faire comme s'il s'en moquait, en se félicitant que le chef de la police n'achetât que le *Mail on Sunday*.

L'arrivée de Sylvia, de Neil et des garçons ne fut pas pour arranger les choses. Ayant oublié quel journal il lisait, sa fille avait apporté son propre exemplaire où figurait l'article infamant, pour le lui montrer sous prétexte qu'il aurait envie de le voir. Aucun argument de la part de sa mère et de son mari ne put la persuader qu'il y avait dans la manchette une ironie quelconque. A ses yeux, c'était « sympa », la meilleure photo qu'elle avait vue de son père depuis des lustres. Pensait-il qu'au journal ils accepteraient de lui en adresser un double ?

Sylvia régenta la conversation, au déjeuner. Elle devenait incollable sur les dispositions prises par le gouvernement pour ses citoyens sans emploi et leurs ayants droit. Wexford et Dora durent subir un discours sur les allocations-chômage et les conditions pour y prétendre, leurs différences avec l'aide au revenu, et les avantages logistiques d'un « club de chercheurs d'emploi » dans lequel elle essayait de pistonner Neil.

« On y trouve tous les grands journaux et on peut se servir gratuitement du téléphone, ce qui n'est pas négligeable. De plus, ils fournissent les enveloppes et les timbres.

— C'est sûrement une rumeur, dit son père d'un ton acerbe. Un jour, quelqu'un m'a emmené déjeuner au Garrick et il n'y avait pas de timbres gratuits. »

Sylvia fit mine de ne pas avoir entendu.

« Encore trois mois de chômage et il pourra suivre un cours de recyclage. Le mieux serait peut-être une FPE...

— Une quoi ?

— Une Formation pour l'emploi. Je pense que je pourrais en suivre une en informatique. Robin, tu veux être un amour et m'apporter les fascicules qui sont dans mon sac ?

— *Nitcho vo.* »

Incapable de supporter une autre lecture accélérée des brochures les plus indigestes qu'il eût jamais vues de sa vie, Wexford s'excusa et battit en retraite au salon. Le sport prédominait dans les programmes de télévision et il hésitait à mettre les nouvelles au cas où son portrait aurait mystérieusement trouvé le chemin de l'écran. C'était de la paranoïa, mais il ne savait comment se dominer. Il supputa même s'il pouvait s'agir de la revanche d'un journaleux à cause des propos qu'il avait tenus la nuit passée, sur la manie de la presse d'attiser la peur de la violence.

Il souffrait encore sous l'insulte, quoique moins douloureusement, quand il entra dans son bureau très tôt le lendemain matin. Les rapports de son équipe l'attendaient déjà et

101

personne ne soufflerait mot de cette photographie. Burden l'avait vue. Ce n'était pas lui qui achetait ce journal, mais Jenny.

« C'est drôle comme on s'habitue, dit Wexford. Comme le cours du temps aplanit tout. Aujourd'hui ça ne me paraît plus aussi grave qu'hier, et demain ça le sera moins qu'aujourd'hui. Si seulement nous appliquions ce principe au lieu de le redécouvrir à chaque fois, si nous pouvions garder conscience sur le coup que cela n'aura plus beaucoup d'importance au bout de quelques jours, la vie serait bien plus facile, vous ne croyez pas ?

— Mmm. On est ce qu'on est, voilà tout. On ne se refait pas.

— Quelle philosophie déprimante ! soupira Wexford, en commençant à parcourir les rapports. Jane Winster, la cousine, a reconnu le corps. On n'avait guère de doute, au demeurant. On devrait avoir quelque chose du vieux Tremlett dans le courant de la journée ou demain matin. Vine a interrogé Mrs Winster chez elle, à Pomfret, mais apparemment il n'a pas appris grand-chose. Elles n'étaient pas très proches. A sa connaissance, Annette n'avait pas de liaison et, curieusement, aucune amie intime. Elle menait une vie très solitaire. Ingrid Pamber semble avoir été la seule personne avec laquelle elle s'était liée.

— Oui, mais qu'en sait cette Mrs Winster ? Elle n'avait pas vu Annette depuis le mois d'avril. Ce serait compréhensible si elle vivait en Ecosse, par exemple, mais elle habite à Pomfret, à cinq kilomètres tout au plus ! Elles ne devaient pas beaucoup s'apprécier.

— Mrs Winster déclare, je cite : "J'avais à m'occuper de ma propre famille." Elles se téléphonaient. Annette allait toujours chez eux pour Noël, et elle était avec eux lorsqu'ils ont fêté leurs vingt ans de mariage. Pourtant, comme vous dites, leurs rapports étaient un peu distants. »

Il feuilleta les pages, s'arrêtant de temps en temps pour relire une phrase.

« Il a également vu cette Mrs Harris à laquelle nous avons parlé, vous vous rappelez ? Edwina Harris, la voisine du dessus. Elle n'a rien entendu de la nuit, mais elle admet que son mari et elle ont le sommeil profond. Un autre point sur lequel elle insiste, c'est qu'elle n'a jamais vu d'amis rendre visite à Annette, ni Annette entrer ou sortir de la maison en compagnie d'un homme.

— Les deux superviseurs du Centre, c'est-à-dire Niall Clarke et Valerie Parker, ne savent rien d'Annette, de sa vie privée tout au moins. Peter Stanton — c'est le second conseiller aux nouveaux demandeurs, celui qui ressemble à Sean Connery jeune — s'est montré très franc avec Pemberton. Il lui a appris qu'il était sorti une ou deux fois avec Annette. Mais à l'époque Cyril Leyton y a mis le holà. Il ne voulait pas que les membres du personnel nouent des relations intimes.

— Et Stanton a accepté ça ?

— A l'entendre, ça ne l'a pas beaucoup contrarié. Il a dit à Pemberton qu'elle et lui n'avaient pas grand-chose en commun, quoi qu'il ait voulu dire par là. L'agent administratif Hayley Gordon — la jeune blondinette — connaissait à peine Annette, elle ne faisait partie de l'équipe que depuis un mois. Karen a interrogé Osman Messaoud et Wendy Stowlap. Messaoud était très nerveux. Il est né et a grandi dans ce pays mais il est mal à l'aise avec les femmes. Il a dit à Karen qu'il ne voulait pas être interrogé par une femme, qu'il voulait, je cite, "un policier masculin", et il a affirmé que si elle le questionnait au sujet d'Annette, son épouse aurait des soupçons. Toutefois, il ne savait absolument rien de la vie qu'Annette menait en dehors du Centre.

« A part Ingrid Pamber, Wendy Stowlap est apparemment le seul membre du personnel a avoir mis les pieds chez Annette. Elle n'habite pas très loin, à Queens Gardens. Un dimanche, elle a eu besoin d'un témoin pour la signature d'un document — elle n'a pas précisé de quelle nature —, quelque chose dont elle ne voulait visiblement pas que les voisins soient informés, alors elle l'a apporté chez Annette. Celle-ci regardait une cassette et lui a raconté qu'elle venait de s'acheter un nouveau magnétoscope, un modèle spécial dans lequel il fallait entrer un code. C'était il y a six ou sept mois. Toute cette digression pour prouver qu'en fait elle possédait bien un magnétoscope. Et maintenant, voyons ce que Barry a à nous apprendre sur Ingrid Pamber... »

Mais à ce moment précis, le sergent Vine entra dans la pièce. Vine n'était pas précisément petit mais auprès de Wexford il en donnait l'impression, et Burden aussi le dominait de toute sa taille. Il présentait une extraordinaire combinaison de poil roux sur la tête et de poil noir sur la lèvre supérieure. Wexford pensait souvent qu'à la place de Barry Vine, il se serait rasé cette moustache. Mais, bien qu'il ne l'eût jamais dit explicitement, son adjoint semblait apprécier cet effet bicolore et croire que cela lui donnait l'air distingué. Il était fin, observateur, intelligent, et doté de surcroît d'une mémoire prodigieuse qu'il bourrait de toutes sortes d'informations, utiles ou non.

« Vous avez regardé mon rapport, chef ?

— Je suis en train de le lire, Barry. Cette Ingrid était vraiment la seule amie d'Annette, on dirait ?

— Pas exactement. Que faites-vous de l'homme marié ?

— Quel homme marié ? Ah ! Une minute. Au dire d'Ingrid Pamber, Annette lui avait confié qu'elle entretenait une liaison avec un homme marié depuis... neuf ans ?

— C'est bien ça.

— Pourquoi ne m'en a-t-elle pas parlé vendredi dernier ?

— Elle a dit qu'elle avait passé une nuit blanche à se demander ce qu'elle devait faire. Voyez-vous, dit Vine en s'asseyant au bord du bureau, elle avait fait à Annette le serment solennel de ne jamais le répéter. »

L'homme qui avait téléphoné au Centre, pensa Wexford. L'homme qu'Ingrid avait fait passer pour un voisin.

« Bon, d'accord, j'imagine. Faites-nous grâce de ses scrupules de gamine, voulez-vous. »

Vine eut un demi-sourire.

« Je lui ai servi le baratin habituel, chef. Annette était morte, les promesses envers une morte étaient caduques, ne voulait-elle pas aider à démasquer l'auteur du crime — tout le toutim. Elle m'en a touché quelques mots et puis elle a dit qu'elle vous raconterait le reste. A vous seul.

— Vraiment ? Qu'ai-je donc de plus que vous, Barry ? Les années, sans doute. »

Wexford dissimula son léger embarras en faisant mine de consulter le rapport.

« Nous allons lui donner satisfaction.

— Comme je pensais bien que vous diriez ça, je lui ai demandé si elle serait au Centre, mais vous ne l'y trouverez pas. Elle prend un congé de deux semaines à compter de demain, et son petit ami et elle n'ont pas les moyens de partir. Elle sera chez elle. »

Burden enjamba le ruban jaune qui interdisait l'accès au lieu du crime, tourna la clef dans la serrure et entra dans l'appartement. Commençant par le salon, il alla de pièce en pièce, examina lentement chaque objet, observa par la fenêtre le feuillage cuivré, l'allée bétonnée, le flanc en brique rouge de la maison voisine. Il prit les rares livres qui se trouvaient là et les secoua au cas où des papiers auraient été conservés entre les pages, mais sans idée bien précise à l'esprit. Revenu dans le salon, il passa minutieusement en revue la collection musicale d'Annette Bystock, rangée sur une étagère de la bibliothèque : les disques compacts destinés au lecteur-laser disparu, les cassettes du magnétophone qui avait aussi une fonction radio.

Elle avait eu le goût des grands classiques et de la country. La *Petite Musique de nuit*, la *Messe en ré mineur* de Bach — Burden avait entendu dire que ces œuvres comptaient parmi les meilleures ventes de musique classique —, les grands moments de *Porgy and Bess*, l'intégrale de *Carmen Jones*, la *Sonate au clair de lune* de Beethoven, l'album *Unforgettable* de Natalie Cole, Michelle Wright, k.d.lang, Patsy Cline... Wexford n'étant pas là, vibrant de réprobation derrière son épaule, Burden fut prompt à remarquer que Natalie Cole était noire, et que *Porgy and Bess*, de même que *Carmen Jones*, était un opéra sur les Noirs. Ce fait avait-il de l'importance ?

Il s'efforçait de trouver des points communs entre Annette et Melanie Akande. Il n'y avait pas de bureau dans l'appartement, la commode adossée à la fenêtre de la chambre avait servi à cet usage. On avait emporté le passeport. Burden examina les autres documents rangés dans le tiroir. Ils étaient enfermés dans une chemise en plastique translucide : le certificat général d'éducation d'Annette, un diplôme de licence d'études de commerce à l'IUT de Myringham. Melanie y avait également fait ses études, sauf qu'entre-temps l'établissement avait pris le nom d'université. Burden regarda la date : 1976. Melanie n'avait que trois ans, en 1976. Pourtant, il y avait peut-être un lien...

D'après ses déclarations, Edwina Harris croyait savoir qu'Annette avait été mariée. Il n'y avait pas d'acte de mariage dans le tiroir du haut. Burden chercha dans celui du bas et trouva une attestation de divorce, dissolvant l'union d'Annette Rosemary Colegate, née Bystock, et de Stephen Henry Colegate, le divorce ayant été prononcé définitivement le 29 juin 1985.

Pas de lettres. Il avait espéré trouver des lettres. Une enveloppe en papier kraft, de vingt et un centimètres sur treize, contenait la photographie d'un homme au front haut et aux cheveux bruns bouclés. En dessous, une pile de notices expliquant aux utilisateurs le fonctionnement d'un magnétoscope Panasonic et d'un lecteur-laser Akai. Le tiroir du milieu contenait des sous-vêtements. Il avait déjà regardé dans la garde-robe lorsque Wexford et lui étaient venus, le vendredi. Ils avaient trouvé des vêtements sages et ternes, de ceux choisis par une femme qui ne peut en acheter beaucoup et doit faire passer le confort et la chaleur avant l'élégance. C'est dire si les sous-vêtements le surprirent.

Burden ne les aurait pas vraiment qualifiés d'indécents. Pas de soutiens-gorge aux bonnets découpés, pas de slips sans entrejambe. Mais toute cette lingerie était noire ou rouge et, pour l'essentiel, transparente. Il y avait deux porte-jarretelles, l'un noir et l'autre rouge, des soutiens-gorge noirs ordinaires et des soutiens-gorge noirs à balconnet, dont un sans bretelles ; une chose qu'il appelait un corset mais Jenny un bustier, rouge, en satin et dentelle, plusieurs paires de bas noirs, en voile, à résille ou en dentelle, des culottes rouges et noires de la dimension d'un bas de bikini, et une sorte de body en dentelle noire.

Avait-elle porté ça sous ses jeans et ses chandails, sous cet imperméable beige ?

Au lieu de se dégager, conformément aux prévisions des météorologues, la brume estivale se fluidifia et tourna à la pluie. Une petite bruine grise se mit à tomber et rafraîchit l'atmosphère. Vine, qui conduisait, se livra à des spéculations sur les raisons qui font qu'en Angleterre la pluie est toujours froide alors qu'elle est tiède dans d'autres régions du monde, et, plus précisément, que le temps ne se réchauffe pas ensuite comme c'est le cas à l'étranger.

« C'est lié à l'insularité, je suppose, dit Wexford d'un air distrait.

— Malte est une île. Quand j'y ai passé mes vacances, l'an dernier, il a plu mais le soleil a réapparu et en cinq minutes nous étions secs. Vous avez vu cette photo de vous dans le journal, hier ?

— Oui.

— Je l'avais découpée pour vous la montrer mais on dirait que je l'ai égarée.

— Bien. »

Vine ne dit plus rien. Ils roulèrent en silence jusqu'à Glebe Lane, où Ingrid Pamber habitait un deux-pièces situé au-dessus d'un double parking privé, avec son petit ami, Jeremy Lang. Vine dit qu'à son avis, comme c'était son premier jour de congé et qu'il n'était que dix heures moins dix, elle serait encore au lit.

Le quartier était un des coins sans charme de Kingsmarkham. Tout ce qu'on pouvait dire en sa faveur, c'est qu'au-delà de cette pauvreté, de ces terrains vagues et de ces immeubles cubiques, des collines herbeuses dressaient vers le ciel leur auréole d'arbres, et qu'au-delà encore s'étendait le doux vallonnement des Downs. Cette zone était vaguement industrielle. Certaines des petites maisons avaient été converties en locaux commerciaux et bon nombre de bâtiments étaient des petites fabriques ou des ateliers. Les jardins s'étaient transformés en cours remplies de voitures d'occasion, de ferraille, de barils d'essence, de pièces métalliques inidentifiables. Le parking avait une porte peinte en noir, l'autre en vert. Sur le côté, on accédait à la porte d'entrée de l'appartement par un étroit passage délimité par une clôture à mailles losangées. Aucun auvent ne protégeait de la pluie. Vine pressa la sonnette.

Au bout d'un laps de temps relativement long, durant lequel ils entendirent des portes claquer et le plancher craquer à l'étage, des pieds dévalèrent des marches et la porte fut ouverte par un jeune homme aux cheveux noirs en bataille, qui portait pour toute tenue des lunettes à monture noire et une serviette de bain autour de la taille.

« Oh, désolé ! dit-il en les voyant. Je croyais que c'était le facteur. J'attends un colis.

— Brigade criminelle de Kingsmarkham, déclara Wexford, qui d'habitude n'était pas aussi abrupt. Nous venons voir Miss Pamber.

— Oh, bien sûr ! Montez. »

De petite taille — pas plus de 1,68 m —, il avait par-dessus le marché une carrure étroite. Comme Vine l'avait prédit, la fille était sans doute encore au lit. Il referma la porte derrière eux, montrant une parfaite confiance.

« Vous êtes Mr Lang ?

— C'est moi, bien qu'on m'appelle surtout Jerry.

— Mr Lang, avez-vous l'habitude de laisser entrer des inconnus chez vous sans leur poser de questions ? »

Jeremy Lang dévisagea Wexford et tendit l'oreille droite comme s'il s'était adressé à lui de manière inaudible ou dans une langue étrangère.

« Vous êtes de la police, vous avez dit. »

Ni Wexford ni Vine ne répliquèrent. Tous deux sortirent leur insigne et le brandirent sous le nez de Lang. Il sourit et hocha la tête. Il monta quelques marches, leur fit signe de le suivre et cria brusquement, à tue-tête :

« Eh, Ing, tu te lèves ? C'est les flics. »

L'appartement surprit Wexford. Il ne savait pas au juste ce qu'il s'était attendu à trouver, mais pas cette pièce propre et agréable avec son gros sofa jaune, ses poufs bleus et jaunes disposés sur une grande natte tissée de couleurs vives, ses murs entièrement dissimulés sous de longues draperies, des affiches et une immense courtepointe en tapisserie fanée. D'évidence, tout avait été récupéré chez un parent ou acheté à bas prix, mais l'ensemble créait une ambiance harmonieuse où il faisait bon vivre. Des plantes d'intérieur dans un bac en bois jaune meublaient l'espace entre les fenêtres.

La porte de la chambre s'ouvrit et Ingrid Pamber apparut. Elle non plus n'était pas encore habillée, mais son apparence n'avait rien de négligé, rien ne suggérait qu'elle venait de se lever d'une longue grasse matinée. Elle portait une robe de chambre blanche, en broderie anglaise, longue jusqu'aux genoux. Ses petits pieds bien faits étaient nus. Sa chevelure sombre et soyeuse, retenue par une barrette quand Wexford lui avait parlé le vendredi soir, était cette fois maintenue en arrière par un bandeau rouge. Sans maquillage son visage était encore plus joli, son teint radieux, son regard éblouissant.

« Oh, bonjour, c'est vous ! dit-elle à Wexford, apparemment ravie de le voir, après quoi elle gratifia Vine d'un sourire aimable. Vous voulez du café ? Si je le lui demande très gentiment, je suis sûre que Jerry nous en fera.

— Demande-le-moi gentiment, alors », dit Jeremy Lang.

Elle lui donna un baiser. Un baiser extrêmement sensuel, songea Wexford, bien que planté au milieu de la joue et les lèvres fermées. Le baiser s'éternisa, puis enfin elle écarta ses lèvres de quelques centimètres et murmura :

« Fais-nous du café, mon amour, s'il te plaît, s'il te plaît. Et je vais prendre un énorme petit déjeuner, deux œufs au bacon, avec des saucisses si on en a et... oui, des pommes sautées. Tu vas me préparer ça, dis, mon ange ? S'il te plaît, s'il te plaît, mmm ? »

Vine toussota, plus exaspéré que gêné. Ingrid s'assit sur un pouf et leva les yeux vers eux. Elle était, pensa Wexford, infiniment plus maîtresse d'elle-même et de la situation ici, sur son propre terrain.

« Je lui en ai déjà raconté une partie, dit-elle, lançant un coup d'œil vers Vine. J'ai gardé le plus important pour vous. C'est une histoire incroyable.

— Très bien, dit Wexford qui ajouta, tel Cocteau à Diaghilev : Etonnez-moi.

— Je n'en avais encore parlé à personne, vous savez. Pas même à Jerry. Je pense qu'on doit respecter une promesse. Pas vous ?

— Certainement. Mais pas au-delà du tombeau. »

Ingrid Pamber semblait friande de ce genre de conversation.

« Oui, mais si vous aviez juré quelque chose à quelqu'un, et que ce quelqu'un mourait, ça ne serait pas bien de rompre le serment et de tout révéler à ses enfants, n'est-ce pas ? Surtout si c'était lourd de conséquences pour eux. Ça pourrait les affecter, risquer de gâcher leur vie.

— L'heure n'est pas à la philosophie morale, Miss Pamber. Annette Bystock n'avait pas d'enfant. Elle n'avait pas de famille, à part une cousine. J'aimerais entendre ce qu'elle vous a révélé sur cette liaison.

— Ça pourrait avoir de graves répercussions pour lui, non ?

— De qui parlez-vous ?

— Eh bien, de Bruce ! L'homme ! L'homme dont je lui ai parlé, précisa-t-elle en pointant l'index vers Vine.

— Remettez-vous-en à moi, dit Wexford. Cela, c'est mon affaire. »

Jeremy Lang revint avec trois tasses de café et, sur une assiette, tel un serveur de ces restaurants où l'on présente au client les futurs ingrédients de son repas, deux œufs dans leur coquille, deux tranches de bacon, trois saucisses de porc et une pomme de terre.

« Merci. »

Elle le regarda dans les yeux et répéta :

« Merci. Merci, ce sera merveilleux. »

Ces mots avaient visiblement un sens particulier ou secret pour eux, car il roula des yeux et elle s'esclaffa. Wexford toussota. Il savait véhiculer une bonne dose de réprobation dans un toussotement.

« Oh, pardon ! dit-elle, cessant de rire. Je dois être sage. Je ne devrais pas rire. Je suis vraiment très, très triste pour cette pauvre Annette.

— Depuis combien de temps la connaissiez-vous, Miss Pamber ? lui demanda Vine.

— Depuis que j'ai commencé à travailler au Centre, il y a trois ans. Je vous ai pourtant déjà dit tout ça. Avant, j'étais dans l'enseignement, seulement je n'étais pas très douée. Je ne m'entendais pas avec les gosses et ils me détestaient.

— Ça, vous ne me l'aviez pas dit, fit remarquer Vine.

— Ça n'avait pas exactement de rapport. J'habitais tout près de chez Annette. C'était avant que je rencontre Jerry. »

Elle jeta à Jeremy Lang un regard langoureux et arrondit les lèvres en un baiser silencieux.

« On rentrait ensemble à pied, Annette et moi, et parfois on dînait quelque part. Vous savez, si on n'avait pas envie de cuisiner ou de se faire livrer des plats tout prêts. Je suis allée une ou deux fois dans son appartement, mais elle venait beaucoup plus souvent chez moi et je n'avais qu'un studio. J'avais l'impression qu'elle n'aimait pas inviter les gens chez elle. C'est alors... C'est alors que j'ai rencontré quelqu'un, et nous avons commencé à... »

Petit regard, triste cette fois, à l'intention de Jeremy qui répondit en fronçant exagérément les sourcils tel un acteur de mélodrame.

« Nous avons commencé à sortir ensemble. Je ne vivais pas avec lui, ni rien, ajouta-t-elle sans préciser ce que ce "rien" pouvait signifier. C'est ce qui a incité Annette à se confier, je pense. Ou c'est peut-être à cause d'un certain soir où par hasard j'étais chez elle ; le téléphone a sonné et c'était lui. C'est là qu'elle m'a fait jurer de ne répéter à personne ce qu'elle allait me dire.

« Elle était terriblement nerveuse avant que le téléphone sonne. Je présume qu'il avait promis de l'appeler à sept heures, et il était presque huit heures. Elle s'est emparée du téléphone comme si c'était une question de vie ou de mort. Ensuite elle m'a dit : "Tu peux garder un secret ?" J'ai dit : "Oui, bien sûr", alors elle a dit : "Moi aussi, j'ai quelqu'un. C'était lui." Après, tout est sorti d'un coup.

— Son nom, Miss Pamber ?

— Bruce. Il s'appelle Bruce. Mais Bruce comment, ça, je ne sais pas.

— C'est l'homme qui aurait téléphoné au Centre après que Miss Bystock a prévenu qu'elle ne viendrait pas ? »

Elle acquiesça, nullement confuse de son mensonge antérieur.

« Vous savez où il habite ? interrogea Vine.

— Mon ami et moi allions à Pomfret un jour, et nous avons déposé Annette. Elle allait voir sa cousine. C'était vers Noël, la veille du réveillon, je crois. Annette était assise à l'arrière et quand nous sommes passés devant une maison, elle m'a tapoté l'épaule et m'a dit : "Regarde, regarde cette maison avec la fenêtre dans le toit, c'est là que qui-tu-sais habite." C'est comme ça qu'elle a dit. "Qui-tu-sais." Je ne connais pas le numéro mais je pourrais vous la montrer. »

Les mimiques frénétiques de Jeremy pour l'en dissuader ne furent pas perdues pour Wexford. Ingrid les remarqua et soupira avec bonheur.

« Non, voilà ce que je vais faire : je vais vous la décrire. Tu ne dois pas faire des grimaces stupides, mon amour. Maintenant, cours me préparer mon petit déjeuner.

— Qu'avez-vous fait de la clef de Miss Bystock en partant jeudi soir ? » voulut savoir Wexford.

Elle répondit vite. Trop vite.

Pendant qu'ils attendaient en voiture devant le 101 de Harrow Avenue, une grande bâtisse victorienne de trois étages auxquels un quatrième avait été ajouté, avec un toit mansardé percé d'une lucarne, Wexford fit à Burden le compte rendu des déclarations d'Ingrid Pamber. Ils s'étaient déjà présentés à cette adresse sans y trouver personne. La maison se trouvait presque aussi loin de chez Annette qu'elle pouvait l'être tout en restant dans les limites de Kingsmarkham. D'après le registre électoral, elle avait pour occupants Snow, Carolyn E., Snow, Bruce J. et Snow, Melissa E. L'épouse, le mari et leur fille majeure, devina Wexford. Bien entendu, rien dans la liste des électeurs n'indiquait combien d'autres enfants les Snow pouvaient avoir.

« Elle avait cette liaison avec lui depuis neuf ans, dit Wexford. Du moins, c'est ce qu'elle a raconté à Ingrid Pamber, et je ne vois pas pour quelle raison même une menteuse comme Miss Pamber nous tromperait sur ce point. C'était une de ces situations classiques où le mari promet à sa maîtresse qu'il quittera sa femme dès que les gosses seront casés. Il y a neuf ans, le petit dernier de Bruce Snow avait cinq ans, aussi vous pourriez dire, si vous étiez aussi cynique que moi, qu'il était tranquille pour un bout de temps.

— Exact, dit Burden avec une conviction qui partait du cœur.

— Attendez, la suite est encore mieux. Il fallait bien qu'ils se retrouvent quelque part, mais il ne l'emmenait jamais à l'hôtel, sous prétexte qu'il n'en avait pas les moyens. Quelque temps après, Ingrid a demandé à Annette ce que Bruce lui avait offert pour Noël, et Annette a dit rien, il ne lui offrait jamais rien, elle n'avait jamais eu aucun présent de lui. Il avait besoin de tout ce qu'il gagnait pour sa famille. Figurez-vous que, à en croire Ingrid, Annette n'éprouvait pas de rancœur, elle ne le critiquait jamais. Elle *comprenait*.

— Je suppose qu'après ces premières confidences il y en a eu d'autres, en diverses occasions ?

— Oh, oui ! Une fois lancée, il n'y avait plus moyen de l'arrêter. C'était Bruce par-ci et Bruce par-là chaque fois qu'Ingrid et elle se retrouvaient seules. J'imagine que c'était un soulagement pour cette pauvre femme d'avoir quelqu'un à qui parler. »

Wexford observa la maison et les signes extérieurs de richesse : l'extension récente de la toiture, la peinture neuve, l'antenne satellite à une fenêtre du haut.

« Comme je le disais, reprit-il, Snow ne l'emmenait jamais à l'hôtel et, bien entendu, ils ne pouvaient pas se rencontrer chez lui. Elle avait bien son appartement, mais lui refusait d'y aller. Il semble qu'une amie ou une parente de sa femme habitait en face. Alors, il la faisait venir à son bureau après la fermeture.

— C'est une blague !

— Non, à moins qu'Ingrid Pamber m'en ait fait une, et

je doute qu'elle ait l'imagination nécessaire. Snow ne lui écrivait jamais, c'est pourquoi nous n'avons pas trouvé de lettre. Il ne lui a rien donné, même pas une photo de lui. Il téléphonait aux heures dont ils avaient convenu, "quand il pouvait". Mais elle l'aimait, voyez-vous, et pour cette raison tout était normal à ses yeux, c'était seulement raisonnable et prudent. Après tout, cela ne durerait que le temps que les enfants grandissent. »

Burden employa le terme qui avait pour l'instant la faveur de son petit garçon :

« Bouac !

— Je n'aurais su dire mieux. Quand il voulait la voir, ou, disons, quand il voulait un petit à-côté, continua Wexford, ignorant l'expression douloureuse de Burden, il lui demandait de passer à son bureau. Il est comptable chez Hawkins & Steele.

— C'est vrai ? Ils sont sur York Street, je crois.

— Oui, dans une de ces très vieilles maisons qui surplombent la rue. L'issue de secours donne sur Kiln Lane, le passage qui débouche sur la rue principale, de l'autre côté de Saint-Peter. Dans le coin, il n'y a plus un chat après la fermeture des magasins, et Kiln Lane n'est qu'une petite allée entre de hauts murs. Annette pouvait passer par là sans se faire voir, et il la faisait entrer par-derrière. Le meilleur de l'histoire, ou le pire, suivant le point de vue, c'est qu'il justifiait le choix de ce lieu de rendez-vous en arguant que si sa femme téléphonait au bureau, il serait là pour répondre et elle aurait la certitude qu'il travaillait tard. »

Des lumières s'allumaient à l'intérieur des maisons mais le 101 restait plongé dans l'obscurité. Wexford et Burden sortirent de la voiture et remontèrent l'allée. Le portail latéral n'était pas fermé et ils entrèrent dans le jardin de derrière, un vaste terrain tapissé de gazon et de buissons, dont l'extrémité se perdait dans un haut bosquet, sombre dans le crépuscule.

« Elle a fait ça pendant neuf ans ? dit Burden. Comme une call-girl ?

— Une call-girl s'attendrait à un lit, Mike, et probablement à un verre d'une boisson stimulante. Les call-girls,

114

paraît-il, s'attendent à disposer d'une salle de bains. Et très certainement à ce qu'on les paye.

— Ça explique les sous-vêtements, murmura Burden, qui décrivit ce qu'il avait découvert dans l'appartement de Ladyhall Court. Elle était toujours à sa disposition. Je me demande ce qui se passe dans sa tête, maintenant.

— C'est le type de la photo, vous croyez ? Moi, ce que je me demande, c'est s'il est parti en vacances.

— Non, Reg, pas si son plus jeune enfant n'a que quatorze ans. Il attendra la fin du trimestre scolaire et ce ne sera pas avant une quinzaine de jours.

— Il faut l'interroger sans tarder.

— Qu'est-ce qui vous fait croire que cette Ingrid Pamber est une menteuse ? demanda Burden après quelques instants de réflexion.

— Elle m'a dit qu'elle avait laissé la clef d'Annette dans l'appartement, en partant jeudi soir. Si c'est vrai, où est la clef ?

— Sur la table de nuit, répondit aussitôt Burden.

— Non, Mike. Lorsque je l'ai interrogée chez elle, elle a prétendu qu'il y avait deux clefs sur la table le mercredi. L'une de ces deux assertions est forcément un mensonge. »

8

O N N'AVAIT TROUVÉ que deux types d'empreintes digitales chez Annette Bystock, toutes féminines. Les plus nombreuses étaient celles d'Annette elle-même, la seconde série, à la surface du carton d'épicerie, sur la porte de la cuisine, la porte d'entrée et le guéridon du vestibule, celles d'Ingrid Pamber. On n'en avait pas découvert d'autres dans tout l'appartement. On aurait dit que le foyer d'Annette n'était pas seulement sa citadelle, mais la cellule où elle vivait confinée dans la solitude.

Le cambrioleur qui avait fait main basse sur le matériel électronique portait des gants. Le tueur portait des gants. Bruce Snow n'avait pas plus mis les mains que les pieds chez la femme qui avait été sa maîtresse pendant près d'une décennie. Pas une amie, excepté Ingrid, n'était venue là. Probable, pensa Wexford, qu'Annette décourageait toute amitié naissante. Des visiteurs auraient pu surprendre une de ses conversations avec Snow, ils auraient pu la trahir ; et ce qui était plus grave, à ses yeux, ils auraient pu, par une indiscrétion quelconque, détruire la couverture si minutieusement mise au point par Snow. Alors, par amour, elle menait cette vie solitaire. C'était la plus triste des histoires...

Elle avait sûrement eu foi en la discrétion de sa seule amie. Et à en croire Ingrid, cette confiance n'avait pas été mal placée, car elle n'avait rien dit à personne jusque après la mort d'Annette. Le décès était survenu sept mois après qu'Ingrid eut reçu ses premières confidences, aussi était-il peu plausible d'y voir le résultat d'une éventuelle trahison.

Wexford soupira. Annette était morte environ trente-six heures avant que Burden découvre le corps le vendredi matin. Pas avant le mercredi à vingt-deux heures, pas plus tard que le jeudi à une heure du matin. Quand Ingrid Pamber était entrée dans l'appartement à dix-sept heures trente le jeudi soir, Annette était déjà morte depuis un jour et la moitié d'une nuit. Le décès était dû à une strangulation par ligature, en l'occurrence avec un fil électrique. Il le savait déjà, et ce genre de détails médicaux lui étaient toujours incompréhensibles. Tremlett émit l'opinion qu'une femme robuste aurait pu perpétrer le crime. Jusqu'à sa mort, Annette avait été normalement constituée, en bonne santé, sans aucun signe particulier — pas une cicatrice sur le corps, pas une difformité même mineure. Elle était d'un poids normal par rapport à sa taille. On n'avait décelé en elle aucune maladie.

L'appartement était bien tenu, néanmoins on avait recueilli une quantité considérable de cheveux et de fibres sur le lit, les tables de nuit et le sol. Cela aurait été tellement pratique, se dit une fois de plus Wexford, si comme dans les romans policiers l'un des enquêteurs avait ramassé un mégot à proximité du corps ! Ou si un bouton arraché à la veste de l'assassin, retenant obligeamment un fragment de tweed, avait été découvert dans la main crispée de la pauvre Annette. Il ne trouvait jamais de tels indices sur son chemin. Il était certes vrai que nul ne part jamais sans laisser une trace de son passage ni sans emporter une trace du lieu où il est passé. Mais ce n'était utile que si l'on avait une idée de l'identité du gibier, et du lieu où il pouvait se terrer...

Wexford s'apprêtait à partir aux studios de la télévision locale pour lancer un appel à témoins quand son téléphone sonna. La standardiste annonça que le chef de la police l'appelait de chez lui, à Stowerton.

Freeborn, un homme glacial, allait toujours droit au but.

« Je ne veux pas voir de photos de vous en train de bambocher.

117

— Non, chef. C'était un incident regrettable.

— Pire. C'était proprement scandaleux. Et dans un bon journal, en plus !

— Je ne crois pas que ç'aurait été préférable dans une feuille de chou.

— Alors c'est encore une des nombreuses choses que vous devriez comprendre et qui vous échappent. »

Freeborn s'étendit assez longuement sur la nécessité de capturer rapidement le meurtrier d'Annette, la montée de la criminalité, le fait que cette région charmante et autrefois si sûre où ils vivaient était en passe de devenir aussi dangereuse que les faubourgs de Londres.

« Et quand vous passerez à la télé, évitez d'avoir un verre à la main. »

Ils ne lui accordaient que deux minutes qui, il le savait, seraient réduites à trente secondes. C'était toujours mieux que rien. Son appel susciterait de la part d'un public avide de notoriété des témoignages imaginaires et fantaisistes selon lesquels le tueur aurait été vu du côté de Ladyhall Road, des confessions, des propositions émanant de médiums, des déclarations de camarades d'école d'Annette, de camarades de collège, de soi-disant amants, de prétendus parents, de ceux qui l'auraient vue à Inverness ou à Carlisle après sa mort et, peut-être, une seule information authentique et utile.

Il se coucha tard mais se leva de bonne heure, au moment où le facteur déposait le courrier. Dora descendit en robe de chambre pour lui préparer son petit déjeuner, attention affectueuse bien que superflue du fait qu'il ne prenait que des céréales et une tranche de pain.

« Une seule lettre, adressée à nous deux. C'est toi qui ouvres. »

Dora déchira l'enveloppe et en sortit une carte genre moyenâgeux.

« Ma parole, Reg, tu lui as vraiment tapé dans l'œil !

— A qui ? De quoi parles-tu ? »

Bizarre que sa première pensée eût été pour la jolie Ingrid Pamber.

« A ce que m'a dit Sylvia, les invitations à cette garden-party valent de l'or. Elle adorerait y aller.

— Voyons ça. »

Quel idiot ! Pourquoi se fourrait-il de pareilles idées en tête, à son âge ? Il lut tout haut ce qui figurait sur le carton.

Waël et Anouk Khoori prient Mr et Mrs Reginald Wexford de leur faire l'honneur de leur compagnie à la garden-party qui aura lieu au Nouveau Manoir, Mynford, Sussex, le samedi 17 juillet à 15 heures.

Au bas de la carte se trouvait un addendum : *Au profit du Fonds contre le cancer du nourrisson et de l'enfant.*

« Ils ne nous laissent pas beaucoup de temps. Nous sommes le 13, aujourd'hui.

— Non, et c'est bien ce que je voulais dire. De toute évidence, nous n'étions pas sur la liste des invités. Elle s'est entichée de toi, samedi soir.

— Je parie que Freeborn est sur la liste, dit Wexford d'un ton lugubre. Tout le monde devra allonger au moins un billet de dix livres, ce qui ne manque pas d'air quand on pense que Khoori est millionnaire. Il pourrait souscrire lui-même en faveur de ce Fonds sans chercher le filon ailleurs. De toute façon, cela n'a pas d'importance puisque nous n'irons pas.

— J'aimerais y aller, dit Dora tandis que son mari franchissait la porte. J'ai dit : "J'aimerais y aller", Reg ! » cria-t-elle derrière lui.

Il n'y eut pas de réponse. La porte de l'entrée se referma sans bruit.

L'enquête concernant Annette Bystock s'ouvrit à dix heures et fut ajournée peu après, dans l'attente d'éléments nouveaux. Jane Winster, la cousine d'Annette, n'y assista pas mais, lorsque Wexford regagna le commissariat, il la trouva là-bas qui l'attendait. Quelqu'un — un sombre crétin, pensa-t-il — l'avait installée dans une des sinistres salles d'interrogatoire, où elle était assise sur une chaise tubulaire en métal, devant la table grise, l'air troublé et un peu inquiet.

« Vous désirez me dire quelque chose, Mrs Winster ? »

Elle hocha la tête. Elle parcourut des yeux, réaction bien compréhensible, les murs de brique revêtus d'une peinture crème, la fenêtre sans rideau.

« Montons dans mon bureau. »

Quelqu'un allait se faire sonner les cloches. Pour qui l'avaient-ils prise, cette petite bonne femme mûrissante, avec son imperméable boutonné jusqu'au menton et son foulard humide sur la tête ? Pour une voleuse à l'étalage ? Une arracheuse de sacs ? Elle ressemblait à une dame de cantine à qui une bonne ration de la nourriture qu'elle servait aurait fait le plus grand bien. Sa figure était maigre et pincée, ses mains osseuses et marbrées de veines, usées prématurément.

Une fois entourée du confort relatif qu'offrait son bureau, moquetté et pourvu de sièges qui étaient presque des fauteuils, elle ne se plaignit pas, contre toute attente, du traitement qu'on lui avait infligé, mais elle porta seulement sur la pièce le même regard circonspect. Peut-être tous les lieux nouveaux l'impressionnaient-ils tant sa vie était abritée et étriquée. Il l'invita à s'asseoir et répéta ce qu'il lui avait dit en bas. Pour la première fois elle parla, assise au bord du siège, les genoux collés l'un contre l'autre.

« Le policier qui est venu, il y a quelque chose que j'ai oublié de lui dire. C'était un peu... Enfin, j'étais... »

La vivacité de Vine avait dû l'intimider.

« Aucune importance, Mrs Winster. L'essentiel, c'est que vous vous en soyez souvenue.

— Ça m'a fait un choc, vous comprenez. Nous n'étions pas... Nous n'étions pas très proches, Annette et moi, mais enfin, c'était ma cousine, après tout, la fille de ma propre tante.

— Oui.

— Etre obligée d'aller dans cet endroit-là et de la voir... morte comme ça, oui, ça m'a fait un choc. Je n'avais encore jamais fait une chose pareille et je... »

Une femme qui laissait ses phrases inachevées par manque d'assurance, et peut-être par crainte que personne, jamais, ne la prenne au sérieux. Il comprit que tout ce préambule était une tentative d'excuse. Elle s'excusait d'avoir des émotions.

« Je lui ai pourtant dit que nous nous étions téléphoné. Du moins, j'ai dit que nous nous étions parlé au téléphone mais il était... il était plus intéressé par la dernière fois où j'avais vu Annette. Je ne l'avais pas revue depuis qu'elle était venue à notre anniversaire de mariage, et ça, c'était en avril. Le 3 avril.

— Mais vous vous étiez parlé au téléphone ? »

Elle allait avoir besoin de beaucoup d'encouragements, de ceux que Vine n'était pas du genre à prodiguer. Elle le regarda d'un air suppliant.

« Elle m'a appelée le mardi avant sa... Mardi dernier. »

Le jour de son rendez-vous avec Melanie Akande.

« C'était le soir, Mrs Winster ?

— Oui, vers sept heures. J'étais en train d'apporter le repas de mon mari à table. Il... Il n'aime pas qu'on le fasse attendre. J'étais un peu surprise qu'elle m'appelle mais elle a dit qu'elle ne se sentait pas très bien, qu'elle pensait se coucher tôt. Mon mari.... Mon mari me faisait des signes, alors j'ai posé le téléphone une minute et il m'a dit — je sais que vous allez trouver ça affreux...

— Continuez je vous prie, Mrs Winster.

— Mon mari — ce n'est pas qu'il n'aimait pas Annette, mais au fond il ne s'intéresse pas aux étrangers. Il dit toujours que notre propre famille nous suffit. Bien sûr, Annette c'était aussi la famille, en un sens, mais il répète toujours que les cousins ne comptent pas. Il m'a dit, quand Annette était au bout du fil, qu'il ne fallait pas que je m'en mêle. Que si elle était malade, elle allait s'attendre à ce que j'aille lui faire ses courses et tout le reste. Bon, je suppose qu'elle comptait là-dessus, c'est pour ça qu'elle appelait, et ça m'a affreusement embarrassée de lui dire que j'étais occupée, que je ne pouvais pas lui parler pour le moment, mais je devais faire passer les désirs de mon mari en premier, n'est-ce pas ? »

Si c'était tout, il perdait son temps. Il s'exhorta à la patience.

« Vous avez raccroché ?

— Non. Pas tout de suite. Elle a demandé si elle pouvait me rappeler plus tard. Je ne savais pas quoi dire. Et puis elle a dit qu'il y avait autre chose, quelque chose pour lequel elle voulait me demander conseil, et peut-être aussi à Malcolm — Malcolm, c'est mon mari. C'était pour savoir si elle devait aller à la police.

— Ah ! »

C'était donc ça.

« Elle vous a dit de quoi il s'agissait ?

— Non, parce qu'elle comptait me rappeler. Mais elle ne l'a pas fait.

— Et vous, vous ne l'avez pas rappelée ? »

Jane Winster rougit et prit un air de défi.

« Mon mari n'aime pas que je passe des coups de fil sans nécessité. Et c'est lui qui décide, pas vrai ? C'est lui qui ramène la paye à la maison.

— Répétez-moi mot pour mot ce que votre cousine vous a dit en parlant d'aller voir la police. »

Wexford commençait à comprendre l'impatience de Vine devant cette femme, et même à comprendre celui qui l'avait enfermée dans la sombre salle d'interrogatoire. Sa compassion diminuait d'instant en instant. Jane Winster faisait partie de tous ceux qui avaient rejeté Annette Bystock. Elle triturait son sac et plissait les lèvres ; une femme qu'il devinait experte à se dénigrer, mais qui se serait profondément offusquée qu'un autre la critique.

« Je ne peux pas vous dire les mots exacts, je ne... Bon, c'était à peu près ça : "Quelque chose s'est passé à cause de mon travail et je me demande si je ne devrais pas aller à la police, mais je veux savoir ce que tu en penses et peut-être aussi Malcolm." C'est tout.

— Elle n'aurait pas plutôt dit "à mon travail" ?

— Non. Elle a dit "à cause de mon travail".

— Et vous ne lui avez jamais plus parlé ?

— Elle n'a pas rappelé et je... Non, je... Je n'avais aucune raison de lui parler. »

Il hocha la tête. Sa cousine lui ayant fait faux bond, Annette avait demandé à Ingrid, un peu plus compatissante, de venir la voir, de lui faire ses courses, de lui dispenser les petites attentions nécessaires à une victime du « virus des chutes ». En ce qui concernait la police, elle avait changé d'avis ou, plus vraisemblablement, différé le coup de fil jusqu'à ce que son état s'améliore. Mais son état ne s'était jamais amélioré, il s'était irrémédiablement aggravé, et maintenant il était trop tard.

« Votre cousine avait-elle un jour fait allusion à un nommé Bruce Snow ?

— Non. Qui est-ce ? demanda-t-elle avec indifférence.

— Seriez-vous surprise d'apprendre que c'est un homme marié avec qui Miss Bystock avait une liaison depuis plusieurs années ? »

Jane Winster en fut plus commotionnée que par la mort de sa cousine, et même plus que par la vue de son cadavre à la morgue.

« Vous ne me ferez jamais avaler ça, dit-elle, devenant loquace sous le coup de l'étonnement. Annette n'aurait jamais fait une chose pareille. Elle n'était pas de ce genre-là. Mon mari ne l'aurait jamais reçue à la maison si on avait soupçonné ça. Non. Non, là, vous faites erreur. Pas Annette. Annette n'aurait jamais fait ça. »

Quand elle fut partie, Wexford fit appeler chez Hawkins & Steele et demanda à parler à Mr Snow. Tout en patientant au son de « Greensleeves », il songea au choc que Snow éprouverait en apprenant qui le demandait. Somme toute, Annette avait été retrouvée morte le vendredi précédent. La nouvelle était passée aux informations télévisées le jour même, et avait paru dans les journaux du samedi. Mais, de son point de vue, personne n'était au courant de cette liaison hormis Annette et lui. Et Annette était morte. Il devait penser qu'il s'en était tiré. Mais tiré de quoi, au juste ?

« Mr Snow est déjà en ligne. Voulez-vous attendre ?

— Non, je n'attends pas. Je rappellerai dans dix minutes. Vous pouvez lui dire que c'est la police de Kingsmarkham. »

Voilà qui le ferait sûrement cogiter un peu. Wexford n'aurait pas été surpris si Snow avait rappelé de lui-même, incapable d'attendre de découvrir le pire, mais il ne reçut aucun appel. Il laissa passer un quart d'heure avant de composer une seconde fois le numéro.

« Mr Snow est en réunion.

— Lui avez-vous transmis le message ?

— Oui, mais il avait cette réunion tout de suite après son coup de fil.

— Je vois. Combien de temps va durer sa réunion ?

— Une demi-heure. Ensuite Mr Snow a une autre réunion à onze heures quinze.

— Faites-lui part d'un nouveau message, voulez-vous ? Dites-lui d'annuler son autre réunion car l'inspecteur principal Wexford le verra dans son bureau à onze heures.

— Je ne peux absolument pas...

— Merci. »

Wexford raccrocha. Il commençait à s'échauffer pour de bon. Il se souvint qu'il devait se ménager, à cause de sa tension. Puis il eut une bonne idée qui le fit rire sous cape, et il décrocha le téléphone pour demander au sergent Karen Malahyde de monter le rejoindre.

Karen Malahyde incarnait par de nombreux aspects la femme moderne. Jeune, plutôt jolie, elle ne cherchait guère à s'embellir. Son visage était toujours exempt de la moindre trace de maquillage, ses cheveux blonds étaient coupés très court, tout comme ses ongles. Bien des femmes moins avantagées par la nature se transformaient en de vraies beautés. Il lui était toutefois impossible de dissimuler la perfection de sa silhouette. Elle avait des formes ravissantes et de ces jambes interminables qui semblent prendre naissance à la taille. Elle était féministe et presque radicale en la matière. Un bon flic, mais à qui il fallait parfois rappeler de ne pas trop serrer la vis aux hommes et de ne pas favoriser les femmes.

« Oui, chef ?

— Je veux que vous veniez rendre visite avec moi à un galant homme. »

Il lui relata succinctement l'idylle d'Annette Bystock. Au lieu de traiter Snow de salaud comme il s'y attendait, elle dit un peu tristement :

« Ces femmes-là n'ont pas de pire ennemi qu'elles-mêmes. C'est lui qui l'a tuée ?

— Je ne sais pas. »

Ils pénétrèrent dans la vieille demeure par l'entrée de York Street. L'intérieur était exigu et bas de plafond, mais authentiquement ancien, le genre d'endroit qu'on dit généralement « de caractère ». Il n'y avait pas d'ascenseur. La réceptionniste quitta son bureau et les accompagna le long d'un étroit escalier en chêne, qui craquait sous les pas et montait en colimaçon jusqu'à un couloir au dernier étage. Elle frappa à la porte, l'ouvrit et dit de manière assez sibylline :

« Votre rendez-vous de onze heures, Mr Snow. »

L'homme de la photographie que Burden avait découverte vint à leur rencontre, main tendue. Wexford feignit de ne pas la voir. Un instant il crut qu'on n'avait pas dit à Snow qui étaient ses visiteurs. S'il avait su, il n'aurait certainement pas été si sûr de lui, il n'aurait pas arboré ce sourire engageant.

« Je suis heureux de vous apprendre qu'il est retrouvé. »

De toute évidence il s'agissait d'un quiproquo, mais Wexford n'aurait su dire comment ou pourquoi. Il songea que s'il n'y prenait pas garde, il risquait de savourer la situation. On allait s'amuser.

« Qu'est-ce qui est retrouvé, monsieur ?

— Mon permis de conduire, évidemment ! Il y avait cinq endroits où je pouvais l'avoir rangé, j'ai fouillé dans chacun d'eux et je l'ai retrouvé dans le dernier. »

Snow se rendait compte qu'il faisait fausse route mais il était seulement déconcerté, il ne ressentait pas d'appréhension.

« Excusez-moi. A quel sujet vouliez-vous me voir ? »

Karen paraissait vexée d'avoir été prise pour un agent de la circulation. Wexford demanda :

« A quel sujet pensez-vous que nous voulons vous voir, Mr Snow ? »

La lueur méfiante qui passa dans son regard révéla que la conscience de la réalité se faisait jour. Il haussa les sourcils, la tête un peu penchée sur le côté. Grand et mince, des cheveux bruns épais qui commençaient à grisonner, l'homme n'était pas beau mais avait l'air distingué. Wexford pensa qu'il avait une bouche veule.

« Comment le saurais-je ? dit-il d'une voix un peu plus aiguë qu'avant.

— On peut s'asseoir ? »

Quand elle était assise, Karen ne pouvait éviter de montrer ses jambes. Et même dans ces affreux godillots marron à talons cubains, ses jambes étaient spectaculaires. Snow jeta sur elles un coup d'œil rapide mais révélateur.

« Je suis surpris que vous ignoriez la raison de notre venue, Mr Snow, dit Wexford. J'aurais cru que vous nous attendiez.

— Mais oui. Je vous l'ai dit, je pensais que vous étiez ici parce que je n'ai pas pu présenter mon permis quand on m'a arrêté samedi. »

Il savait, Wexford le voyait bien. Allait-il jouer de culot ? Ses doigts trituraient les objets du bureau, redressaient une feuille de papier, replaçaient un capuchon sur un stylo.

« De quoi s'agit-il, alors ?

— D'Annette Bystock.

— Pardon ? »

N'étaient ces doigts nerveux qui jouaient à présent avec le fil du téléphone, ces yeux qui reflétaient une réelle panique, Wexford eût peut-être douté. Il aurait pris la morte pour une paranoïaque, Jane Winster pour un oracle et Ingrid Pamber pour la reine des menteuses. Il lança un coup d'œil vers Karen.

« Annette Bystock a été assassinée mercredi dernier, dit-elle. Vous ne regardez pas la télé ? Vous ne lisez pas les journaux ? Vous et elle aviez une liaison. Vous aviez une liaison avec elle depuis neuf ans.

— Quoi ?

— Je pense que vous m'avez entendue, monsieur, mais ça ne me dérange pas de le répéter. Vous aviez une liaison avec Annette Bystock depuis neuf ans...

— C'est absolument insensé ! »

Bruce Snow bondit de son siège. Son visage fin était cramoisi et une veine bleutée palpitait sur son front.

« Comment osez-vous venir dans mon bureau pour proférer de tels mensonges ! »

Wexford pensa brusquement à Annette, tapie dans l'allée, frappant à la porte de derrière, conduite par Snow le long de cet escalier en colimaçon jusqu'à son bureau où il n'y avait même pas de divan, où il n'y avait pas moyen de se préparer un verre ou une simple tasse de thé. Le téléphone était bien là, en revanche, au cas où l'épouse appellerait.

Il se leva et Karen, réglant sa conduite sur la sienne, en fit autant.

« C'était sans doute une erreur de venir à votre bureau, Mr Snow, dit-il. Veuillez m'excuser. »

Il regarda Snow se détendre, respirer plus librement, rassembler toute son énergie pour une ultime fanfaronnade.

« Je vais vous dire ce que nous allons faire. Nous viendrons chez vous ce soir et nous en reparlerons là-bas. Disons vers vingt heures ? Cela vous laissera le temps de dîner auparavant, vous et votre femme. »

Si cela n'avait pas marché, cela aurait prouvé qu'il se trompait, qu'une des deux femmes, sinon les deux, était une fabulatrice, qu'il avait imaginé tous les signes de nervosité qu'il avait décelés chez Snow, et il aurait été bon pour un sacré savon. Freeborn apprécierait beaucoup moins cet épisode que la photo dans le journal de ses joyeuses libations.

Mais cela marcha.

Snow dit :

« Asseyez-vous, je vous prie.

— Avez-vous l'intention de tout nous dire, Mr Snow ?

— Qu'y a-t-il à dire ? Je ne suis pas le premier homme marié à avoir une maîtresse. Il se trouve qu'Annette et moi avions décidé de rompre. C'était fini. »

Il s'interrompit, s'éclaircit la gorge.

« Il est absolument inutile que ma femme l'apprenne maintenant. Autant vous le dire tout de suite, j'ai eu à cœur de lui dissimuler cette liaison. Je tenais à ne pas la faire souffrir. Annette comprenait. Notre relation était, pour mettre les points sur les i, purement physique.

— Donc, vous n'avez jamais eu l'intention de quitter

127

votre femme pour épouser Miss Bystock une fois que votre dernier enfant volerait de ses propres ailes ?

— Grands dieux, non !

— Où vous retrouviez-vous, Mr Snow ? interrogea Karen. Chez Miss Bystock ? Dans un hôtel ?

— Je ne vois pas ce que cela vient faire.

— Vous pourriez peut-être répondre malgré tout.

— Chez elle, lâcha Snow, mal à l'aise. Nous nous retrouvions chez elle.

— C'est curieux, monsieur, parce que nous n'avons trouvé aucune empreinte dans l'appartement de Miss Bystock, à part les siennes et celles d'une amie. A moins que vous ayez eu l'habitude d'essuyer toutes les surfaces pour y effacer vos empreintes ? suggéra Karen, feignant de se creuser les méninges. Ou alors... Oui ! C'est sûrement ça : vous portiez des gants.

— Bien sûr que non ! Je ne portais pas de gants ! »

Snow s'énervait. Wexford observa la temporale battante, les yeux injectés de sang. Il ne souffrait donc pas d'avoir perdu Annette Bystock ? Après tout ce temps, il ne ressentait pas de tristesse, pas même de nostalgie, pas de regret ? Et que voulait-il dire, cet homme, avec son « purement physique » ? Qu'entendait-on par une telle expression ? Qu'il n'y avait eu aucune parole échangée, aucun petit mot tendre, aucune promesse ? Il avait su en extorquer au moins une à la morte : celle de n'en parler à personne. Elle avait bien failli la respecter.

« Quand l'avez-vous vue pour la dernière fois ?

— Je ne sais pas. Il faut que je réfléchisse. Il y a quelques semaines. Je crois que c'était un mercredi.

— Ici ? » s'enquit Karen.

Il haussa les épaules puis acquiesça.

« J'aimerais savoir où vous vous trouviez entre vingt heures et minuit mercredi dernier, dit Wexford. Le mercredi 7 juillet.

— Chez moi, bien entendu. J'arrive toujours chez moi à dix-huit heures.

— Sauf quand vous aviez rendez-vous avec Miss Bystock. »

Snow grimaça avant de s'éclaircir la gorge, comme si une crispation du visage était un préliminaire naturel à la toux.

« Je suis rentré à dix-huit heures mercredi dernier et je suis resté à la maison. Je ne suis pas ressorti.

— Vous avez passé la soirée chez vous avec votre épouse et... vos enfants, Mr Snow ?

— Ma fille aînée ne vit plus chez nous. La cadette, Catherine, n'est pas souvent là le soir...

— Mais votre femme et votre fils étaient avec vous ? Il faudra que nous ayons une petite conversation avec elle.

— Ne mêlez pas ma femme à tout ça !

— C'est vous qui l'y avez mêlée, Mr Snow », répondit tranquillement Wexford.

La réunion de onze heures quinze avait été annulée, et Bruce Snow se voyait obligé de repousser son rendez-vous de douze heures trente avec un inspecteur des impôts. Wexford n'attribuait pas sa détresse à un quelconque sentiment de culpabilité, ou plutôt de responsabilité par rapport à la mort d'Annette. C'était de la peur, la peur de voir s'écrouler son univers bien organisé. Mais il ne pouvait en jurer.

« Donc, vous prétendez avoir vu Miss Bystock pour la dernière fois un mercredi, il y a quelques semaines. Combien de semaines, monsieur ?

— Vous voulez vraiment que je sois précis ?

— Certainement.

— Trois semaines, alors. C'était il y a trois semaines.

— Et quand l'avez-vous eue au téléphone pour la dernière fois ? »

Snow ne voulait pas l'avouer. Il plissa les yeux comme s'il était dans une pièce enfumée.

« Mardi soir.

— Quoi, la veille de sa mort ? dit Karen Malahyde avec surprise. Le mardi 6 ?

— Je lui ai téléphoné d'ici, dit-il très vite en se tordant les mains. Je l'ai appelée de ce bureau juste avant de rentrer chez moi. Je voulais lui donner rendez-vous, puisque vous tenez à le savoir. Pour le lendemain soir. Dieu ! C'est ma vie privée que vous mettez dans le collimateur. De toute façon c'est sans importance, elle n'a rien dit de spécial, seulement qu'elle ne se sentait pas bien. Elle était au lit. Elle avait attrapé un rhume, quelque chose de ce genre.

— Est-ce qu'elle a fait allusion à une jeune fille nommée Melanie Akande ? A-t-elle parlé de donner des informations à la police ? »

Cela donna à Snow un peu d'espoir. Là, on changeait de sujet. Les projecteurs, du moins temporairement, s'étaient détournés de sa longue et soudain coupable liaison avec Annette. Mais il poussa un gros soupir.

« Non, je ne... Attendez une minute, vous avez dit Akande ? Il y a un docteur qui s'appelle comme ça dans le même cabinet que le mien. Un homme de couleur.

— Melanie est sa fille, dit Karen.

— Bon, et alors ? Je ne sais rien d'elle. Et lui, je ne le connais pas, je ne savais pas qu'il avait une fille.

— Annette le savait. Et Melanie Akande a disparu. Mais non, bien sûr que non, Annette ne vous aurait rien raconté car, comme vous le disiez, votre relation était purement physique. Strictement silencieuse. »

Snow était trop abattu pour riposter. Il demanda tout de même quand Wexford comptait parler à sa femme.

« Oh ! Pas encore, Mr Snow. Pas aujourd'hui. Je vais vous donner une chance de le lui dire vous-même au préalable. »

Il laissa de côté son ton un peu goguenard et redevint sérieux.

« Je vous suggère de le faire, monsieur. A la première occasion. »

William Cousins, le joaillier, examina longuement la bague d'Annette Bystock, déclara que c'était un beau rubis et l'estima à deux mille cinq cents livres. A peu de chose près. C'était environ la somme qu'il était disposé à payer pour une telle bague si on la lui proposait. Il pourrait probablement la vendre beaucoup plus cher.

Le mardi était un des deux jours de marché de Kingsmarkham, l'autre étant le samedi. Par routine, le sergent Vine jeta un coup d'œil sur les objets en vente sur les étalages de la place Saint-Peter. Les marchandises volées réapparaissaient soit là, soit dans les brocantes organisées dans les jardins ou sur le terrain vague, et qui constituaient désormais l'attraction régulière du week-end. En général, il commençait par faire le tour des stands, puis il allait se prendre un sandwich à la buvette.

En sortant de chez Cousins il commença son inspection et, sur le deuxième stand, il vit un radiocassette. L'appareil était en plastique blanc, et sur sa partie supérieure, juste au-dessus de l'horloge à affichage digital, il y avait une tache rouge foncé qu'on avait vainement essayé d'enlever. Pendant une ou deux secondes, Vine crut que c'était du sang. Et puis il se souvint.

9

LE PIRE, dit le Dr Akande à Wexford, c'était cette habitude que tout le monde avait prise de leur demander s'ils avaient des nouvelles de leur fille. Tous ses patients savaient, et tous lui posaient la question. Finalement, incapable de lui dissimuler la vérité plus longtemps, Laurette Akande avait tout raconté à son fils lorsqu'il avait téléphoné de Kuala Lumpur. Il dit immédiatement qu'il allait rentrer. Dès qu'il trouverait un vol économique, il reviendrait.

« La mort de cette jeune femme m'incite à croire que Melanie est morte elle aussi, dit Akande.

— Je vous donnerais de faux espoirs si je vous encourageais à penser autrement.

— Mais je me répète qu'il n'y a aucun lien. Il faut que je garde espoir. »

Wexford était venu les voir, comme presque tous les matins en allant au travail ou le soir en rentrant chez lui. Laurette, qui avait abandonné son uniforme bleu marine et blanc au profit d'une robe en lin, l'impressionna par sa beauté et sa dignité. Il avait rarement vu une femme se tenir aussi droite. Elle montrait moins d'émotion que son mari, était toujours maîtresse d'elle-même, calme et impassible.

« Je me demande si vous pourriez me préciser l'emploi du temps de Melanie la veille de sa... disparition. Le lundi. Qu'a-t-elle fait ce jour-là ? »

132

Akande l'ignorait. Il était au travail, mais c'était le jour de repos de Laurette.

« Elle voulait dormir tard. »

Wexford eut l'impression que c'était là une mère qui désapprouvait les grasses matinées.

« Je l'ai fait lever à dix heures. Ce n'est pas bon de prendre ce genre d'habitudes si l'on veut réussir dans la vie. Elle a fait un saut du côté des boutiques, je ne sais pas pourquoi. L'après-midi, elle est allée courir — vous savez, faire du jogging, comme ils le font tous. Elle suivait toujours le même itinéraire, Harrow Avenue, Eton Grove, ça monte tout du long, c'est épouvantable par cette chaleur mais cela n'aurait servi à rien de le lui dire. Le monde irait beaucoup mieux si les gens se souciaient autant de leurs responsabilités que de leur forme. Mon mari est rentré, nous avons dîné tous les trois...

— Elle parlait de trouver du travail, dit le médecin, de ce rendez-vous qu'elle avait et de la possibilité d'obtenir une allocation pour suivre une formation commerciale. Elle s'est fâchée contre moi, ajouta-t-il avec un rire forcé, parce que je lui ai dit de réfléchir et de suivre la filière universitaire, comme c'est l'usage aux Etats-Unis.

— Nous n'en aurions pas les moyens, coupa Laurette. Et elle a déjà bénéficié d'une bourse. Ce n'est pas comme si son premier diplôme était coté, ils en tiennent compte, je le lui ai dit. Elle s'est mise à bouder. Nous avons tous regardé la télévision. Elle a téléphoné à je ne sais qui. Dieu veuille que ce ne soit pas à cet Euan !

— Mon épouse, dit le Dr Akande avec des inflexions presque révérentes, a obtenu un diplôme de physique au collège universitaire d'Ibadan avant de faire des études d'infirmière. »

Wexford commençait à plaindre Melanie Akande, une jeune femme soumise à de sérieuses pressions. Ironiquement, on aurait dit qu'elle avait aussi peu de chances d'échapper à l'obligation de s'instruire qu'une jeune fille de l'époque victorienne à l'interdiction d'étudier. Et de la même façon, elle était contrainte d'habiter chez ses parents jusqu'à un avenir lointain.

Il en revint au jogging qu'elle avait fait le lundi après-midi.

« Elle ne vous a rien dit de ce qu'elle avait vu dehors, d'une personne qui l'aurait abordée, rien, vraiment ?

— Elle ne nous racontait rien, dit Laurette. Ils ne parlent jamais d'eux. Ils sont passés maîtres en la matière. On aurait cru qu'elle suivait des cours en cachette. »

Wexford monta dans sa voiture, mais au lieu de repartir vers chez lui il prit la direction de Glebe Lane. Quand il se demandait si l'un des Akande pouvait être responsable de la disparition de Melanie, voire de sa mort, force lui était d'admettre que cette possibilité existait. Cependant, il continuait d'aller les voir, de parler avec eux. Alléguer qu'Akande pouvait être coupable d'un tel crime était présupposer qu'il était fou, ou du moins fanatique. Le médecin ne semblait ni l'un ni l'autre, et pas du tout obnubilé par les relations de sa fille avec Euan Sinclair. Wexford n'avait jamais vérifié l'alibi d'Akande, et ne savait même pas s'il en avait un. Il savait en revanche qu'il y avait une voiture dans laquelle Melanie aurait accepté de monter entre le Centre et l'arrêt du car. Celle de son père.

Alors, Akande avait-il menti ? Comme Snow, et sans aucun doute comme Ingrid Pamber ? Bizarre, cette certitude qu'il avait eue qu'elle mentait sans savoir à quel propos. Il s'engagea dans Glebe Lane, sur le sol en cailloutis. Elle descendit pour le faire entrer et lui dit qu'elle était seule chez elle. Lang était allé voir son oncle, étrange excuse qui éveilla immédiatement les soupçons de Wexford, bien qu'il n'eût pas vraiment su les définir. Les yeux d'Ingrid rencontrèrent les siens. Quand quelqu'un était capable de vous regarder carrément dans les yeux, en soutenant votre regard, cela révélait une sublime confiance en soi ou une parfaite maîtrise du mensonge... Elle portait une longue jupe imprimée, bleue à fleurs bleu pâle, et un chandail en soie. Ses cheveux sombres et brillants étaient ramassés en chignon au sommet de son crâne.

« Miss Pamber, vous allez penser que j'ai une piètre mémoire, mais je me demandais si vous pourriez me répéter exactement ce qui s'est passé quand vous êtes allée chez Miss Bystock mercredi dernier. Quand vous lui avez apporté un litre de lait et qu'elle vous a demandé de lui faire des commissions le lendemain.

— En réalité, vous n'avez pas du tout mauvaise mémoire. C'est juste un test pour voir si je vais me contredire.

— Peut-être. »

Le bleu dont elle était vêtue lui fit penser que toutes les femmes aux yeux bleus devraient porter cette nuance. Elle illuminait la pièce, qui ne semblait avoir besoin d'aucun autre ornement.

« J'ai acheté le lait au magasin qui fait l'angle entre Ladyhall Avenue et le bas de Queen Street. L'ai-je déjà dit ? »

Elle savait très bien que non. Il garda le silence.

« C'est facile de se garer là-bas, vous comprenez. Il était à peine un peu plus de cinq heures et demie quand je suis arrivée chez Annette. Chaque fois que j'y suis allée, la porte de l'immeuble était ouverte. Je ne crois pas que ce soit très prudent, vous ne trouvez pas ?

— Non, évidemment.

— Je crois avoir dit qu'Annette n'avait pas fermé sa porte à clef. J'ai directement rangé le lait dans le frigo puis je suis allée dans la chambre. D'abord, j'ai frappé à la porte. »

Ce luxe de détails avait pour seul objet de le taquiner. Il le savait, mais n'y voyait pas d'inconvénient. N'importe quel détail, même mineur, pouvait avoir son importance dans une affaire comme celle-ci.

« Elle a dit : "Entre !" Non, je crois qu'elle a dit : "Entre, Ingrid !" Je suis entrée. Elle était au lit, à moitié assise, mais elle avait vraiment l'air malade. Elle m'a dit de ne pas m'approcher parce qu'elle était sûre d'être contagieuse, mais elle m'a demandé si je voulais bien lui acheter les choses qu'elle avait notées sur la liste. Un pain, des corn flakes, des yaourts, du fromage, et encore du lait. »

Wexford écoutait, impassible, sans bouger.

« Je vous l'ai déjà dit : elle avait deux clefs sur la table de chevet. Elle m'en a donné une — je me suis approchée, mais pas très près, je n'avais vraiment pas envie d'attraper

135

sa maladie — et elle m'a dit que comme ça, je pourrais entrer par mes propres moyens le lendemain. Alors je lui ai dit que je viendrais, oui, sans faute, et que je lui apporterais ses provisions. Je lui ai dit de se rétablir bien vite, et elle m'a demandé de fermer les rideaux du salon en partant. C'est ce que j'ai fait, et puis j'ai crié "Au revoir", et... Je ferais aussi bien de vous l'avouer, dit Ingrid Pamber en le regardant tristement, la tête penchée sur le côté. Vous n'allez pas me manger, n'est-ce pas ? »

Avait-il l'air d'en avoir envie ? Il l'invita à poursuivre.

« J'ai oublié de verrouiller la porte derrière moi. Je l'ai simplement claquée, et je l'ai laissée comme je l'avais trouvée. Je sais que c'est terrible, ce que j'ai fait, mais c'est facile d'oublier avec ce genre de porte.

— Ainsi la porte est restée ouverte toute la nuit ? »

Avant de répondre elle se leva, traversa la pièce et chercha quelque chose à tâtons derrière les livres d'une étagère. Elle le regarda par-dessus son épaule et lui sourit. Wexford répéta sa question.

« Je suppose que oui, dit-elle. Mais la porte était fermée à clef quand j'y suis retournée jeudi. Etes-vous très, très fâché contre moi ? »

Elle n'avait pas compris. Elle ne se rendait absolument pas compte de ce qu'elle avait fait. Ses yeux chaleureux avaient une lueur joyeuse quand elle lui tendit la clef d'Annette Bystock.

Carolyn Snow était sortie. Elle avait conduit son fils Joël à l'école, dit à Wexford la femme de ménage. Il décida de faire une promenade autour du bloc d'habitations. « Bloc » n'était pas le mot juste. « Parc » eût mieux convenu, ou « enclave ». La maison des Snow, quoique deux fois plus grande que la sienne, était une des plus petites du quartier. Les demeures semblaient encore plus spacieuses et plus espacées lorsque, arrivé à l'angle, il tourna dans Winchester Drive. Il ne se rappelait pas quand pour la dernière fois il était venu dans cette partie de Kingsmarkham, cela devait faire des années, mais il se souvint en tout cas qu'il n'était pas loin de la route que, selon Laurette Akande, Melanie empruntait lorsqu'elle courait.

L'agrément d'un lieu de résidence est incontestable quand la banlieue ressemble à une étendue boisée et que les maisons sont invisibles, quand il n'y a aucun portail et que la seule indication que des gens vivent quelque part à proximité est une boîte aux lettres, discrètement placée dans la trouée d'une haie. C'était un coteau très élevé, aux frondaisons touffues et verdoyantes, au-delà duquel, loin en contrebas, on entrevoyait le cours sinueux du Kingsbrook. Dans Winchester Drive, les pelouses vertes étaient délimitées par de grandes haies ou des murets bordant le trottoir et, sachant qu'il était là, on croyait apercevoir un léger reflet de brique patinée entre les grands hêtres gris, les bouleaux blancs délicats et les branches d'un cèdre majestueux.

La présence de deux personnes sur une de ces pelouses, une femme chargée d'un panier de fruits rouges, sombres et luisants, et un jeune homme d'un peu plus de vingt ans dressant une échelle contre un cerisier, gâcha quelque peu cette image idyllique de la verte campagne. Wexford fut surpris de reconnaître Susan Riding, sans bien discerner la cause de son étonnement. Elle devait habiter dans les parages et passait pour fortunée. Le garçon ressemblait de façon saisissante à son père : les mêmes cheveux blond paille, la même allure nordique, le front haut, le nez rond, la lèvre supérieure protubérante.

Wexford leur dit bonjour.

Elle fit quelques pas vers lui. S'il avait ignoré qui elle était, en la rencontrant loin de son cadre familier il l'aurait prise pour une des clochardes qui dormaient dans la rue principale de Myringham. L'ourlet de sa jupe en coton était à moitié défait et elle devait avoir hérité son tee-shirt d'un de ses enfants car l'inscription « Université de Myringham » barrait le tissu rouge délavé. Un élastique maintenait en arrière ses cheveux frisés d'un blond grisonnant.

Son sourire la métamorphosa. En un instant, elle devint presque belle, la mendiante transformée en une vivante incarnation de la terre nourricière.

« Les oiseaux emportent presque toutes nos cerises. Ça

ne me dérangerait pas s'ils les mangeaient, mais ils se contentent d'en picorer un petit bout et ils lâchent le reste par terre. »

Le garçon était monté dans l'arbre et leur tournait le dos, mais elle n'en fit pas moins les présentations.

« Mon fils Christopher. »

Il ne fit absolument pas attention à eux. Elle haussa les épaules comme si ça ne l'étonnait pas plus que ça.

« Il faut effaroucher les oiseaux du matin au soir. L'année dernière nous l'avons fait mais j'avais des domestiques, à l'époque. Comment vous procurez-vous du personnel, dans ce pays ?

— Je conçois que c'est difficile.

— Autrement dit, je n'ai qu'à tout faire moi-même. Ce n'est pas si facile quand on a six chambres à coucher et quatre enfants qui vivent à la maison la plupart du temps. Et voilà que ma fille au pair vient de me quitter. »

Christopher lâcha soudain une bordée d'obscénités effarantes ; la guêpe qui l'importunait sortit de l'arbre en bourdonnant et fonça sur Susan Riding. Elle se baissa pour l'éviter et la chassa de la main.

« Je les déteste. Pour quelle raison Dieu a-t-il mis les guêpes sur Terre ?

— Pour la nettoyer, je suppose. La Terre, précisa-t-il en la voyant désorientée.

— Ah, oui ! Je dois vraiment vous remercier d'avoir sacrifié votre samedi soir pour les pauvres femmes vulnérables que nous sommes. Je vous ai écrit, mais je crains de n'avoir posté la lettre que ce matin.

— Allez, m'man, dit le garçon dans l'arbre. Faut cueillir ces maudits fruits.

— Connaissez-vous une jeune fille nommée Melanie Akande ? lui lança Wexford.

— Quoi ?

— Melanie Akande. Vous avez bu un pot avec elle un jour. Il se peut que vous l'ayez revue. »

Susan Riding éclata de rire.

« Qu'est-ce que c'est, Mr Wexford ? Un interrogatoire ? Est-ce la jeune fille qui a disparu ?

— Elle a disparu ? Je ne savais pas », dit Christopher en descendant de l'échelle.

Il était au moins aussi grand que Wexford. Il avait des mains et des pieds énormes, des épaules de taureau.

« Melanie a disparu mardi dernier, dans l'après-midi, dit Wexford. L'aviez-vous vue récemment ?

— Pas depuis des mois. Je suis parti mardi matin. Je peux vous donner les noms des gens avec qui j'ai voyagé, s'il vous faut mon alibi. Vous pouvez vérifier mon billet d'avion, ou ce qu'il en reste.

— Christopher ! s'écria sa mère.

— Pourquoi me poser la question ? Je suis bien le dernier à pouvoir répondre ! Bon, je peux continuer à cueillir ces cerises, maintenant ? »

Wexford prit congé et continua sa promenade. Au détour de la route il se retourna et, par une trouée entre les arbres, il vit tout à fait distinctement la maison, l'arrière d'une villa de style italien, murs blancs, toit vert, une haute tourelle. Il distinguait même les barreaux aux fenêtres du rez-de-chaussée. Susan Riding était bien une digne représentante de *Women Aware !*, une femme qui savait indéniablement faire preuve de prudence. Le lieu avait l'air de renfermer beaucoup d'objets de valeur. Wexford bifurqua dans Eton Grove et redescendit le coteau. La maison des Riding fut momentanément visible de la route puis, soudain, disparut derrière une épaisse plantation d'arbustes à fleurs blanches. Il recula pour la regarder une dernière fois et s'attarda un instant avant de reprendre à gauche dans Marlborough Gardens, et de parcourir les quelques centaines de mètres qui le séparaient de Harrow Avenue.

Au volant de la voiture garée, Donaldson lisait le *Sun* mais le replia en voyant le patron. Wexford lut son propre journal pendant dix minutes. Un jeune homme, un appareil-photo en bandoulière, apparut au coin de la rue et Wexford posa son journal, même si ce passant n'avait manifestement aucune envie de le photographier, ne l'avait même pas remarqué ni même sorti son appareil de son étui.

« Ça tourne à la parano.

— Chef ?

— Rien. Ne faites pas attention. »

L'auto surgit soudain de nulle part, beaucoup trop vite, s'engagea dans l'allée du 101 et s'arrêta dans un gémissement de freins. Il regarda attentivement la conductrice tandis qu'elle descendait de voiture et se dirigeait rapidement vers la porte d'entrée, les clefs de la maison sur le même trousseau que celles du véhicule. C'était une longue femme mince, plutôt blonde, en pantalon noir et corsage sans manches. Deux minutes après qu'elle fut entrée, il s'approcha de la porte et sonna. Elle vint ouvrir elle-même. Elle était plus jeune qu'il ne s'y attendait, la quarantaine probablement, mais elle faisait moins. L'idée le frappa qu'elle paraissait beaucoup plus jeune que la pauvre Annette.

Pas d'alliance. Ce fut un des premiers détails qu'il remarqua, et il vit aussi qu'elle avait eu l'habitude d'en porter une car il y avait un anneau de peau blanche sur son doigt bruni.

« Je vous attendais, dit-elle. Vous n'entrez pas ? »

Sa voix était cultivée, agréable, avec cette sorte d'accent qu'on associe à un internat très sélect pour jeunes filles. Wexford eut soudain étonnamment conscience de son extrême séduction. La coupe de ses cheveux les transformait en un casque de plumes d'un blond de lin. Elle ne portait pas de maquillage sur sa peau parfaite et lisse, d'un léger brun doré, à peine froissée près des paupières. Son corsage était du même bleu aquatique que ses yeux, et les bras bronzés qu'il dénudait auraient pu être ceux d'une jeune fille.

Il commençait à se demander pourquoi un homme qui avait un tel trésor chez lui, en toute légitimité et en toute respectabilité, était allé chercher Annette, mais il savait que de telles questions étaient toujours futiles. Cela venait en partie du fait que la légitimité, la respectabilité exercent moins d'attrait que l'interdit et l'illicite, et en partie d'une étrange convoitise à l'égard du sordide et de la paillardise, de la chair teintée d'obscénité. Il aurait parié, par exemple, que Mrs Snow ne portait pas de bustiers noirs et rouges transparents mais des slips Calvin Klein et des soutiensgorge de sport Playtex.

Elle le fit entrer dans un salon spacieux à la moquette en

velours vert, pourvu de canapés et de fauteuils en nombre suffisant pour accueillir vingt personnes, et d'une cheminée en pierre des Cotswold à dessus de cuivre. Il était clair qu'elle connaissait le but de sa visite et tenait ses réponses toutes prêtes. Elle était sûre d'elle mais grave, ses gestes étaient déterminés, son expression figée et résolue. Il dit avec circonspection :

« Votre mari vous a certainement appris qu'il avait été interrogé en rapport avec le meurtre d'Annette Bystock. »

Elle hocha la tête. Elle s'accouda sur le bras de son fauteuil et posa la joue dans sa main, en une pose d'exaspération contenue.

« Le mercredi 7 juillet, votre mari a passé la soirée à la maison, avec votre fils et vous. Est-ce exact ? »

La réponse tarda tant qu'il s'apprêtait à répéter la question quand elle vint, inflexible et froide.

« Qui a bien pu vous donner cette idée ? C'est lui qui vous a raconté ça ?

— Que voulez-vous dire, Mrs Snow ? Qu'il n'était pas ici ? »

Son soupir fut aussi lourd, aussi délibéré que la respiration prescrite au sportif : profonde inhalation, totale expiration.

« Mon fils n'était pas ici. Joël, mon fils, était en haut dans la salle de jeux. Il y est tous les soirs, pendant la semaine, il a beaucoup de devoirs. Il a quatorze ans. Souvent, nous ne le voyons pas entre le repas et l'heure du coucher, et quelquefois même pas à ce moment-là. »

Pourquoi lui disait-elle tout ça ? Personne n'accusait son fils du meurtre.

« Ainsi, votre mari et vous étiez seuls ? Dans cette pièce ?

— Je vous ai demandé qui vous a donné cette idée. Mon mari n'était pas là. »

L'air lointain et rêveur, les lèvres entrouvertes, elle semblait contempler, à mi-distance, un coucher de soleil parfait. Tout à coup elle se tourna vers lui.

« Cela lui arrivait souvent, le mercredi. Le mercredi, il travaillait très tard. Vous ne saviez pas ? »

Voilà qui n'était pas du tout ce à quoi il s'attendait. Si Snow n'avait pas passé la soirée chez lui avec sa femme, pourquoi avait-il parlé d'elle ? Si son vœu le plus cher était de continuer à lui dissimuler sa liaison avec Annette, pourquoi l'avait-il prise pour alibi ? Sûrement parce qu'il n'avait pas le choix...

La dernière chose dont il avait envie était d'éclairer lui-même Carolyn Snow sur les relations extra-conjugales de son mari, mais il semblait bien qu'il allait y être contraint. Ainsi, Snow avait craqué, ses nerfs avaient lâché, il avait reculé au moment de l'aveu. Ou bien...

« Mrs Snow, êtes-vous au courant des relations de votre mari avec Annette Bystock ? »

Il est impossible de pâlir sous un hâle, mais sa peau se contracta et elle parut plus vieille. Toutefois, ce n'avait pas été une révélation.

« Oh ! oui, il me l'a dit, répondit-elle, détournant les yeux. Comprenez bien que je n'en savais rien jusqu'à hier. Non, avant-hier. J'étais dans le noir. On me laissait dans le noir. »

Un petit rire froid résuma ses sentiments envers les hommes comme Snow, leur sens des valeurs, leur lâcheté.

« Il a bien été forcé de me l'apprendre.

— Et il vous a demandé de me dire que vous étiez avec lui mercredi dernier ?

— Il ne m'a rien demandé. Il était trop avisé pour solliciter des faveurs. »

Il n'y avait rien à ajouter pour le moment. Tout cela était très différent de ce qu'il avait prévu. Jusqu'à cet instant, il n'avait jamais considéré sérieusement Snow comme un suspect, comme un auteur vraisemblable du crime. Après tout, il n'était jamais entré dans l'appartement de Ladyhall Court. Mais si l'on tenait ce raisonnement, personne n'y était entré excepté Annette elle-même et Ingrid Pamber. Aucun élément n'indiquait la visite d'Edwina Harris ou, fait plus essentiel, du cambrioleur qui, à un moment donné, était venu prendre le téléviseur, le magnétoscope et le radio-cassette. Si ce cambrioleur avait mis des gants, Bruce Snow avait pu en faire autant.

Il avait parlé à Annette le mardi soir, mais il pouvait avoir menti en affirmant qu'elle était trop malade pour le rejoindre le lendemain soir. Elle l'aimait, elle ne lui refusait jamais rien, elle le faisait passer en premier. C'était une chose de ne pas aller au travail, de demander à Ingrid de lui faire quelques courses, et c'en était tout à fait une autre d'annuler un rendez-vous ardemment désiré sous le prétexte douteux qu'elle serait encore malade vingt-quatre heures plus tard.

Cependant, ils se retrouvaient toujours dans le bureau de Snow. Toujours à part cette seule, cette unique fois ? Elle lui avait dit qu'elle ne se sentait pas assez bien pour sortir, mais il pouvait venir — ne voulait-il pas venir chez elle, rien qu'une fois ? Et il avait accepté, il y était allé, il était resté — resté longtemps — et pour finir ils s'étaient disputés et il l'avait tuée...

Bob Mole n'avait pas du tout l'intention de révéler à Vine l'origine de la radio. Tout ce qu'il voulut bien dire, au début, fut qu'elle faisait partie d'un lot d'articles dépareillés qui avaient échappé à un incendie. L'absence de brûlures ne voulait rien dire. Ces tapis, par exemple — que Vine prenne donc la peine de les regarder —, ils n'étaient pas brûlés du tout. Les trois chaises de salle à manger n'étaient pas brûlées. Un tas de marchandises l'avaient été, et personne ne les aurait achetées sur un stand. Est-ce qu'il prenait les clients pour des pigeons ?

Vine voulut savoir d'où provenait cette tache. Bob Mole ne le savait pas. Et d'ailleurs, pourquoi aurait-il dû fournir une explication ? Où Vine voulait-il en venir ? Quand le sergent le lui dit, les choses changèrent du tout au tout. Le mot « meurtre » produisit son effet, surtout le meurtre d'Annette Bystock, le crime local de Kingsmarkham dont parlaient les quotidiens et même la télé.

« C'était à elle ?

— On le dirait bien. »

Bob Mole, le teint cendreux, retroussa sa lèvre supérieure.

« C'est pas du sang ?

— Non, c'est pas du sang, dit Vine, qui ne rit pas en dépit de toute l'envie qu'il en avait. C'est du vernis à ongles rouge. Elle l'avait renversé. Maintenant, dis-moi où tu as dégotté cet appareil.

— C'est comme j'ai dit, m'sieu Vine. C'est ce qu'on a sorti de cet incendie.

— Bien sûr. Je t'ai entendu. Mais qui est-ce qui l'a sauvé des flammes et l'a remis entre tes sales pattes ?

— Mon fournisseur, dit Bob Mole comme s'il était un respectable commerçant parlant d'un grossiste d'envergure nationale. Vous êtes sûr que c'est à elle, à cette Annette qui est morte ? »

Il baissa la voix en prononçant le prénom et regarda à droite et à gauche.

« Il y a aussi une télé et un magnétoscope.

— Je les ai jamais eus, m'sieu Vine, ça c'est la vérité vraie. »

Après un dernier coup d'œil à droite puis à gauche, Bob Mole se pencha vers Vine et chuchota :

« On l'appelle Zack.

— A-t-il un autre nom ?

— S'il en a un je le connais pas, mais je peux vous dire où il crèche. »

Suivit non une adresse mais la description d'un lieu. L'adresse, Bob Mole ne la connaissait pas. Selon ses indications, il fallait descendre jusqu'au bout de Glebe Lane, tourner dans le passage près de l'endroit où il y avait cette espèce d'église qui avait appartenu aux Méthodistes mais qui était devenue un genre d'entrepôt et contourner la casse par-derrière. Zack vivait dans la plus éloignée des deux bicoques, en face de l'usine à pinceaux Tiller.

Quand Burden l'apprit, il se mit personnellement en quête du fournisseur de Mole et prit Vine avec lui. Il s'attendait à trouver un endroit similaire à celui où vivait Ingrid Pamber, mais comparé à ces bas-quartiers de Kingsmarkham, Glebe Lane était résidentielle. Il aurait été difficile de se méprendre sur la maison de Zack dans la mesure où la plus proche de la route était toute délabrée, la porte et les fenêtres condamnées par des planches. Elle ressemblait à peine à un lieu d'habitation, mais plutôt à une ca-hute, un abri pour animaux abandonnés, marron sale, les tuiles cassées du toit couvertes d'orpin jaune.

Celle de Zack n'était guère en meilleur état. Des années plus tôt, quelqu'un avait posé une première couche de pein-ture rose sur la porte d'entrée et n'avait jamais passé la seconde, mais on avait visiblement essuyé un pinceau sur la surface, imprégné à chaque fois d'une couleur différente. Peut-être était-ce l'œuvre d'un des employés de la petite fabrique d'en face. Une fenêtre cassée avait été réparée au moyen d'une bande de papier-cache. A une treille branlante s'accrochaient les vrilles d'une plante grimpante morte de-puis quelques années.

« Le conseil devrait faire quelque chose au sujet de ce dépotoir, maugréa Burden. Pourquoi payons-nous des im-pôts ? J'aimerais le savoir. »

La jeune femme qui vint leur ouvrir était pâle et menue, pas plus haute qu'une fillette de douze ans. Elle portait sur sa hanche osseuse un bébé vagissant d'environ un an.

« Oui, c'est pour quoi ?

— Police, dit Vine. On peut entrer ?

— Oh, la ferme, Clint ! » dit-elle à l'enfant, en le se-couant sans conviction.

Avec répulsion, son regard apathique alla de Barry Vine à Burden, puis revint sur Vine.

« Je veux voir une pièce d'identité avant de vous laisser entrer.

— Et vous, vous êtes qui ? demanda Vine.

— Kimberley, mais pour vous Miss Pearson. Il est pas là. »

Ils présentèrent leurs cartes, et elle les scruta comme pour vérifier qu'elles n'étaient pas falsifiées.

« Regarde la photo du monsieur, Clint, comme elle est rigolote », dit-elle en enfonçant presque la tête de l'enfant contre la poitrine de Vine.

Quand Clint comprit qu'il ne pouvait pas avoir les pho-tos, ses pleurs redoublèrent. Kimberley le fit passer sur son autre hanche. Burden et Vine la suivirent dans ce que Bur-den décrivit ensuite comme un des pires taudis où il avait mis les pieds. Analysant l'odeur, il déclara qu'elle se composait des relents de couches souillées, d'urine, d'huile de friture constamment réutilisée, de viande gardée trop longtemps à l'air libre, de fumée de cigarette et de conserves pour chien. Le linoléum était troué par l'usure et couvert de traces poisseuses, de cheveux, de marques foncées en forme d'anneau. Les cendres de l'hiver précédent, éparpillées dans la cheminée, étaient surmontées d'un monceau de vieux papiers et de mégots. Deux transats étaient tournés vers un énorme poste de télévision. Il était beaucoup trop gros pour être celui d'Annette, mais le magnétoscope, à côté, pouvait avoir été le sien.

Kimberley posa l'enfant dans un des sièges et lui donna un sachet de chips qu'elle avait sorti d'un des nombreux cartons disposés tout autour, qui faisaient office de placards, de buffet et de garde-manger. Un autre carton lui fournit un paquet de Silk Cut et des allumettes.

« Vous voulez le voir pour quoi ? demanda-t-elle en allumant sa cigarette.

— Pour différentes raisons, répondit Vine. Peut-être quelque chose de grave.

— Comment ça, grave ? Il a jamais rien fait de grave, dit-elle, rectifiant aussitôt : Il a jamais rien fait. »

Elle avait les yeux du vert très pâle des chats blancs. Sa peau et ses cheveux luisaient de graisse.

« Où est-il ?

— C'est le jour où il pointe. »

Comme le pensait Wexford, tous les chemins aboutissaient au Centre.

« D'où vient le magnétoscope, Miss Pearson ? demanda Burden.

— Ma mère me l'a donné, répondit-elle très vite — ce qui, bien sûr, ne prouvait pas qu'elle mentait. Et c'est Mrs Nelson.

— Je vois. Pour mon collègue Miss Pearson, pour moi Mrs Nelson. C'est son nom, Nelson ? »

Elle ne répondit pas. Ayant fini ses chips, Clint se remit à hurler.

« Oh, fous le camp, Clint ! »

Descendu de sa chaise et posé par terre, il rampa jusqu'à une des boîtes en carton, s'y appuya pour se mettre debout et entreprit de la vider de son contenu, un objet après l'autre. Kimberley n'y fit pas attention. Sans aucun rapport avec la conversation qui venait d'avoir lieu, elle lâcha :

« Ils vont tout démolir, ici.

— C'est ce qu'ils ont de mieux à faire, remarqua Vine.

— Ah oui, c'est sûr ! Question vacherie, ils peuvent pas faire mieux. Et nous, qu'est-ce qu'on devient ? Vous y pensez, hein, avec vos "C'est ce qu'ils ont de mieux à faire" ? répliqua-t-elle en le singeant.

— Ils sont tenus de vous reloger.

— Vous voulez parier ? Dans un *Bed & Breakfast*, peut-être. Si on veut être relogé, faut s'en occuper soi-même. Et l'avantage, avec ce taudis, c'est que les Allocs paient le loyer. Ça, il le perdra, pas vrai ? Il a pas eu de boulot depuis des mois. »

Au-dehors, Burden aspira à pleins poumons l'air pourtant quelque peu vicié par les vapeurs de la fabrique de peinture.

« Ça ne les empêche pas d'avoir des gosses, d'être au chômage ! Et vous remarquerez qu'ils trouvent toujours de l'argent pour fumer. »

Si je vivais dans ce cloaque, je fumerais à en crever, pensa Vine.

« Les journaux ont parlé d'eux, vous vous souvenez ? Ça devait être vers Noël, l'an dernier. Je me rappelle ce prénom, Clint. Il avait un problème cardiaque et on l'a opéré à l'hôpital de Stowerton. Il y avait des photos de lui et de Kimberley Pearson d'un bout à l'autre du *Courier*. »

Mais Burden n'en avait pas souvenir. Il était convaincu qu'ils allaient manquer Zack Nelson, que ce dernier leur filerait entre les doigts comme une anguille. Kimberley n'avait pas le téléphone, à supposer qu'il fût possible de joindre les gens qui attendaient pour pointer. Burden ignorait si c'était possible, et il était sûr que Vine ne le savait pas non plus. Toujours est-il que lorsqu'ils entrèrent au Centre pour l'emploi, Zack était encore là.

Il se trouvait parmi la douzaine de chômeurs assis sur les chaises grises. Burden crut trouver par déduction lequel des sept ou huit hommes était Zack Nelson, mais il se trompa. Le premier qu'il aborda, un garçon d'environ vingt-deux ans aux cheveux blonds taillés en brosse, trois anneaux à chaque oreille et un dans une narine, s'avéra être un certain John Mac Antony. Le seul autre susceptible d'être Zack Nelson admit d'abord le fait d'un haussement d'épaules exagéré, puis d'un hochement de tête.

Il était plutôt grand et, de tous les hommes présents, celui qui paraissait en meilleure condition physique. On aurait dit qu'il s'exerçait avec des poids car son corps était mince et dur, et il n'avait pas besoin de plier ses bras nus pour montrer les gros muscles ronds qui tendaient les manches de son polo rouge crasseux. Ses cheveux longs, aussi gras que ceux de Kimberley, étaient tressés sur quelques centimètres puis attachés avec un lacet de chaussure. Par le col ouvert du polo, sous les poils noirs frisottés, on distinguait les encres turquoise, rouge et noire d'un tatouage compliqué.

« Un mot, dit Burden.

— Va falloir attendre le bon numéro », dit Zack Nelson sans ironie.

Burden fut déconcerté, puis comprit qu'il faisait allusion aux panneaux à affichage digital accrochés au plafond. Quand le numéro figurant sur sa carte apparaîtrait, il irait signer à un des bureaux.

« Ça prendra combien de temps ?

— Cinq minutes. Peut-être dix. »

Zack adressa à Vine le même genre de grimace que le sergent avait fait en sentant l'odeur à l'intérieur du pavillon.

« Qu'est-ce qui presse ?

— Rien, dit Burden. Nous avons tout le temps. »

Ils s'éloignèrent et s'assirent sur les sièges gris. Burden palpa une des feuilles de la plante d'intérieur fichée dans son bac à côté de lui. Elle avait la texture caoutchouteuse et légèrement collante du polyéthylène. Vine lui dit à voix basse :

« Il vous ressemble, vous savez. Enfin, il vous ressemblerait si vous vous laissiez pousser les cheveux et que vous

148

ne vous laviez pas souvent. Il pourrait être votre petit frère. »

Courroucé, Burden ne dit rien. Mais il se souvint de la remarque de Percy Hammond ; d'après lui, l'homme qu'il avait vu sortir la nuit de Ladyhall Court lui ressemblait. Si c'était vrai, comme Vine venait d'en donner là l'absurde confirmation, cela en disait long sur le sens de l'observation du vieillard. Cela signifiait qu'on pouvait se fier à lui.

Il parcourut la grande salle des yeux. Derrière le comptoir, il vit Osman Messaoud, Hayley Gordon et Wendy Stowlap — cette dernière souffrant visiblement d'une allergie, car elle s'essuyait continuellement le nez dans des mouchoirs en papier multicolores, qu'elle tirait successivement d'une boîte devant elle. Tous s'occupaient de clients. Cyril Leyton, debout devant la porte de son bureau, était en grande conversation avec le vigile.

La cliente de Messaoud termina ce qu'elle était venue faire et s'éloigna du comptoir. Un numéro s'afficha en rouge sur le panneau et le garçon qui avait des anneaux aux oreilles et à la narine se leva. Du siège de Burden, on ne voyait pas les conseillers aux nouveaux demandeurs, mais seulement le flanc de leurs guichets. Il se leva et se mit à déambuler, apparemment sans but, en évitant toutefois une confrontation avec Leyton. Le préposé assis au guichet voisin de celui de Peter Stanton devait être le remplaçant d'Annette, mais il se trouvait trop loin pour que Burden puisse lire son nom sur le badge. A la lumière des faits nouveaux, Burden se promit de soumettre Stanton à un deuxième interrogatoire. Après tout, cet homme avait admis qu'il était sorti avec Annette. Avait-elle essayé de trouver un remplaçant à Bruce Snow ? Et si c'était le cas, qu'est-ce qui n'avait pas marché ?

Il se retourna, alarmé en entendant une femme vociférer. C'était le premier exemple de « désordre » qui se produisait depuis qu'ils fréquentaient le Centre. La femme, obèse et débraillée, se plaignait à Wendy Stowlap à propos d'un mandat égaré, et Wendy semblait vérifier sur l'écran de l'ordinateur qu'on le lui avait bien envoyé. De toute évidence, la réponse ne fut pas acceptable et le torrent de plaintes se mua en un flot d'injures, culminant en un sonore : « T'es qu'une pute ! »

Wendy releva la tête sans s'émouvoir. Elle répondit en haussant les épaules :

« Comment avez-vous deviné ? »

En entendant le petit ricanement de Peter Stanton, qui franchissait le comptoir pour aller chercher une brochure, la femme tourna ses invectives contre lui et, un instant, Burden pensa intervenir. Mais le personnel semblait régler avec compétence le problème des débordements verbaux, et la femme fut bien vite remise à sa place.

Le numéro de Zack Nelson s'alluma enfin en rouge et il se dirigea vers Hayley Gordon. Vine pensa que physiquement, elle ressemblait un peu à la compagne de Nelson, Kimberley, seulement en plus propre et mieux vêtue, et aussi (il fallait l'admettre) mieux nourrie. Qu'allait obtenir Zack ? Ici, rien, évidemment, mais quand son mandat arriverait, il irait toucher à la poste ses allocations chômage, soit environ quarante livres, et Kimberley et Clint percevraient le supplément familial — à moins que Kimberley ne reçoive elle-même l'allocation au jeune enfant pour Clint ? Est-ce que ça n'était pas toujours adressé à la mère ? Vine dut s'avouer qu'il n'en savait rien. Mais s'ils vivaient dans la misère, ce n'était certainement pas parce que ça leur plaisait.

Ces réflexions intimes n'influeraient pas sur son attitude envers Zack, qui était un voleur et un malfaiteur. Ils n'étaient pas autorisés à l'arrêter ici, sauf sur la requête du personnel.

« Allons bavarder dans la voiture, dit-il quand Zack revint, s'étant assuré un soutien financier pour deux autres semaines.

— A quel sujet ?

— Bob Mole, et une radio tachée de sang. »

Ce fut, comme il le confia plus tard à Wexford, aussi simple que d'enlever des bonbons mentholés à un bébé qui ne les aime pas.

« C'était pas du sang ! » protesta Zack.

Comprenant aussitôt qu'il venait de se trahir, il roula des gros yeux et plaqua sa main sur sa bouche.

« Et pourquoi ça ? dit Vine en se penchant sur lui.

— Elle a été étranglée. C'était à la télé. C'était dans les journaux.

— Ainsi, vous admettez que vous êtes entré chez Annette Bystock, et que la radio lui appartenait ?

— Ecoutez, je...

— Nous retournons au poste de police, sergent Vine. Zack Nelson, vous avez le droit de garder le silence. Toutes vos déclarations pourront être retenues contre vous... »

10

« P AS POUR LE MEURTRE, hein ? » demanda Zack, dans la salle d'interrogatoire.

Au lieu de répondre, Wexford le questionna :

« C'est quoi, votre vrai prénom ? Zachary ? Zachariah ?

— Mon prénom ? Non, bordel, c'est Zack. Y avait une chanteuse qui avait appelé son fils Zack, c'est là que ma mère a pris l'idée. Ça vous va ? Je veux savoir si vous m'inculpez pour le meurtre de cette bonne femme.

— Dis-nous quand tu es entré dans l'appartement, Zack, dit Burden. C'était dans la nuit du mercredi au jeudi, c'est ça ?

— Qui dit que je suis entré dans c't'appart' ?

— Elle n'est pas allée vous offrir cette radio pour votre anniversaire. »

Wexford avait lâché la remarque à brûle-pourpoint, sans vraiment réfléchir. Si l'on avait été en décembre et non en juillet, il aurait dit « pour Noël ». Zack le fixa d'un air médusé, comme devant un médium doué de pouvoirs proprement surnaturels.

« Comment vous savez que mercredi c'était mon anniversaire ? »

Wexford contint à grand-peine son hilarité.

« Tous mes vœux. Quelle heure était-il lorsque vous êtes entré dans l'appartement ?

— Je veux mon avocat.

— Oui, je m'en doute. J'en voudrais un à votre place.

Vous pourrez lui téléphoner plus tard. Ou plutôt vous pourrez en trouver un plus tard et lui téléphoner. »

Zack lui lança un regard furieux et méfiant.

« Parlons de la bague, reprit l'inspecteur principal.

— Quelle bague ?

— Un rubis de deux mille livres, plus ou moins.

— Je vois pas de quoi vous parlez.

— Elle était morte, Zack, quand vous lui avez enlevé cette bague du doigt ?

— Je lui ai jamais enlevé sa bague ! Elle était pas sur son doigt, la bague, elle était sur la table ! »

Une fois de plus il était tombé dans le panneau.

« Merde !

— Tu ferais mieux de tout reprendre par le début, Zack, dit Burden. Dis-nous tout. »

En son for intérieur, il bénit l'appareil enregistreur qui conservait tout sur bande. Avec ça, il n'y aurait pas de contestation possible.

Zack tenta encore un peu de protester avant de céder.

« Qu'est-ce que j'y gagne, si je vous déballe ce que j'ai trouvé là-bas et ce que j'ai vu ?

— Qu'est-ce que tu dirais de passer en jugement demain au lieu de vendredi ? Tu n'auras qu'une nuit de cellule et le sergent Camb t'apportera un Coca Light avant que tu te mettes au lit.

— Me racontez pas d'histoires. Si je vous dis ce que je sais, ça pourra vous aider à retrouver le meurtrier.

— Ça, vous le ferez de toute façon, Zack. Vous ne voulez pas être inculpé pour cambriolage aggravé d'entrave à la justice par-dessus le marché. »

Comme les fichiers informatiques l'avaient appris à Wexford, Zack avait un casier impressionnant pour délits mineurs et il en connaissait un bout sur la question.

« C'était pas du cambriolage. Il faisait pas noir. Y a pas eu effraction.

— Façon de parler, dit Burden. Je suppose que tu as trouvé la porte ouverte et que tu t'es contenté d'entrer ? »

Zack plissa les yeux et une expression rusée apparut sur son visage, le rendant un peu asymétrique. Il y avait en lui quelque chose de sinistre, quelque chose qu'on appelle le mal.

« J'en croyais pas mes yeux ! dit-il d'un ton badin. J'ai appuyé sur la poignée et la porte s'est ouverte sous ma main. J'en suis resté baba.

— Tu m'étonnes. Et ton attirail de cambrioleur, c'est juste au cas où que tu l'avais sur toi ? Où tu voulais en venir, il y a une minute, en disant qu'il ne faisait pas noir ?

— Il était cinq heures du mat', pas vrai ? Il faisait jour depuis une heure.

— On se lève au chant du coq, hein, Zack ? dit Burden sans pouvoir s'empêcher de sourire. T'es toujours aussi matinal ?

— Le gosse m'a réveillé et j'ai pas pu me rendormir. Je suis parti faire un tour en camionnette pour m'éclaircir les idées. Je passais plutôt lentement — en respectant la limitation de vitesse, d'accord ? — et la porte d'entrée était ouverte, alors je me suis dit que j'allais faire un saut, histoire de voir ce qui se passait.

— Tu as envie de faire une déposition, Zack ?

— Je veux mon avocat.

— Je vais te dire : tu fais ta déposition, et ensuite on prend les Pages Jaunes et on te trouve un avocat. Qu'est-ce que t'en dis ? »

Zack céda brusquement. Il s'effondra sans crier gare. En une seconde, il perdit toute agressivité et devint doux comme un agneau.

« Ça m'est égal. Je crève de fatigue. J'ai jamais mon compte de sommeil, avec mon môme », conclut-il, et il bâilla à se décrocher la mâchoire.

« Vers cinq heures du matin le vendredi 9 juillet, disait la déposition de Zack Nelson, je suis entré dans l'appartement 1 du 15, Ladyhall Avenue, Kingsmarkham. Je n'avais pas d'outils de cambriolage et je n'ai fracturé ni la porte ni la serrure. Je portais des gants. La porte de l'immeuble n'était pas fermée. Il ne faisait pas nuit. Les rideaux étaient fermés dans le salon, mais je voyais clair. J'ai vu une télévision, un magnétoscope, un lecteur-laser et un radiocassette, que j'ai emportés en faisant deux voyages.

« Je suis revenu dans l'appartement et j'ai ouvert la porte de la chambre à coucher. A ma grande surprise, il y avait une femme dans le lit. Au début j'ai pensé qu'elle dormait. Quelque chose dans son attitude m'a fait douter. C'était la façon dont son bras pendait. Je me suis approché mais je ne l'ai pas touchée, car j'ai bien vu qu'elle était morte. Sur la table de chevet il y avait une bague et une montre. Je n'y ai pas touché et j'ai rapidement quitté les lieux, en prenant soin de refermer la porte à clef.

« J'ai chargé la télévision, le magnétoscope et le radio-cassette dans la camionnette que j'avais empruntée au père de mon amie et je suis rentré chez moi. Je suis fournisseur en matériel électronique d'occasion. Je possédais un stock d'usine sauvé d'un incendie et, sous la forme d'un lot comprenant une partie dudit matériel, j'ai vendu le radiocassette à Mr Bob Mole pour la somme de sept livres. La télévision et le magnétoscope sont actuellement à mon domicile, au 1 Lincoln Cottages, Glebe End, Kingsmarkham. »

« J'aime cet accent vertueux quand il souligne qu'il a refermé la porte derrière lui ! dit Wexford lorsque Zack eut été emmené dans une des deux cellules que possédait le poste de police de Kingsmarkham. Au moins, cela explique que la porte ait été fermée à votre arrivée. Si quelqu'un du Centre pour l'emploi lit un compte rendu du procès de demain au tribunal d'instance, Zack perdra ses indemnités. Le *Courier* le présentera comme un fournisseur d'appareils électroniques.

— Il n'en aura pas besoin là où il va, dit Burden.

— Lui non, mais Kimberley et Clint en souffriront. Je ne sais pas comment ça se passe dans un cas pareil. Supprime-t-on le supplément familial dont bénéficient les ayants droit ? Il n'en prendra pas pour plus de six mois, dont quatre et demi ferme. Vous savez, Mike, ajouta Wexford après une hésitation, il y a dans tout cela quelque chose de bizarre, quelque chose qui ne me plaît pas. »

Burden haussa les épaules.

« Par exemple que la porte n'ait pas été fermée et qu'il n'ait eu qu'à se servir dans l'appartement ? Par exemple, qu'il n'ait pas pris la bague ?

— Oui, mais ce n'est pas tellement ça. La porte principale de l'immeuble n'est pas verrouillée, d'habitude, et nous savons qu'Ingrid Pamber n'avait pas fermé la porte d'Annette à clef. Il dit qu'il a eu peur de prendre une bague et une montre posées près d'un cadavre, et je le crois. Ce qui me chiffonne, c'est qu'apparemment il ne savait rien des appartements et de leurs occupants avant d'entrer. A l'en croire, il s'est glissé à l'intérieur, tout simplement, sans même prendre la peine de refermer la porte. Il n'arrivait pas à dormir mais il n'est pas sorti à pied, il a pris sa camionnette. Comme par hasard, il portait des gants. En juillet, en pleine canicule ? D'après lui, il n'avait pas d'outils sur lui, mais pouvait-il s'attendre à ce que beaucoup de gens aient des amis étourdis et laissent la porte de l'immeuble ouverte toute la nuit ?

— Il n'y a que deux appartements de ce côté-là. Il n'avait rien à perdre. Il lui suffisait d'essayer la porte d'Annette puis de monter et d'essayer celle des Harris. Si les deux portes étaient fermées, il ne s'en trouvait pas plus mal.

— Je sais. C'est d'ailleurs ce que lui-même prétend. Mais c'est une chance incroyable, non, que la première porte qu'il ait trouvée n'ait pas été verrouillée ?

— Ce n'était peut-être pas la première.

— Si, d'après ses propres dires. Ensuite, nous en venons à l'autre invraisemblance. Si ce qu'il affirme est vrai, il n'avait aucun moyen de savoir s'il y avait quelqu'un ou pas dans l'appartement. Que veut-on nous faire croire ? Que comme de dehors il avait vu tous les rideaux de l'appartement 1 fermés, il en a naturellement déduit, en découvrant ensuite que la porte de l'immeuble n'était pas fermée, qu'il n'y avait personne ? Ce serait partir du principe que personne ne passe la nuit dans une maison sans fermer la porte de la rue, mais qu'on peut par contre s'en aller en oubliant de la fermer. C'est un peu faible.

— Certes, il prenait un risque. Mais tout cambriolage suppose un risque, Reg. »

156

Wexford semblait peu convaincu. Il sondait toujours les motifs et les particularités de la nature humaine tandis que Burden se concentrait sur les faits, les remettant rarement en cause si étranges qu'ils parussent. En reprenant le chemin du Centre pour l'emploi, à pied cette fois, Burden pensait à ce que Wexford lui avait dit un jour de Sherlock Holmes — qu'on ne résoudrait pas grand-chose en appliquant ses méthodes. Des pantoufles aux semelles roussies n'indiquaient pas forcément que celui qui les avait portées souffrait d'un grave refroidissement, mais seulement qu'il avait eu envie de se réchauffer les pieds. On ne pouvait pas davantage, devant un homme contemplant un portrait accroché au mur, déduire qu'il méditait sur le destin et la carrière du modèle, car il pouvait tout aussi bien penser qu'il ressemblait à son beau-frère, que l'œuvre était mal exécutée ou avait besoin d'être nettoyée. Pour ce qui était de la nature humaine, on ne pouvait que hasarder des conjectures, et s'efforcer de tomber juste.

Il rattrapa Peter Stanton qui allait sortir pour prendre son déjeuner.

« On peut bavarder ?

— Pas si ça m'empêche de manger.

— Moi aussi, il faut que je mange, dit Burden.

— Venez par ici. »

Stanton fit sortir Burden par la porte marquée « Privé » qui donnait sur le parking. C'était un raccourci vers la rue principale.

La femme de Burden et Wexford auraient probablement trouvé à cet homme une allure byronienne. Il avait cette beauté ténébreuse de flibustier que les femmes, paraît-il, trouvent si séduisante, les traits altiers prétendument meurtris par une vie dissolue, les noirs cheveux ondulés qui, selon les critères rigoureux de Burden, étaient seulement hirsutes, cette lueur dans l'œil qui dénote un penchant pour la cruauté ou simplement le goût du lucre. Stanton portait un costume en lin gris très chiffonné, et sa cravate, dont le port était sans doute imposé par Leyton, était nouée négligemment sous le col d'une chemise pas très nette où le premier bouton était défait. S'il était possible de marcher

157

le torse en arrière, c'est précisément ce que faisait Stanton, la démarche molle, les mains au fond des poches déformées de son pantalon trop large. A l'entrée d'une sandwicherie où quatre tables vides étaient accolées au mur opposé au comptoir, il s'arrêta et désigna l'établissement d'un pouce recourbé.

« J'ai l'habitude de venir ici. Ça vous va ? »

Burden acquiesça. La dernière fois qu'il avait été dans un de ces endroits, qui à Kingsmarkham étaient désormais au nombre de trois, il avait mangé des « crevettes d'eau douce premier choix » et la gastro-entérite qui en avait résulté l'avait laissé sur le flanc pendant trois jours. Aussi, quand Stanton choisit un sandwich crevettes roses-salade, il s'en tint avec sobriété à un fromage-tomate. Il regarda sans commentaire Stanton vider le contenu d'une flasque dans son verre de Sprite.

« Je voulais savoir ce que vous dites à vos clients.

— Pas la moitié de ce que je voudrais. »

Assez froidement, Burden précisa :

« En particulier, je voudrais savoir ce qu'Annette pourrait avoir dit à Melanie Akande.

— Qu'entendez-vous par là, au juste ?

— Que se passe-t-il quand un nouveau client rapporte le formulaire, le ES quelque chose, et se voit attribuer un jour de pointage ?

— Vous voulez savoir ce qu'elle aurait dit à cette fille, les conseils qu'elle lui aurait donnés, c'est ça ? »

A sa voix, on sentait que Stanton s'ennuyait ferme. Ses yeux s'étaient posés sur la jeune serveuse qui venait d'émerger des profondeurs du bar pour rejoindre l'homme derrière le comptoir. Elle avait une vingtaine d'années. Blonde, grande, très jolie, elle portait un tablier blanc sur un tee-shirt rouge décolleté et une jupe tube très courte, aussi étroite qu'un bandage.

« C'est exactement ça, Mr Stanton.

— D'accord. »

Stanton but une rasade de son cocktail au Sprite.

« Annette aurait jeté un coup d'œil sur le ES 461, aurait vérifié qu'il était rempli correctement. Il y a en tout quarante-cinq questions et c'est compliqué à remplir quand on n'a pas l'expérience. Disons qu'il est rare qu'un client le complète bien tout seul du premier coup. Elles ont un drôle de goût, ces crevettes. Un goût de marée.

— Normal, pour des crevettes.

— Oui, mais vous savez bien de quoi je parle. Un goût fort, comme l'odeur à la devanture d'une poissonnerie. Vous croyez que c'est prudent d'en manger ?

— Dites-moi ce qu'Annette lui aurait dit d'autre, éluda Burden.

— La nourriture est parfois un peu avancée, ici, mais la fille est une compensation. C'est pour ça que je continue de venir, je suppose. Oui, bon, se reprit Stanton en croisant l'œil reptilien de Burden. Après avoir corrigé le formulaire, elle aurait attribué à la cliente Melanie Machin un jour de pointage. Ça, ça marche par ordre alphabétique. De A à K le mardi, de L à R le mercredi, de S à Z le jeudi. Personne ne pointe le lundi ni le vendredi. Comment avez-vous dit qu'elle s'appelait ? Akande ? Pour elle, ç'aurait été le mardi. Un mardi sur deux.

« Ensuite, Annette lui aurait expliqué qu'on pointe pour prouver qu'on appartient toujours au monde des vivants, qu'on ne s'est tiré nulle part mais qu'on est disponible et qu'on cherche activement du travail. Elle lui aurait expliqué, aussi, qu'une fois qu'on a pointé, on reçoit son mandat. Il est expédié au domicile et on l'encaisse à la poste ou, si on veut, on peut le déposer à la banque. Annette lui aurait expliqué tout ça. Puis, je suppose, elle aurait demandé à Melanie si elle avait des questions. Melanie n'aurait eu le droit qu'à vingt minutes au maximum avec Annette, ça ne lui aurait pas laissé beaucoup de temps pour parler.

— Et supposons qu'elle ait eu un poste à proposer à Melanie ? C'est possible ? Quelle aurait été la procédure ? »

Stanton bâilla. Il avait laissé son second sandwich intact. A présent, il divisait ses regards entre la fille en jupe-bandage et une préparatrice de sandwiches qui était apparue d'une région reculée du bar. Cette femme avait des cheveux acajou qui lui descendaient jusqu'à la taille, et sa tenue se réduisait à une toque blanche de cuisinier et une tunique en coton blanc dont l'ourlet lui arrivait cinq centimètres au-dessous de l'entrejambe. Entendant Burden tousser, Stanton arracha son regard de la jolie rousse avec un petit soupir.

« Ce ne sont pas de vrais emplois, vous savez. Il n'y en a pas des masses. Bien sûr, Annette pourrait avoir eu quelque chose de correct pour cette Melanie, une cliente possédant un diplôme. Enfin, tout à fait exceptionnellement, elle aurait pu avoir quelque chose.

— Dans un registre ? Un dossier ?

— Non, dit Stanton en lui lançant un regard de commisération. Elle aurait fait une recherche sur l'ordinateur.

— Et si elle avait eu quelque chose à proposer à Melanie, que se serait-il passé ?

— Elle aurait téléphoné à l'employeur et demandé un rendez-vous pour Melanie, pour un entretien. Elle ne l'a pas fait, vous savez, dit Stanton de but en blanc. Je peux vous le dire, c'est sûr et certain. Les deux conseillers ont les mêmes données sur leur ordinateur, et il n'y avait rien qui corresponde, même de loin, à une fille de vingt-deux ans diplômée en Arts du spectacle. Vérifiez si vous voulez, mais je vous garantis qu'il n'y avait rien.

— Comment savez-vous qu'elle avait un diplôme en Arts du spectacle ?

— Elle me l'a confié pendant que je la violais et que je l'étranglais, évidemment. »

Mais Stanton dut se rappeler que faire perdre du temps à la police constituait un délit. Il dit d'un air maussade :

« Oh, allez ! Je l'ai lu dans le journal. »

Burden alla se chercher un café.

« Alors, c'est tout ? dit-il en se rasseyant. Elle ne lui aurait pas donné de conseils ? Vous êtes bien des conseillers, non ?

— Conseiller, c'est cela. C'est expliquer comment on pointe, comment on touche son mandat. Qu'est-ce que vous voulez de plus ? »

L'espoir avait jailli un moment dans le cœur de Burden. Un scénario avait commencé à prendre forme, dans lequel Melanie quittait le Centre pour se rendre à un entretien d'embauche dont elle n'était jamais revenue. Seule Annette

160

savait où elle était allée, pourquoi et, surtout, qui elle était allée voir. Mais cette petite scène échafaudée avec tant de soin s'était vite écroulée, et quand il demanda à Stanton s'il imaginait une confidence, un secret, une sombre révélation que Melanie pouvait avoir fait à Annette, quelque chose qui était du ressort de la police, il ne fut pas surpris que son interlocuteur secoue la tête.

« Il faut que j'y retourne.

— Très bien, dit Burden en se levant.

— J'ai moi-même un diplôme dans les Arts du spectacle, remarqua Stanton à l'improviste. C'est sans doute pour cette raison que je me rappelle qu'elle en avait un. J'étais bien décidé à être un grand acteur, un second Laurence Olivier, et sacrément plus agréable à regarder. Voilà où j'en étais il y a quinze ans, voilà où j'en suis à présent. »

Ennuyé par cette confidence qui ne lui inspirait aucune compassion, Burden demanda alors qu'ils sortaient dans la rue :

« Lui était-il arrivé de faire l'objet de menaces ?

— Annette ? Au bureau ? Nous en sommes tous l'objet constamment. Constamment ! C'est pire aux guichets. Pourquoi avons-nous un vigile, d'après vous ? Quatre-vingt-dix-neuf fois sur cent, ça s'arrête à une vague promesse de nous avoir. Certains nous accusent de garder leur mandat pour nous, de perdre exprès leur ES 461, ou d'autres choses du même genre. Alors, ils nous disent qu'ils nous auront, qu'ils nous feront la peau.

« Et puis, il y a les fraudeurs. Ils pointent sous trois ou quatre identités différentes et ils pensent qu'on les a dénoncés à la Répression des fraudes, alors eux aussi jurent de nous avoir... »

Burden se souvint que Karen Malahyde avait un jour été appelée au sujet d'un « incident » au Centre pour l'emploi, et qu'en une autre occasion, Pemberton et Archbold étaient intervenus. Cela n'avait pas eu grande importance à ses yeux, sur le coup. Il dit soudain à Stanton :

« Vous l'avez invitée, une ou deux fois ?

— Annette ? dit Stanton, immédiatement sur ses gardes. Deux fois, pour être exact. C'était il y a trois ans.

— Pourquoi deux fois ? Pourquoi en êtes-vous restés là ? Il s'est passé quelque chose ?

— Je ne me la suis pas faite, si c'est ce que vous voulez dire. »

Stanton qui flânait un peu, avançant à longues enjambées mais lentement, s'arrêta complètement. Il resta, indécis, au milieu du trottoir, puis s'assit sur le petit mur bas qui bordait la cour d'un agent immobilier et sortit un paquet de cigarettes d'une de ses poches informes.

« Cyril l'Ecureuil m'a convoqué dans son bureau et m'a dit qu'il fallait que ça cesse. Les relations entre membres du personnel de sexes opposés nuisaient à l'image de la maison. J'ai voulu savoir s'il voulait dire qu'il ne verrait pas d'objection à ce que je baise Osman, mais il s'est borné à me dire de ne pas être immonde, et nous en sommes restés là. »

L'expression de Burden montrait de façon éloquente que pour une fois il était sincèrement d'accord avec Leyton.

« Non que je l'aie tellement regretté, continua Stanton, aspirant une longue bouffée et expulsant la fumée par ses narines, en deux colonnes bleutées. Ça ne m'emballait pas de servir de — comment dire ? Je ne sais pas, mais en fin de compte elle voulait seulement rendre son mec jaloux, et qu'ainsi il quitte sa femme pour l'épouser. L'espoir fait vivre. Elle me l'a dit carrément, et comment elle raconterait au type que j'étais mordu et que s'il ne voulait pas la perdre, il avait intérêt à préparer les papiers du divorce. Charmant, non ?

— Vous êtes allé chez elle ?

— Non, jamais. On est allé au cinéma. Je l'ai retrouvée sur place et ensuite on a pris un café. La fois d'après, on a juste bu un verre dans un pub, on a mangé une pizza et on est allé faire un tour dans ma voiture. On s'est garé dans la campagne et on s'est payé un peu de bon temps, mais rien de renversant, et après Cyril le Cerbère est venu fourrer son grain de sel. »

Ils retournèrent ensemble au Centre pour l'emploi et Burden le suivit à l'intérieur. Il discutait avec l'agent de sécurité, pour savoir s'il se rappelait si Annette avait reçu des menaces particulières, quand un hurlement strident provenant du comptoir de Wendy Stowlap le fit sursauter et accourir à toutes jambes.

« Je vous avais prévenue que je hurlerais si vous répétiez ça encore une fois ! criait une femme. Si vous le répétez, je me couche par terre et je hurle.

— Que puis-je vous dire d'autre ? Vous avez droit aux soins dentaires gratuits si vous bénéficiez de l'aide au revenu, mais vous ne pouvez pas vous faire rembourser les honoraires de votre ostéopathe. »

La femme, qui était bien habillée et parlait avec la voix sonore d'une actrice, s'assit par terre, se coucha sur le dos et se mit à hurler. Elle était jeune et avait les poumons puissants. Son hurlement rappela à Burden les cris que poussent parfois les enfants de trois ans dans les allées des supermarchés. Il s'approcha d'elle, le vigile sur les talons. Penchée par-dessus le comptoir, Wendy agitait un dépliant bleu et jaune : *Aidez-nous à bien vous comprendre — Procédures de réclamation.*

« Venez, maintenant, levez-vous, dit l'agent de sécurité. Ça ne va pas de faire tout ce boucan ? »

Les cris redoublèrent.

« Arrêtez ça, dit Burden en collant sa carte à quinze centimètres du visage hurlant. Arrêtez. Vous troublez l'ordre public. »

La carte produisit son effet. La femme, étant de classe moyenne, éprouvait une crainte respectueuse à l'égard de la police et fut terrorisée à l'idée d'enfreindre la loi. Son hurlement décrut et devint un faible gémissement. Elle se releva maladroitement, arracha le dépliant des mains de Wendy et lui dit d'un ton amer :

« Ce n'était pas la peine d'appeler la police. »

Le mari et la femme étaient assis côte à côte, mais pas trop près l'un de l'autre, devant le bureau de Wexford. Il ne voulait pas faire peur à Carolyn Snow. Pas encore. Si besoin était, cela viendrait plus tard. Entre-temps, bien que la pièce ne fût pas équipée comme un studio d'enregistrement, l'agent Pemberton était là, muni d'un appareil suffisamment efficace le cas échéant.

Ils étaient arrivés séparément, à deux minutes d'intervalle. Et Carolyn Snow expliqua bien vite qu'ils étaient effectivement séparés, elle ayant gardé la maison de Harrow Avenue — « le foyer de mes enfants » —, l'époux rejeté en étant réduit à une chambre d'hôtel. Wexford observa que Bruce Snow portait la même chemise que la veille. Il n'était pas rasé. Pourtant, ce n'était sûrement pas sa femme qui lui faisait la barbe, en plus d'entretenir ses vêtements et d'exécuter ses moindres volontés ?

« Il nous faut éclaircir ce que vous faisiez l'un et l'autre le soir du mercredi 7 juillet. Mr Snow ?

— Je vous l'ai déjà dit. J'étais à la maison avec ma femme. Mon fils aussi. Il était en haut.

— Ce n'est pas ce que dit Mrs Snow.

— Ecoutez, c'est absurde, tout ça est insensé ! Je suis rentré à six heures et j'ai passé toute la soirée en compagnie de ma femme. Nous avons dîné à sept heures, comme toujours. Après le repas, mon fils est monté, il avait une dissertation d'histoire à préparer. C'était sur la guerre de la Succession d'Espagne.

— Vous avez bonne mémoire, Mr Snow, si l'on considère que vous ignoriez que vous auriez à vous en souvenir.

— Je me suis creusé la tête. Je n'ai pensé à rien d'autre.

— Qu'avez-vous fait toute la soirée ? Regardé la télé ? Lu ? Téléphoné ?

— Il n'en a pas eu l'occasion, intervint méchamment Carolyn. Il est sorti à huit heures moins dix.

— C'est un foutu mensonge ! protesta Snow.

— Au contraire, tu sais que c'est vrai. C'était ton mercredi, n'est-ce pas ? Le mercredi sur deux où tu passais la soirée à te taper cette pute sur le parquet de ton bureau.

— Joli langage, merci, vraiment ça te va bien ce vocabulaire. Un homme a vraiment de quoi être fier en entendant sa femme parler comme ça, comme une fille des rues.

— Ah ! Pour ça, tu les connais bien ! Une expérience de première main. Et je ne suis pas, je ne suis plus ta femme. Encore deux ans, deux ans seulement, et tu devras dire

164

"mon ex-femme", tu devras expliquer que tu vis dans un meublé parce que ton "ex-femme" t'a mis sur le pavé, t'a pris ta maison, ta voiture et les trois quarts de tes revenus... »

Habituellement douce et posée, la voix de Carolyn Snow monta, menaçante et vibrante de colère.

« ... Tout ça parce que t'étais accro à cette grosse pouffe que t'enfilais sous son slip rouge à la con ! »

Pour l'amour de Dieu, pensa Wexford, que lui avait-il raconté ? Tout ? Parce qu'il pensait qu'une confession absolument totale était son unique chance ? Il émit un toussotement pour les rappeler à l'ordre, ce qui n'empêcha pas Snow de faire face à sa femme et de crier :

« Ta gueule, pauvre petite garce frigide ! »

Lentement Carolyn Snow se leva, les yeux fixés sur le visage de son mari. Wexford s'interposa.

« Arrêtez, je vous prie. Immédiatement. Je ne tolérerai pas de scène de ménage ici. Asseyez-vous, Mrs Snow.

— Pourquoi ? Pourquoi devrais-je être mise au banc des accusés ? Je n'ai rien fait.

— Ha ! s'exclama Snow, et il répéta avec un accent amer : Ha !

— Très bien, dit Wexford. Je pensais que vous seriez plus à l'aise ici pour me parler, mais je vois que j'avais tort. Nous allons descendre dans la salle d'interrogatoire 2, et, avec votre permission... » — il contempla assez aigrement les Snow, faisant comprendre par son ton que leur permission était une simple formalité — « le reste de cet entretien sera enregistré. »

C'était plutôt différent, en bas, la vague ressemblance avec une cellule étant obtenue grâce à des murs de briques non cimentées peints en blanc, et à une fenêtre en hauteur, sous le plafond. Wexford pensait parfois, et non sans malaise, que l'appareillage électronique qui tapissait le mur derrière la table en métal suggérait, sinon une salle de tortures, du moins de ces endroits où l'on vous obligeait à rester debout toute la nuit, sous des lampes aveuglantes.

En descendant, il demanda à Snow, d'un ton apparemment détaché et hors de portée d'oreille de sa femme, s'il était exact qu'une amie ou une parente à eux habitait sur Ladyhall Avenue, en vue de la résidence. Snow nia. Ce n'était pas vrai, et il n'avait jamais rien prétendu de tel.

Dans la salle d'interrogatoire, il plaça les Snow l'un en face de l'autre et s'assit à l'extrémité de la table. Burden, de retour du Centre pour l'emploi, s'installa à l'autre bout. L'austérité, le caractère sordide de la pièce calmèrent Carolyn, comme il l'avait prévu. Dans l'ascenseur, elle n'avait cessé de récriminer et de vitupérer son mari, qui restait immobile, les yeux fermés. Ici, elle était silencieuse. Elle lissa en arrière ses cheveux blonds pour dégager son front et pressa ses doigts sur ses tempes comme si elle avait la migraine. Snow était assis les bras croisés, le menton sur la poitrine.

Wexford dit dans le micro :

« Mr Bruce Snow, Mrs Carolyn Snow. En présence de l'inspecteur principal Wexford et de l'inspecteur Burden. »

Il dit à la femme :

« J'aimerais que vous me décriviez avec exactitude les faits qui se sont déroulés le soir du 7 juillet, Mrs Snow. »

Elle coula vers son mari un regard délibéré, plein de calcul.

« Il est rentré à six heures et j'ai dit : "Tu ne travailles pas tard, ce soir ?" Il m'a dit qu'il retournait au bureau après le dîner...

— Mensonge ! Un autre fieffé mensonge !

— Je vous en prie, Mr Snow.

— Joël a dit qu'il aurait peut-être besoin que son père l'aide pour cette dissertation qu'il avait à faire, et son père a dit que malheureusement, il devait sortir...

— Je n'ai jamais dit ça !

— ... Il devait sortir, et il est sorti. A huit heures moins dix. Je ne me doutais de rien, figurez-vous. Non, de rien du tout. Pourquoi me serais-je méfiée ? Je lui faisais confiance. Je fais confiance aux gens. Quoi qu'il en soit, j'ai appelé au bureau. Joël avait vraiment besoin d'un coup de main. J'ai dit : "On va passer un coup de fil à papa et tu pourras lui demander par téléphone." Mais ça ne répondait pas. Non

166

que j'aie conçu des soupçons, même alors. J'ai pensé qu'il ne voulait pas être distrait de son travail. J'étais couchée lorsqu'il est rentré à la maison. Il était dix heures et demie passées, plus près de onze heures.

— Oh ! Elle divague !

— Je suis de nature confiante, il le sait. Nous savons en revanche que lui, c'est un menteur. Travailler tard ! Vous savez qu'il la baisait au bureau pour pouvoir répondre au cas où je téléphonerais ? Si elle n'avait pas eu ce qu'elle mérite en se faisant assassiner, j'en aurais presque pitié de cette grosse garce.

— Puis-je vous rappeler, dit Wexford avec lassitude, qu'avec votre permission cette conversation est enregistrée, Mrs Snow ?

— Qu'est-ce que j'en ai à faire ? Enregistrez-la ! Diffusez-la par haut-parleurs le long de la grand-rue ! Qu'ils sachent, tous. De toute façon, je le leur dirai, je l'ai dit à tous mes amis. Je l'ai dit à mes enfants, pour qu'ils sachent que leur père est un salaud. »

Après le départ des Snow, Burden secoua la tête, la mine grave.

« C'est stupéfiant, dit-il à Wexford. On jurerait une vraie femme du monde si on la rencontrait en société. Calme, bien élevée, raffinée. Qui aurait cru qu'une femme comme elle connaîtrait un langage pareil ?

— Vous parlez comme un flic des polars des années 30.

— Peut-être, mais vous, ça ne vous surprend pas ?

— Elles apprennent ça dans les romans modernes. Elles n'ont rien à faire de toute la journée, à part lire. Où en sommes-nous avec Stephen Colegate ?

— L'ex-mari d'Annette ? Il vit en Australie, il s'est remarié, mais sa mère qui habite à Pomfret l'attend ce dimanche ; il vient lui rendre visite avec ses deux gosses.

— Faites vérifier qu'il se trouvait bien en Australie, d'accord ? Que devient Zack Nelson ?

— Comparution renvoyée à huitaine, avec détention provisoire. Pourquoi faites-vous cette tête-là ?

— Je pense à Kimberley et au petit.

— Pas besoin de vous inquiéter pour cette Kimberley.

Elle est plus calée que Cyril Leyton en matière d'allocations. Elle a un diplôme avec mention en demande d'aide au revenu. »

Wexford éclata de rire.

« Vous avez sûrement raison. Cette Snow m'a épuisé. »

Il hésita, pensif, puis récita :

« "Oh ! Je m'en vais pour un long voyage, vers la vallée de l'île d'Avilion, où je soignerai ma plaie douloureuse."

— Dieu du ciel ! dit Burden. Et où est-ce que ça peut bien être ?

— Chez moi. »

11

« J E LUI AI PROMIS que nous n'achèterions pas de tapis
d'Orient, dit Dora, tout en pensant que ça m'étonne-
rait que l'occasion s'en présente, mais ça, je ne le lui ai pas
dit. Bien sûr, elle a parfaitement raison, ces choses-là sont
monstrueuses, seulement elle se donne toujours corps et
âme à chaque nouvelle cause. »

Sheila Wexford était devenue membre à vie d'Anti-Sla-
very International. Au téléphone ce soir-là, juste avant le
retour de Wexford, elle avait exhorté sa mère à boycotter
les tapis d'Orient et du Moyen-Orient car, disait-elle, ils
pouvaient bien avoir été tissés par des enfants de onze ou
douze ans, voire plus jeunes. En Turquie, des fillettes deve-
naient aveugles à force de travailler sur des ouvrages minu-
tieux dans des pièces mal éclairées. Les enfants étaient forcées à travailler quatorze heures par jour, et comme leurs
parents les avaient placées là en remboursement d'une
dette, elles ne recevaient aucun salaire.

« Je présume qu'elle va aller en Turquie se rendre
compte par elle-même ? dit Wexford.

— Comment as-tu deviné ?

— Je connais ma fille.

— Pourquoi "International" ? intervint Sylvia d'un ton
querelleur. Pourquoi pas tout simplement "Société" ou "As-
sociation" ? »

Ce qui avait déclenché tant d'acrimonie était, il le savait,
les termes qu'il avait employés en parlant de Sheila. « Ma

fille » et non « ma fille cadette », impliquant selon Sylvia qu'il n'en avait qu'une seule. Les adjectifs avaient beaucoup d'importance pour elle.

« Sheila ne le remarque pas, mais c'est aussi nul que "collectif" », reprit-elle en lançant un regard noir à son père.

Il fut prompt à s'amender et mit dans sa question une rare tendresse :

« Aucun travail en vue, ma chérie ?

— Aucun. Neil s'est inscrit dans un atelier qui peut déboucher sur un programme de remise à niveau. Encore un autre mot horrible, "atelier".

— Et "contrevérité" pour "mensonge", renchérit son père, entrant dans un genre de conversation qu'il n'avait d'habitude qu'avec Sheila. Et "problème de santé" pour "maladie". »

Sylvia avait retrouvé sa bonne humeur.

« *Kanena provlima*, ce qui est d'après mon fils la traduction grecque de son expression favorite. Le seul avantage, dans le fait que je sois au chômage, c'est que je serai à la maison avec eux pour les vacances d'été. L'école ferme la semaine prochaine. »

Il pleuvait à verse et Glebe End était inondé. Dépourvus de système d'égout ou de canalisations en bon état, les pavillons paraissaient flotter sur un marécage. Une grande nappe d'eau avait englouti le sentier de brique et arrivait à mi-hauteur des pneus d'une vieille camionnette, dont les battants arrière étaient ouverts. Une poubelle en plastique noir dansait légèrement dans une mare à côté de la porte d'entrée.

Barry Vine jeta un coup d'œil dans la camionnette et vit un matelas détrempé et un fauteuil dont l'assise n'avait plus de coussin. Pendant ce temps, Karen Malahyde allait frapper à la porte. Il fallut à Kimberley plusieurs minutes pour ouvrir.

« Vous voulez quoi ?

— La marchandise que votre petit copain a fauchée », répliqua Vine.

170

Elle haussa ses épaules frêles mais ouvrit plus grande la porte et recula. Assis dans une chaise haute, Clint couvrait son visage et la partie supérieure de son corps d'un mélange marron et collant qu'il prenait dans un bol fêlé. La chaise haute, peinte en blanc et ornée d'images de lapins et d'écureuils, était un meuble tout à fait respectable, don, peut-être, de grands-parents relativement aisés.

Du pouce, Vine indiqua l'extérieur et demanda :

« On déménage ?

— Et alors ?

— J'avais cru comprendre que vous n'aviez pas espoir d'être relogée. »

Kimberley prit un chiffon crasseux qui surmontait une de ses boîtes en carton et entreprit de débarbouiller Clint. L'enfant hurla et se débattit. Vine monta à l'étage chercher le poste de télévision. Karen emporta le magnétoscope dans la voiture. Soulevant Clint pour le mettre par terre, Kimberley offrit pour la première fois une information spontanée.

« Ma grand-mère est morte. »

Ne sachant comment l'interpréter, Vine, qui n'avait pas une mauvaise nature, dit : « Je suis désolé », puis, parce qu'il venait de comprendre :

« Vous voulez dire que vous avez hérité de sa maison ?

— C'est ça. J'ai eu tout le paquet. Ma mère en veut pas. Elle dit qu'on peut la prendre.

— C'est arrivé quand ?

— Quoi, que ma grand-mère est morte ou que ma mère a dit qu'on pouvait prendre la baraque ? Ma mère est passée mercredi et je lui ai dit, pour Zack. Alors elle a dit qu'on pouvait pas rester ici, et j'ai dit : "Tu parles, qu'on peut pas !" et c'est là qu'elle a dit qu'on ferait mieux de s'installer chez grand-mère. Satisfait ?

— Vous ne perdrez pas au change.

— Clint, tu lâches ces bouteilles ou tu vas te prendre une fessée carabinée. »

Père de famille, et père scrupuleux, Vine désapprouvait les châtiments corporels. Il avait, disait-il, une dent contre ces pratiques. D'autant plus que Clint était très jeune.

« Il va bien ?

— Qu'est-ce que ça veut dire, "bien" ? Ça veut dire qu'il devrait pas vivre dans ce merdier ? Je suis complètement d'accord. Mais il déménage, pas vrai ? Vous êtes de l'Assistance, maintenant ?

— Je voulais savoir s'il était tout à fait remis de son opération.

— Bon Dieu, c'était il y a un an ! »

Elle entra soudain dans une colère terrible, les joues empourprées, les épaules et les bras tremblants.

« Putain, ça vous regarde ? Bien sûr qu'il est remis. Regardez-le ! Il est merveilleux, il est normal, on dirait qu'il est né comme ça. Vous avez pas les yeux en face des trous, ou quoi ? Pourquoi vous vous contentez pas de prendre le matos, vous et elle, et de foutre le camp ? »

Elle claqua la porte derrière eux. Vine mit le pied dans la mare et poussa un juron.

« J'ai un autre enfant à voir, dit Karen dans la voiture. Mais celui-là, c'est pour l'interroger. Il va me falloir du courage. »

Wexford trouvait odieuse toute cette affaire, cette idée d'extorquer à un jeune garçon des renseignements sur son propre père. Cela lui rappelait indirectement la question qu'on lui avait transmise à la réunion de *Women, Aware !* Le mieux semblait de faire interroger Joël par Karen, une jeune femme sympathique à qui on ne la faisait pas. On pouvait présumer que sa causticité bien connue dans les interrogatoires masculins ne s'étendait pas aux adolescents de quatorze ans.

Il l'accompagna et bavarda avec la mère tandis qu'elle s'installait avec Joël dans la salle de jeux, nom étrange pour une pièce où il n'y avait rien pour jouer mais un matériel abondant pour pousser à l'étude. Joël avait une collection impressionnante de manuels et de dictionnaires, un ordinateur et un magnétophone. Les posters aux murs étaient du genre pédagogique : la vie d'un arbre, l'appareil digestif humain, une carte climatique de la planète.

Très brun, mince, déjà grand, Joël ressemblait à son père mais montrait le sang-froid de sa mère. Peut-être lui aussi

172

était-il capable de brusques accès de colère. Il s'adressa à Karen sans lui laisser prendre les devants.

« Ma mère m'a expliqué pourquoi vous êtes venue. Ça ne sert à rien de me poser des questions, parce que je ne sais rien.

— Joël, je veux seulement te demander si tu savais que ton père était sorti un peu avant huit heures. Tu étais dans cette pièce ? »

Le garçon hocha la tête, détendu mais les yeux méfiants.

« Tu étais dans cette pièce, qui se trouve au-dessus du garage. Si une voiture était sortie, tu l'aurais entendue.

— C'est ma mère qui laisse sa voiture au garage. La sienne à lui reste toujours dehors.

— Même. Tu as l'oreille fine, n'est-ce pas ? Ou est-ce que tu te concentrais très fort sur ta dissertation ? »

Elle avait remarqué que lorsque l'occasion s'en était présentée, il n'avait pas appelé Snow « mon père.». Elle se jeta à l'eau.

« Ta mère t'a expliqué la raison de tout ça ?

— Je vous en prie, je ne suis pas un enfant ! Il a commis l'adultère et maintenant cette femme a été assassinée. »

Karen battit des paupières, complètement interloquée. Elle respira un bon coup et relança la conversation : la voiture, le garage, l'heure. En bas, Wexford demandait à Carolyn Snow si elle souhaitait modifier sa déposition concernant les faits et gestes de son mari le soir du 7 juillet.

« Non, pourquoi ? »

Elle ne portait pas de maquillage. On aurait dit qu'elle ne s'était pas lavé les cheveux depuis qu'elle avait appris le nom d'Annette Bystock. Si ses vêtements étaient chics et impeccables, c'est probablement qu'elle n'avait que cela dans sa garde-robe. Elle dit brusquement :

« Il y en a eu une autre avant, vous savez. Une Diana quelque chose. Mais elle a fait long feu. Est-il vrai qu'une femme ne peut pas témoigner contre son mari ? demanda-t-elle, passant la main dans ses cheveux.

— Une femme ne peut être contrainte à témoigner contre son mari, corrigea Wexford. Ce n'est pas pareil. »

Elle médita sur ce qu'il venait de dire et le fruit de ses réflexions sembla la satisfaire.

« Vous n'aurez plus besoin de m'interroger ?

— Il se pourrait bien que si. La possibilité demeure. Vous ne songez pas à partir, j'espère ?

— Pourquoi me posez-vous cette question ? » dit-elle en plissant les yeux.

Il savait bien qu'ils pensaient tous les deux à la même chose.

« L'école se termine la semaine prochaine. Je ne veux pas que vous partiez pour l'instant, Mrs Snow. »

Dans l'entrée, il marqua une pause. Elle était derrière lui mais le laissa ouvrir la porte.

« Vous avez une parente sur Ladyhall Avenue, je crois ?

— Non, pas du tout. Où avez-vous été chercher cette idée ? »

Il n'allait pas lui dire que son mari en était la source ni que la présence de cette personne à cette adresse était la raison pour laquelle Snow s'était refusé à aller chez Annette.

« Une amie, alors ?

— Personne, affirma-t-elle, catégorique. Ma famille est originaire de Tunbridge Wells. »

Il partit, pensant que si Annette avait menacé de hâter son mariage avec Snow en dévoilant tout à Carolyn, cela aurait été pour lui le mobile du meurtre. La réaction de Carolyn en apprenant la longue infidélité de son mari n'était maintenant que trop évidente. Elle était aussi impitoyable, aussi vindicative que celui-ci l'avait redouté. Et il était bien placé pour le savoir ; il y en avait eu une autre avant Annette.

Il pouvait être allé à Ladyhall Court ce mercredi soir pour supplier Annette de ne rien dire. Il pouvait lui avoir promis toutes sortes de compensations. Un dîner de temps en temps aurait été un début. Ou des vacances ensemble, ou simplement un cadeau. Rien de tout cela n'avait marché. Il devait quitter Carolyn pour elle, elle ne se satisferait de rien d'autre. Ils s'étaient disputés, il avait arraché le fil de la lampe du mur et l'avait étranglée... C'était cette partie qui sonnait faux, se dit Wexford. Cela manquait d'impulsivité. Sous l'empire de la colère, ne l'aurait-il pas étranglée à mains nues ?

Il traversa le trottoir jusqu'à sa voiture, où Karen attendait déjà au volant. Ce serait le seul exercice qu'il ferait ce jour-là. Le Dr Crocker et récemment le Dr Akande lui avaient recommandé de pratiquer plus souvent la marche (la meilleure forme d'exercice cardio-vasculaire, avaient-ils l'un comme l'autre seriné) et il se demandait s'il n'allait pas dire à Karen de ramener la voiture et de le laisser faire les deux ou trois kilomètres à pied, quand il vit le médecin venir à sa rencontre. Wexford eut immédiatement conscience d'éprouver cette lâche réaction qui nous fait feindre de ne pas avoir vu quelqu'un, qui nous fait traverser la rue en détournant les yeux, quand une rencontre peut entraîner des reproches ou des récriminations. Il n'avait jamais porté atteinte au Dr Akande ; au contraire, il avait fait tout ce qui était en son pouvoir pour retrouver la jeune disparue, néanmoins il se sentait honteux. Pire, il voulait éviter la compagnie d'un homme aussi malheureux et désespéré que le médecin l'était sans doute. Mais il ne fit aucune tentative pour l'éviter. Un policier se devait d'être prêt à tout, ou changer de métier (se « recycler », pour employer le jargon du Centre). C'était un principe qu'il avait posé quelque trente ans plus tôt.

« Comment allez-vous, docteur ? »

Akande secoua la tête.

« Je viens de rendre visite à une patiente qui sera centenaire dans deux ans. Même elle m'a demandé si j'avais des nouvelles. Ils sont très gentils, très attentionnés. Je me dis que ce serait pire s'ils ne me posaient plus la question. »

Wexford ne trouva rien à répondre.

« Je pense constamment à ce que Melanie a pu faire, aux endroits où elle a pu aller. C'est comme si je ne pouvais penser à rien d'autre. Ça tourne, ça tourne dans ma tête. Je commence à me demander si on nous rendra son corps un jour. Je n'avais jamais pu comprendre les gens qui avaient perdu un fils à la guerre, et qui réclamaient son... sa dépouille. Ou ceux qui voulaient seulement savoir où il était enterré. Je me disais : "A quoi bon ? C'est l'être que l'on veut, l'être vivant qu'on a aimé, pas l'enveloppe extérieure." Je comprends, à présent. »

Sa voix s'était brisée sur le mot « aimé », comme la voix des gens malheureux se brise à cette évocation particulière. Il dit : « Vous devez m'excuser, j'essaie de faire aller », et il s'éloigna comme aveuglé. Wexford le regarda se débattre avec sa clef devant la portière de sa voiture et devina qu'il avait la vue brouillée par les larmes.

« Pauvre homme, dit Karen, ce qui amena Wexford à se demander si elle avait déjà accolé cette épithète à ce nom auparavant. Où on va maintenant, chef ?

— A Ladyhall Avenue. »

Il garda le silence quelques instants.

« Ingrid Pamber nous a révélé un élément qu'on a perdu de vue dans l'horreur générale suscitée par la conduite de Snow. Vous voyez de quoi je parle ?

— Quelque chose qui concerne Snow ?

— Oui. Evidemment, il se peut que ce ne soit pas vrai. C'est une menteuse et probablement une fabulatrice.

— Vous voulez parler de cette parente de sa femme qui vivrait en face de Ladyhall Court ? »

Wexford acquiesça. Ils tournèrent, quittant Queens Gardens où habitait Wendy Stowlap, et dépassèrent la boutique au coin de la rue où Ingrid avait fait les courses pour Annette. Un homme martelait rageusement du poing le panneau vitré d'une cabine téléphonique où une femme continuait à parler, sans faire attention à lui.

Une aveugle les fit entrer dans la maison. Les globes de ses yeux, dans leurs corbeilles de rides, étaient pareils à du verre craquelé pour avoir été trop souvent manipulé. Wexford lui parla avec douceur.

« Inspecteur principal Wexford, de la brigade criminelle de Kingsmarkham, et voici le sergent Malahyde.

— C'est une jeune femme, n'est-ce pas ? » demanda Mrs Prior, les yeux fixés dans le vide.

Karen en convint.

« Je sens votre parfum. Il est très agréable. *Roma* ?

— Oui. Vous avez l'odorat fin.

— Oh ! Je les connais tous, ces parfums ! C'est comme ça que je distingue une femme d'une autre. Inutile de me montrer vos cartes, je ne les vois pas et je ne crois pas qu'elles soient parfumées, elles. »

Gladys Prior s'esclaffa, ravie de son trait d'esprit. Elle les conduisit vers l'escalier et ils montèrent à sa suite.

« Qu'est devenu le jeune homme, B.U.R.D.E.N. ? »

C'était manifestement une plaisanterie car elle se remit à rire.

« Il a à faire ailleurs aujourd'hui », dit Wexford.

Percy Hammond n'était pas à sa fenêtre. Il dormait. Mais le sommeil léger des très vieilles gens fut facilement interrompu quand ils entrèrent dans la pièce. Wexford se demanda comment il était physiquement dans son jeune âge. Rien dans ce visage plissé, bouffi, atone, ratatiné n'indiquait les traits de la maturité, et moins encore de la jeunesse. Il était à peine humain. Seul le dentier blanc aux gencives roses, qui apparaissait quand il souriait, évoquait les dents réelles perdues cinquante ans plus tôt.

Il était vêtu d'un costume rayé, complété par un gilet et une chemise sans col. Ses genoux soulevaient l'étoffe grise en laine peignée tels les angles pointus d'un cadre métallique, et les mains qui y étaient posées ressemblaient à des serres de pigeon.

« Désirez-vous que je procède à une identification ? s'enquit-il. Que je le reconnaisse au milieu d'une rangée d'autres ? »

Non, Wexford ne le désirait pas. Tout en félicitant mentalement Mr Hammond pour cette hypothèse dénotant sa vivacité d'esprit, il se borna à lui dire que l'identité du cambrioleur d'Annette ne faisait aucun doute. Ils avaient déjà quelqu'un sur cette enquête.

« Vous n'auriez pas pu y aller de toute façon, remarqua Mrs Prior. Pas dans votre état. Il a quatre-vingt-douze ans, vous savez, expliqua-t-elle à Karen, qui semblait lui plaire.

— Quatre-vingt-treize, rectifia Mr Hammond, confirmant ainsi la théorie de Wexford selon laquelle c'est seulement quand ils ont moins de quinze ans et plus de quatre-vingt-dix ans que les gens souhaitent ajouter à leur âge véritable. Quatre-vingt-treize ans la semaine prochaine. Si, j'aurais parfaitement pu y aller. Ça fait quatre ans que je n'ai pas essayé de sortir, alors comment savez-vous que je n'y serais pas arrivé ?

— C'est une brillante déduction, dit Gladys en pouffant, le visage tourné vers Karen.

— Mr Hammond, commença Wexford, vous avez déjà relaté à l'inspecteur Burden ce que vous avez vu en face de chez vous, très tôt, jeudi dernier. Etiez-vous à votre fenêtre la veille au soir ?

— J'y suis toujours. A moins que je dorme ou qu'il fasse noir. Et même, quelquefois, quand il fait noir. On voit à la lumière des réverbères, si on éteint dans la chambre.

— Et vous éteignez, Mr Hammond ? demanda Karen.

— Je dois modérer mes factures d'électricité, jeune demoiselle. Ma lampe était éteinte mercredi soir, si c'est ce que vous voulez savoir. Vous voulez que je vous dise ce que j'ai vu ? J'y ai réfléchi, j'ai tout repassé en détail dans ma tête. Je savais que vous reviendriez. »

Un pareil témoin était une bénédiction, songea Wexford avec gratitude.

« Dites-moi ce que vous avez vu, voulez-vous, monsieur ?

— Je les regarde toujours revenir du travail. Figurez-vous que quelques-uns sont partis en vacances. La plupart d'entre eux m'ignorent, mais cet Harris me fait toujours un petit signe de la main. Il est rentré chez lui vers cinq heures vingt et dix minutes après une fille est venue. Elle était en voiture et s'est garée dehors. Il y a une ligne jaune là-bas, qui signifie qu'on n'est pas censé s'y garer avant six heures et demie, mais elle n'y a pas pris garde. Je ne l'avais jamais vue avant. Un joli brin de fille, d'environ dix-huit ans. »

Ingrid aurait été flattée, même s'il fallait prendre un tel compliment pour ce qu'il valait. Lorsqu'on avait atteint l'âge de quatre-vingt-treize ans, les gens de cinquante ans semblaient en avoir trente, et ceux de vingt ans paraissaient des enfants.

« Elle est entrée dans l'immeuble ?

— Et elle en est ressortie au bout de cinq minutes. Non,

sept en fait. Je n'ai pas une bonne notion du temps mais je l'ai chronométrée, je ne sais pourquoi. Ça me donne une occupation. Je le fais quelquefois, par jeu, je fais des paris. Je me dis : "Dix shillings qu'elle ressort avant dix minutes, Percy."

— La demoiselle ne sait pas combien font dix shillings, Percy. Vous ne vivez pas dans le monde réel, ça, non ! Pour vous, ma chérie, ça fait cinquante pence. Voilà plus de vingt ans que le système monétaire a changé, mais pour lui c'est comme si c'était hier...

— Que s'est-il passé ensuite ? coupa Wexford.

— Rien, si vous voulez savoir si des inconnus sont entrés. Mrs Harris est sortie, puis revenue avec un journal du soir. Ensuite j'ai pris mon repas, un peu de pain beurré et un verre de Guinness, comme toujours. J'ai vu arriver la voiture qui emmène Gladys à son club pour aveugles.

— A sept heures pile, confirma Mrs Prior. Et j'étais revenue à neuf heures et demie.

— Pendant que vous dîniez, Mr Hammond, vous étiez assis à la table là-bas ? Vous regardiez la télévision ? »

Le vieil homme secoua la tête. Il indiqua la fenêtre.

« Ma télé, c'est ça.

— Mais vous n'y voyez pas beaucoup de sexe et de violence, hein, Percy ? dit Gladys Prior, convulsée de rire.

— Donc, vous avez continué à observer la rue, c'est bien ça, Mr Hammond ? Qu'est-il arrivé après le départ de Mrs Prior ? »

Percy Hammond plissa son visage qui l'était déjà au repos.

« Pas grand-chose, j'ai le regret de le dire. Que voudriez-vous que j'aie vu ? demanda-t-il à Wexford en lui lançant un regard pénétrant.

— Seulement ce que vous avez vraiment vu, dit Karen.

— C'est ce qui s'est passé aux alentours de vingt heures qui m'intéresse, Mr Hammond. Je ne veux pas vous mettre des idées dans la tête, mais avez-vous vu un homme entrer dans Ladyhall Court entre dix-sept heures et vingt heures quinze ?

— Seulement le type au chien. C'est un homme dont je

179

ne connais pas le nom et Gladys non plus. Il a un épagneul. Il lui fait toujours faire sa promenade le soir. Lui, je l'ai vu. Je penserais que quelque chose ne tourne pas rond si je ne le voyais pas. »

Quelque chose ne tournait effectivement pas rond, pensa Wexford. Non, vraiment pas.

« Personne d'autre ?

— Absolument personne.

— Ni homme ni femme ? Et vous n'avez vu personne entrer vers vingt heures et ressortir entre vingt-deux heures et vingt-deux heures trente ?

— Je vous ai déjà dit que je n'ai pas une bonne notion du temps. Mais je n'ai pas vu âme qui vive jusqu'à ce jeune homme dont j'ai parlé à l'inspecteur je-ne-sais-comment.

— B.U.R.D.E.N., gloussa Mrs Prior.

— Il faisait nuit. J'étais au lit, je m'étais assoupi, mais je me suis levé. Pourquoi me suis-je levé, Gladys ?

— Ne me le demandez pas, Percy. Pour faire la petite commission, sans doute.

— J'ai allumé la lumière une minute mais elle était si vive que j'ai éteint. J'ai regardé par la fenêtre, et j'ai vu ce jeune gars sortir avec une grosse boîte dans les bras. A moins que ça n'ait été plus tard ?

— C'était le matin, Mr Hammond, dit doucement Karen. Vous l'avez vu à l'aube, vous ne vous rappelez pas ? C'est de lui que vous parliez, quand vous nous avez demandé si vous auriez à l'identifier.

— C'est ça. Je vous ai dit que je n'avais guère la notion du temps...

— Je pense que nous avons abusé de vos forces, Mr Hammond, dit Wexford. Vous nous avez été d'un grand secours, et nous n'avons plus qu'une dernière question à vous poser. A vous, et à Mrs Prior. Etes-vous l'un ou l'autre apparenté aux Snow de Harrow Road, à Kingsmarkham ? »

Deux vieux visages déçus se tournèrent vers lui. Tous deux aimaient ce qui sortait de la routine, tous deux détestaient admettre leur ignorance.

« Jamais entendu parler d'eux, bougonna Mrs Prior.

— Je présume que vous connaissez tout le monde de...

hem, dans cette rue ? lui demanda Wexford alors qu'ils descendaient l'escalier.

— Vous alliez dire "de vue", hein ? Mon Dieu, ça ne m'aurait pas gênée. Bien qu'il soit plus exact de dire "de nez". »

Elle attendit d'arriver au pied de l'escalier pour laisser échapper son rire.

« Il y a beaucoup de vieilles gens par ici, les maisons sont anciennes, voyez-vous, et certains y habitent depuis quarante ou cinquante ans. Est-elle jeune ou vieille, cette personne qui est parente avec les gens dont vous parliez ?

— Je ne sais pas, dit Wexford. Je n'en sais rien du tout. »

12

L A MAISON venait d'être terminée, la dernière couche de peinture appliquée depuis tout au plus une semaine. Mais elle donnait néanmoins à Wexford l'impression d'avoir remonté le cours du temps. Non que le nouveau manoir de Mynford lui parût un reliquat du passé ; il se croyait plutôt revenu deux cents ans en arrière, dans la peau d'un personnage de *Catherine Morland*[1], par exemple, conduit ici pour admirer un hôtel particulier flambant neuf.

Construite dans le style qui prévalait sous le règne des rois George avec un portique à piliers et une coursive le long du toit plat, la grande demeure blanc ivoire déployait ses fenêtres à guillotine aux proportions parfaites et ses colonnes cannelées. Dans des alcôves de part et d'autre de la porte d'entrée, des vasques à drapés de pierre débordaient de lierre et de capillaire. Une grande allée en demi-cercle couverte de gravier aurait mieux convenu, toutefois la voie carrossable était pavée. Là, des groupes dispersés de bacs contenaient des lauriers et des cyprès jaunes, des fuchsias rouges en pleine floraison, des arbousiers orange et crème, des pélargoniums roses. Par contraste, les parterres étaient nus, la terre retournée ne laissant pas poindre une seule pousse d'herbe.

« Accorde-leur une chance, chuchota Dora. Ils viennent

1. Roman de Jane Austen (voir note p. 325) (*N.d.T.*)

à peine de s'installer. Ils ont certainement loué ces bacs pour la circonstance.

— Où étaient-ils, avant ?

— Dans la maison du douaire, au bas de cette colline. »

La colline formait une pente douce et gazonnée qui descendait vers une vallée boisée. On distinguait à peine le toit gris parmi les arbres. Wexford se rappela le vieux manoir au sommet du coteau, un édifice en stuc datant du milieu de l'ère victorienne, pas assez antique ou original pour être classé parmi les sites à protéger. Vraisemblablement, les Khoori n'avaient rencontré aucune difficulté auprès de l'Aménagement pour l'abattre et édifier le nouveau manoir.

Une foule de convives se pressait sur la pelouse. Au milieu était dressé un vaste chapiteau rayé. Wexford l'avait laconiquement qualifié de « tente à thé », expression que Dora sentait obscurément irrévérencieuse, voire relevant du crime de *lèse-majesté**. Son mari avait voulu refuser l'invitation. Pas entièrement de bonne foi, elle avait argué qu'il avait promis, que ça lui ferait du bien, que ça le changerait. A la fin il était venu pour elle, parce qu'elle avait dit qu'elle n'irait pas sans lui.

« Tu connais quelqu'un, ici ? Parce que sinon nous pourrions aussi bien faire une promenade. Ça ne me déplairait pas de jeter un œil sur la vieille maison du douaire.

— Non, chut ! Notre hôtesse approche, et elle met le cap sur toi si je ne m'abuse. »

Anouk Khoori était un être protéiforme. Wexford conservait à l'esprit l'image d'elle en survêtement, le teint naturel, les cheveux retenus dans une queue de cheval élastique, et cette autre image, celle de l'assistante sociale de cocktails, l'ardente meneuse de campagne, la candidate politique dans l'habit du pouvoir, hauts talons, bijoux et diamant solitaire.

Il rutilait toujours sur sa main, mais entouré de nombreux compagnons étincelant d'un blanc bleuté tandis qu'elle s'avançait vers eux. Et de nouveau elle était différente, non simplement changée comme les femmes le sont toujours par un autre style de vêtements et de coiffure, mais totalement méconnaissable. S'il l'avait rencontrée en dehors du domaine, si Dora n'avait pas été là pour l'identifier, il dou-

183

tait qu'il eût reconnu Anouk Khoori. Cette fois elle était la châtelaine en mousseline de soie jaune et grand chapeau de paille croulant sous les pâquerettes, avec ici et là quelques boucles dorées s'échappant du front et retombant en vrilles sur les épaules.

« Mr Wexford, je savais, oui, je savais que vous viendriez, mais je n'en suis pas moins enchantée. Et voici Mrs Wexford ? Comment allez-vous ? Quelle chance nous avons d'avoir une journée aussi splendide ! Il faut absolument que vous fassiez la connaissance de mon époux. »

Elle regarda autour d'elle, puis scruta l'horizon.

« Je crois que je ne le vois pas pour le moment. Mais venez, je vais vous présenter de très chers amis que vous allez adorer, j'en suis sûre. Et qui vous adoreront », ajouta-t-elle.

En femme qui ne se soucie jamais beaucoup des femmes, elle n'avait d'yeux que pour Wexford et lui adressait son plus grand sourire, un sourire radieux de ses lèvres peintes en géranium au pinceau fin, et de ses dents d'un blanc de porcelaine.

Les très chers amis se révélèrent être un homme âgé, ridé et ratatiné, qui en dépit de ses allures de vieux gourou était en jean et en santiags, et une jeune fille d'une cinquantaine d'années sa cadette. Anouk Khoori, douée pour saisir et se rappeler les noms et tout aussi prompte à se dispenser des patronymes, fit les présentations :

« Reg et Dora, j'avais hâte de vous faire connaître Alexander et Cookie Dix. Cookie chérie, voici Reg Wexford qui est un chef de police terriblement important. »

Cookie ? Comment pouvait-on être affublé d'un pareil prénom ? Elle faisait près de trente centimètres de plus que son mari et était habillée comme la princesse de Galles à Ascot, mais avec des cheveux noirs longs jusqu'à la taille.

« Un peu comme un shérif ? » demanda-t-elle.

Anouk Khoori produisit un long et saisissant éclat de rire, et, comme s'il s'était agi d'un signal à sa propre adresse, s'éloigna d'un pas léger. Wexford s'étonnait de la réaction qu'elle lui inspirait, une véritable répulsion physique. Comment l'expliquer ? Elle était belle, au dire de

184

beaucoup du moins, saine et robuste, d'une propreté extravagante, déodorée, poudrée, parfumée. Pourtant le contact de sa main le faisait reculer, et les effluves de son corps tout proche lui semblaient un souffle fétide.

Dora s'efforçait d'entretenir la conversation avec Cookie Dix. Habitait-elle à proximité ? Que pensait-elle du quartier ? Il était aussi capable que n'importe qui de causer à bâtons rompus mais il n'en voyait plus l'intérêt. Le vieillard ratatiné observait un silence légèrement renfrogné. Il rappelait à Wexford un film d'horreur qu'il avait regardé, une nuit où il ne trouvait pas le sommeil. Il était question d'une momie que l'expérimentateur avait dépouillée de ses bandelettes, réussi dans une certaine mesure à ranimer, et amenée à une garden-party tout à fait dans le genre de celle-ci.

« Vous avez vu les diamants d'Anouk ? » demanda Cookie de but en blanc.

Dora, qui parlait calmement du temps — comment, en Angleterre, il ne devient vraiment chaud qu'à partir de juillet —, fut tellement surprise qu'elle en resta sans voix.

« Ceux qu'elle porte aujourd'hui valent à eux seuls cent mille livres. Est-ce concevable ? Et elle en a encore pour dix fois plus dans la maison.

— Bonté divine ! dit Dora.

— Ça, vous pouvez le dire ! »

Elle se pencha, se courbant nécessairement pour rapprocher son visage de celui de Dora, mais au lieu de chuchoter elle garda l'intonation sonore qui lui était habituelle.

« Le manoir est hideux, vous ne trouvez pas ? C'est pitoyable, vraiment. Ils le croient inspiré d'un plan de Nash pour une maison qui n'a jamais été construite, mais ce n'est pas vrai, n'est-ce pas, mon petit chou ? »

La momie proféra un grognement. C'était exactement ce qui s'était passé dans le film, sauf qu'à ce moment-là les gens s'étaient dispersés en criant.

« Mon mari est un architecte très réputé », expliqua Cookie.

Elle redressa le cou et tendit son visage vers Wexford.

« Si nous étions dans un livre, mon allusion aux diamants serait un indice, ils seraient dérobés pendant que nous sommes ici, et vous seriez obligé d'interroger tous ces gens. Il y a cinq cents personnes, vous le saviez ? »

Wexford éclata de rire. Il aimait bien Cookie Dix, sa naïveté et ses jambes de un mètre de long.

« Au bas mot, à mon avis. Néanmoins, je doute qu'ils aient laissé la maison sans surveillance.

— C'est pourtant ce qu'ils ont fait, si on excepte Juana et Rosenda. »

A l'improviste, la momie entonna d'une voix de ténor fêlée un air du *Mikado*.

« Deux petites bonnes des Philippines, l'une âgée d'à peine vingt ans...

— J'aurais cru qu'ils avaient du personnel, dit faiblement Dora.

— Ils en avaient une autre, en fait c'était la sœur de la nôtre, mais les riches sont tellement mesquins ! Vous avez remarqué ? Mon Alexandre chéri ne l'est pas, et Dieu sait qu'il est friqué. »

Le visage de la momie se lézarda horizontalement. Devant le même sourire effroyable, les femmes du film s'étaient mises à hurler.

« La plupart du temps ils font venir des extras, continua Cookie. Leurs domestiques ne restent pas. Enfin, à part ces deux-là. L'argent a beau être pourri, elles en ont besoin pour l'envoyer chez elles. C'est ce que font les Philippaines, dit-elle, baissant la voix pour une raison quelconque.

— Les Philippines, rectifia la momie.

— Merci, mon chéri. Que tu es tatillon ! Je l'appelle "mon tatillonnou", quelquefois. On va prendre le thé ? »

Ensemble ils descendirent la pente herbue, et furent détournés de l'immédiate perspective du thé par les attractions foraines jugées appropriées à ce genre de fête de charité. Une séduisante femme brune, vêtue d'une tunique en lainage blanc longue jusqu'aux chevilles, dirigeait une loterie mettant en jeu des paniers de chez Fortnum & Mason. Un jeune homme en blouse à fronces, armé d'une palette et d'un chevalet, brossait des portraits rapides pour cinq livres. Sous une longue bannière jaune portant le sigle du Fonds pour la prévention du cancer de l'enfant et du nourrisson, en lettres noires, un homme exposait ses deux filles, des petites jumelles blondes en organdi blanc à volants et en souliers à bride en vernis noir. Les parieurs étaient invités à deviner l'âge de Phyllida et Fenella, et celui qui approcherait le plus de la date de naissance exacte gagnerait l'ours en peluche blanc, de la taille d'un enfant, assis entre elles sur le comptoir.

« Vulgaire, vous voyez ? dit Cookie. Voilà leur problème. Ils ne voient pas la différence.

— Vous voulez dire que la loterie peut passer, et l'artiste aussi peut-être, mais pas ce concours pour remporter l'ours en peluche ? dit Dora, après un coup d'œil sur les petites filles sages.

— Exactement. C'est exactement ce que je veux dire. C'est triste, vraiment, quand on a tout. »

Enfin Alexander Dix s'exprima autrement que par une chanson. Wexford trouva que sa voix ressemblait à celle d'un francophone qui aurait vécu jusqu'à l'âge de trente ans à Casablanca et passé le reste de ses jours à Aberdeen.

« Il ne faut s'attendre à rien d'autre de quelqu'un qui a grandi dans les caniveaux d'Alexandrie. »

En toute vraisemblance, il faisait allusion à Waël Khoori. Intéressé, Wexford s'apprêtait à demander des détails quand se produisit ce qui se produit immanquablement dans une réception. Un couple surgi du néant fondit sur les Dix avec force cris d'étonnement et paroles aimables, et, comme cela se vérifie également toujours, les compagnons précédents furent oubliés. Wexford et Dora furent abandonnés devant Phyllida, Fenella et l'ours en peluche.

« On devrait faire quelque chose pour le Fonds, je suppose, dit Wexford en sortant un billet de dix livres. Qu'en dis-tu ? Moi, je parie qu'elles ont cinq ans et qu'elles sont nées le 1er juin.

— Je n'ai pas envie de les examiner de trop près. Ce ne sont pas des animaux de foire. Je comprends ce que Cookie voulait dire. Bon, d'accord, je parie qu'elles ont cinq ans, mais qu'elles en auront six en septembre, le 5 septembre.

— Plus que ça, dit une voix derrière Dora. Déjà six ans. Probablement six et demi. »

Wexford se retourna pour découvrir Swithun Riding. Sa femme avait l'air toute petite à côté de lui. Ils présentaient une différence de taille plus marquée que Wexford et Dora ou que Cookie Dix et son minuscule architecte.

« Vous connaissez mon époux ? » dit Susan.

Les présentations furent faites. Contrairement à son fils, Swithun Riding répondit. Il sourit et prononça l'archaïsme traditionnel par lequel on s'enquérait jadis de la santé de l'autre.

« Comment allez-vous ? »

Wexford remit son argent au père des jumelles et répéta l'âge qu'il leur attribuait.

« Absurde ! commenta Riding. Vous n'avez donc pas d'enfants ? »

La question fut prononcée d'un ton à la fois indigné et arrogant. La façade de bonnes manières s'était vite effondrée. Riding semblait sous-entendre qu'il décelait en Wexford une partialité gratuite et antisociale envers la contraception définitive.

« Il en a deux, dit Dora sèchement. Deux filles. Et il a une excellente mémoire.

— Swithun est pédiatre », dit Susan, légèrement réprobatrice.

Son mari l'ignora. Un billet de vingt livres fut tendu, signe indubitable de supériorité sociale, voire parentale, après quoi Swithun proposa son estimation de six ans et demi.

« Elles ont eu six ans le 12 février », avança-t-il, mais d'une voix ferme suggérant que quelle que fût la date de naissance officielle de Phyllida et Fenella, tel était ce qu'elle aurait dû être par nature.

Les Riding, rejoints par Christopher dont le short et le polo révélaient une musculature impressionnante, et par une fillette blonde d'une dizaine d'années, partirent en direction d'un stand de tir. Cela suffit pour faire prendre à Dora la direction opposée, celle du chapiteau où l'on servait le thé. Ce thé était une affaire somptueuse, comprenant vingt sortes différentes de canapés, des scones arrosés de confiture de framboise et de crème caillebottée, du gâteau au chocolat, du moka aux noix, de la génoise aux fruits de la passion, de la tarte aux noix de pécan, des éclairs, du vacherin, des biscuits au gingembre et des fraises à la crème.

« Juste ce que j'aime », dit Wexford en prenant place au bout de la file.

C'était une très longue file, un serpent d'invités qui s'enroulait sur le périmètre intérieur de la tente rayée jaune et blanc, et d'un genre que l'on rencontrait rarement, aussi différente que possible d'une file de gens mal vêtus et déprimés à un arrêt d'autobus ou, pire, comme Wexford en avait vu récemment à Myringham, à une soupe populaire. Le thé à Glyndesbourne était probablement la manifestation la plus approchante. Il y était allé une fois et, mal à l'aise dans son smoking à quatre heures de l'après-midi, avait attendu son tour pour avoir des sandwiches au saumon, exactement comme il le faisait en ce moment. Mais si là-bas bon nombre de gens portaient des tenues de soirée rétro — les hommes en vestes de smoking datant de l'après-guerre, les vieilles dames en dentelle noire des années 40 —, ici, on aurait dit que les pages centrales de *Vogue* s'étaient animées. Dora lui apprit que la femme devant eux portait un ensemble de chez Lacroix et que les robes Caroline Charles se comptaient par dizaines. Elle ajouta distraitement :

« Ne prends pas de crème caillebottée, Reg.

— Je n'en avais pas l'intention, mentit-il. Je pense que je peux prendre une part de tarte aux noix de pécan ? Et quelques fraises ?

— Bien sûr que oui, mais tu sais ce qu'a dit le Dr Akande.

— Le pauvre diable a autre chose en tête en ce moment que mon taux de cholestérol. »

Sous le chapiteau, toutes les tables étaient prises. Comme Wexford l'avait prédit, le chef de la police était là, attablé avec son épouse mince et rousse en compagnie de deux amis. Wexford s'esquiva bien vite pour ne pas qu'il le voie, et Dora et lui emportèrent leurs plateaux dehors. Ils se trouvèrent réduits à s'asseoir sur un petit mur avec pour table le haut d'une balustrade. Ils y disposaient la nourriture quand une voix dit derrière Wexford :

« Je pensais bien que c'était vous. Je suis si contente de vous voir ! Nous ne connaissons personne ici. »

Ingrid Pamber. Derrière elle Jeremy Lang, toujours aussi échevelé, portait un plateau fléchissant sous le poids de sandwiches, de gâteaux et de fraises.

« Je sais ce que vous pensez, affirma Ingrid. Vous vous demandez ce qu'un couple comme nous fait ici, au milieu des rupins. »

Par bonheur, elle ignorait ce qu'il pensait. S'il ne s'était depuis longtemps donné pour règle de ne jamais admirer d'autres femmes lorsqu'il était accompagné de la sienne, de ne jamais le faire ne fût-ce qu'en pensée, il se serait attardé avec complaisance sur ce teint rose et blanc, cette chevelure aussi soyeuse que la robe d'un cheval de course, cette silhouette, et la courbe charmante de cette bouche. En l'occurrence, il se contenta de songer qu'elle était dix fois plus jolie avec son bustier blanc et sa jupe en coton qu'Anouk Khoori, Cookie Dix, ou la femme qui dirigeait la loterie. Puis, bannissant toute admiration secrète, il répondit que, loin d'avoir eu cette interrogation à l'esprit, il se demandait néanmoins par quel concours de circonstances ils se trouvaient là.

« L'oncle de Jerry est un vieil ami de Mr Khoori. Ils sont voisins, à Londres.

— Je vois. »

L'oncle. Donc, l'oncle existait bel et bien. Vu que le Londres fréquenté par Khoori n'était probablement pas très éloigné de Mayfair, Belgravia ou Hampstead, l'oncle devait être un homme riche.

S'essayant de nouveau à lire dans ses pensées mais tombant juste, cette fois, Ingrid dit :

« Eaton Square. » Puis : « On peut se joindre à vous ? C'est génial d'avoir avec qui parler. »

Il leur présenta Dora qui dit avec grâce :

« Venez partager notre mur. »

Ingrid se mit à papoter, disant que c'était agréable d'avoir quinze jours de congé, énumérant tous les endroits où Jeremy et elle étaient allés, un concert de rock, un théâtre à Chichester. Tout en parlant, elle réussissait à ingurgiter une grande quantité de nourriture. Comment les gens minces faisaient-ils pour manger autant impunément ? Les filles comme Ingrid, les garçons comme ce Jeremy tout en os, occupé à engloutir des scones enveloppés d'une épaisse couche de crème. Ils n'avaient jamais l'air d'y penser, ils se contentaient de manger.

De toute façon, mieux valait pour lui méditer sur la nourriture et ses effets que sur cette fille charmante qui, avec infiniment de délicatesse et de courtoisie, complimentait Dora sur sa robe. Cet après-midi, ses yeux semblaient plus bleus que jamais, presque de la couleur du martin-pêcheur. Elle voulut savoir s'ils avaient essayé de deviner l'âge des jumelles. Jeremy avait trouvé ça bête mais elle l'avait forcé à tenter sa chance, parce qu'elle avait très envie de gagner l'ours.

Elle posa sa main diaphane sur sa manche.

« Je raffole des peluches. Je ne me rappelle pas : sommes-nous allés dans ma chambre quand vous êtes venu à la maison ? »

Le Serpent déroulant ses anneaux dans le Jardin, telle fut l'image que cela évoqua en lui. Si gracieuse et courtoise qu'elle pût être, le venin était bien là, dans une poche minuscule sous sa langue. Dora eut l'air surprise mais sans plus. Jeremy répliqua tout en s'emparant de la seconde assiette de génoise :

« Bien sûr que non, il n'est pas entré dans la chambre, Ing. Qu'y aurait-il fait ? Elle est aussi petite qu'une chambre de poupée.

— Ou qu'une ménagerie pour animaux en peluche, dit Ingrid en riant. J'ai un épagneul doré que mon père m'a rapporté de Paris quand j'avais dix ans, un cochon rose et un dinosaure qui viennent de Floride. On n'associe pas l'idée d'un dinosaure à la douceur, mais c'est lui le plus doux, n'est-ce pas, Jerry ?

— Pas autant que moi, tout de même, protesta Jeremy en prenant un biscuit au gingembre. Vous avez fait connaissance avec mon oncle Waël ?

191

— Pas encore. Nous avons bavardé avec Mrs Khoori.

— Je crois que je peux continuer à l'appeler "mon oncle". Je ne sais pas vraiment. Mis à part l'autre jour, je n'avais pas eu l'occasion de lui parler depuis mes dix-huit ans. Je vais vous présenter, si vous voulez. »

Ni Wexford ni Dora n'en avaient très envie, mais ils pouvaient difficilement le dire. Jeremy épousseta les miettes sur son jean et se leva.

« Toi, Ing, tu restes là et tu finis les éclairs, dit-il gentiment. Tu les aimes tellement ! »

Trouver Waël Khoori leur prit un bon moment et les obligea à faire tout le tour du manoir. Wexford repéra le chef de la police, qui cette fois se dirigeait vers une version assez sophistiquée des jeux de massacre, où les cibles étaient des noix de coco. Il semblait probable qu'il réussirait à éviter une rencontre. Jeremy leur confia qu'en arrivant en début d'après-midi, il s'attendait à une maison du même style que les supermarchés Crescent de l'oncle Waël, avec, dit-il, des espèces de minarets, ou alors une construction dans le genre de l'aéroport D'Abbou Dhabi. Au lieu de quoi il avait découvert une ennuyeuse bâtisse de style géorgien. Mr et Mrs Wexford avaient-ils déjà vu l'aéroport d'Abbou Dhabi ? Pendant que Dora écoutait la description de ce piège à touristes digne par ses extravagances des *Milles et Une Nuits*, Wexford leva les yeux vers la maison neuve, avec en tête la vague idée d'apercevoir le visage de Juana ou de Rosenda à une fenêtre.

C'était une demeure bien vaste pour être tenue par deux jeunes femmes. Mrs Khoori ne semblait pas de celles qui font leur lit ou la vaisselle du petit déjeuner. Il devait bien y avoir vingt chambres à coucher et sans doute autant de salles de bains. Que ressentait-on lorsqu'on était contraint de traverser la moitié du globe pour pouvoir nourrir ses enfants ?

Le ciel commençait à se couvrir et, au-dessus du vallon, il s'était teinté de violet sombre. Une petite brise sifflait dans les frondaisons lorsqu'ils entreprirent de descendre la pente. Wexford détestait la perspective d'avoir à la remonter, un peu las de traquer un hôte qui, en toute bonne justice, aurait dû venir lui-même à eux. Il songeait à le dire, quoiqu'en termes plus polis, quand Jeremy tourna soudain la tête et salua de la main les gens qui avançaient derrière eux.

Trois hommes, dont deux marchaient en se donnant le bras. Cela aurait paru moins étrange, pensa Wexford, s'ils avaient été en burnous et en djellabas, mais tous étaient vêtus à l'occidentale et l'un était indéniablement anglo-saxon, le teint rose, plutôt blond et presque chauve. Les autres étaient à la fois corpulents et grands, plus grands que Wexford lui-même. Tous deux avaient un beau visage, le nez en bec d'aigle, les lèvres minces, les yeux rapprochés. De toute évidence ils étaient frères ; le plus jeune avait une peau brune grêlée par la petite vérole, mais l'autre n'était pas plus mat qu'un Anglais bronzé, et sa chevelure, abondante et assez longue, était d'un blanc de neige. Il paraissait dix ans de plus que sa femme mais, d'un autre côté, elle était peut-être plus âgée qu'elle n'en avait l'air.

La dernière chose que désirait Waël Khoori à cet instant précis, au beau milieu de ce qui était peut-être une discussion d'affaires, était d'être accosté par ce faux neveu et présenté à des gens qu'il n'avait pas envie de connaître. Ce fut clair à son expression distraite puis légèrement agacée. De fait, il connaissait bien Jeremy. Celui-ci n'avait pas exagéré sur ce point, quoique Wexford n'eût pas été surpris du contraire. Khoori l'appelait « mon cher garçon » comme l'aurait fait un homme envers son filleul sous le règne de Victoria.

Ils lui furent présentés comme « Reg et Dora Wexford, des amis d'Ingrid », ce qui parut un peu excessif à Dora — elle le dit plus tard à son mari. Khoori se comporta comme le font, paraît-il, les membres de la famille royale lorsqu'ils rencontrent des inconnus. Mais sous ses questions banales, il se montra plus impatient que courtois. Il avait hâte de repartir.

« Etes-vous venus de loin ?

— Nous vivons ici, dit Wexford.

— Et cela vous plaît, n'est-ce pas ? Joli coin, très vert. Vous avez déjà pris le thé ? Allez-y, d'après ma femme il est excellent.

— C'est vrai, je crois que je vais y retourner, dit Jeremy.

— Mais certainement, mon cher garçon. Mes amitiés à ton oncle quand tu le verras. »

A Wexford et Dora, il débita la formule consacrée :

« Charmé de vous avoir rencontrés. Revenez nous voir. »

Prenant par le bras ses deux compagnons dont ni l'un ni l'autre n'avait été présenté, il les pilota vers un bosquet aussi dense qu'un labyrinthe. Pendant qu'ils retournaient vers le chapiteau, Jeremy dit avec assurance :

« Drôle d'accent, non ? Vous avez remarqué ? A mon avis l'anglais de l'Estuaire avec une pointe de cockney.

— C'est pourtant impossible.

— Si, en fait. Son frère, qui s'appelle Ismaël, parle de la même façon. Ils ont été élevés par une gouvernante anglaise, et d'après ce qu'il dit lui-même, elle était originaire de Whitechapel.

— Ainsi, il n'a pas grandi dans les caniveaux d'Alexandrie ? demanda Dora.

— Où avez-vous pêché cette idée ? Si j'en crois l'oncle Waël, ses parents étaient des aristocrates. Son père était bey, ou khalife, quelque chose de ce genre, et c'était à Ryad. Salut, Ing, désolé d'avoir tant tardé.

— Ils ont annoncé le résultat du concours, dit-elle. Je n'ai pas gagné l'ours et toi non plus. C'est le 368 qui l'a eu. Enfin, pas exactement, parce que personne ne s'est présenté avec le billet. Pourquoi les gens participent-ils à des concours s'ils ne regardent même pas s'ils ont gagné ? »

Dora annonça qu'ils devaient partir et, variant un peu la formule de Khoori, dit qu'elle était très heureuse d'avoir fait leur connaissance. Wexford leur dit au revoir.

« Nous aurions dû leur proposer de les raccompagner, tu sais. Jeremy m'a dit qu'ils n'étaient pas venus en voiture, la leur est en réparation.

— Ça ne m'étonne pas qu'il te l'ait dit. »

Ç'aurait été agréable de les raccompagner à Kingsmarkham, d'être invités peut-être à montrer prendre une tasse de thé, puis Dora, en toute innocence, les aurait conviés à passer la soirée chez eux la semaine suivante. « Il faut absolument que vous rencontriez ma fille Sylvia... » Il imaginait déjà la scène. Il prit affectueusement sa femme par le bras. Elle avait sorti son billet et le vérifiait alors qu'ils passaient devant le stand où les fillettes avaient disparu. Ne restaient que leur père et l'ours en peluche.

« Trois cent soixante-sept. Raté, à un numéro près ! dit-elle, mais elle se tourna aussitôt pour regarder Wexford. Reg ! Tu as forcément le 366 ou le 368. »

Comme de bien entendu, il avait le billet gagnant. Par quelque affreuse intuition, il l'avait su dès l'instant où Ingrid l'avait annoncé. La bonne réponse concernant l'âge des jumelles était le 1er juin, date où Phyllida était née cinq ans plus tôt à minuit moins deux, et le 2 juin, minuit dix, date de naissance de Fenella. Personne n'avait trouvé et c'était Wexford qui s'en approchait le plus, avec son 1er juin.

« Laissez-moi vous le rendre. Vous pourrez le remettre en jeu pour la bonne cause.

— Ah, ça, pas question ! dit le père des jumelles avec acrimonie. J'en ai marre de cette fichue peluche. Gardez-la ou jetez-la dans la rivière quitte à polluer l'environnement. »

Wexford la prit. L'ours avait la taille d'un enfant de deux ans. Il savait ce qu'il allait devoir en faire, et avait envie de le faire tout en ne le voulant pas.

« Tu pourrais..., dit Dora.

— Oui, je sais. »

Ils mangeaient à nouveau, suivant le conseil de Khoori, et reprenaient le thé. Le gros des invités parti, ils avaient récupéré la meilleure table, à l'extérieur de la tente, à l'ombre d'un mûrier. Wexford posa la peluche sur la chaise vide entre eux. Les yeux brillants d'Ingrid s'écarquillèrent, pleins de convoitise et de tendresse. Comment des yeux qui absorbaient la lumière sans jamais la réfléchir pouvaient-ils produire un rayon d'un bleu de paon ? Ou était-ce un bleu glacier ?

« Il est à vous si vous le voulez.

— Vous n'êtes pas sérieux ! Oh ! dit-elle, se levant d'un bond, vous êtes merveilleux. Vous êtes tellement gentil ! Je vais l'appeler Christabelle ! »

Un ours en peluche femelle ? Avait-on idée... Il savait ce qui allait arriver. Et cela arriva avant qu'il ait pu s'éloigner. Elle noua ses bras autour de son cou et l'embrassa. Dora les observait, énigmatique. Jeremy continuait de dévorer son moka aux noix. Le corps d'Ingrid, délicieusement et fâcheusement rond et mince à la fois, s'accrocha un peu trop longtemps et d'un peu trop près au sien. Il lui prit les mains, les détacha doucement de son cou et lui dit :

« Je suis content que cela vous fasse plaisir. »

Puisqu'il n'était pas dans la nature des choses qu'elle éprouve de l'attirance pour lui — il n'était pas riche comme Alexander Dix, jeune comme Jeremy ou beau comme Peter Stanton — et que la nymphomanie n'était qu'un mythe, une seule possibilité subsistait. C'était une allumeuse. Une allumeuse qui avait les yeux les plus bleus du monde. « Une centaine d'années passerait à louer tes yeux, et ton front à contempler... » Non, il ne lui proposerait sûrement pas de la raccompagner.

« Ça pourrait être un garçon, après tout, dit Ingrid. Je sais ! Votre prénom, c'est bien Reg, n'est-ce pas ? »

Wexford éclata de rire. Il leur dit à nouveau au revoir et lança par-dessus son épaule :

« Mon prénom n'est pas disponible pour baptiser les ours en peluche. »

Restait une seconde possibilité. Il y pensait à présent. C'était une menteuse, cela il le savait : était-elle en outre une meurtrière ? Se montrait-elle agréable avec lui, ou ce qu'elle croyait agréable, pour le mettre dans sa poche ? Ils entraient dans le champ qui faisait office de parking, et Dora n'avait pas desserré les dents. Les premières gouttes de pluie s'étaient mises à tomber. La brise avait grossi et une femme devant eux, en chapeau à larges bords et robe diaphane, était forcée de rabattre sa jupe.

« Elle n'en avait que pour toi, cette fille, dit Dora.

— Oui.

— Qui est-ce, d'ailleurs ?

— Un des suspects d'un meurtre. »

Il ne lui en disait jamais plus sur ses affaires. Elle le regarda joyeusement :

« C'est vrai ?

— C'est vrai. Rentrons dans la voiture, veux-tu ? Sinon, ton chapeau sera tout mouillé. »

Il y avait la queue pour sortir, mais pas trop. La file de voitures devait franchir un portail de ferme et, vu la prédominance de Rolls, de Bentley et de Jaguar, la progression était lente. Il ne restait plus que deux voitures devant lui avant que son tour vienne de se faufiler entre les poteaux, quand son téléphone sonna. Il décrocha et entendit la voix de Karen.

« Oui », dit-il, « Oui », et « Je vois. »

Dora entendait la voix de Karen mais sans distinguer ses paroles. La voiture se glissa en brinquebalant par le portail étroit. Wexford demanda :

« Où, dites-vous ? Bien. Je raccompagne ma femme à la maison et j'y vais directement.

— Qu'y a-t-il, Reg ? Oh, Reg ! Ce n'est pas Melanie Akande ?

— Je crains bien que si.

— Elle est morte ?

— Oui, dit-il. Elle est morte. »

13

KINGSMARKHAM s'étend dans cette partie du Sussex qui était autrefois la terre d'une tribu celte, que les Romains nommaient les Regnens. Pour les colons, c'était simplement un endroit où il faisait bon vivre, à l'aspect plaisant et au climat peu rigoureux, la population indigène n'étant considérée que comme une source d'esclaves. De nombreux squelettes de fillettes en bas âge, déterrés par des archéologues près de Pomfret Monachorum, suggèrent que les Romains pratiquaient l'infanticide parmi les Regnens en vue de s'assurer une main-d'œuvre masculine.

Hormis cette découverte macabre, un trésor fut ramené au jour. Personne ne savait comment cette immense cache de pièces, de statuettes d'or et de joyaux en vint à être ensevelie sur une terre agricole à deux ou trois kilomètres de Cheriton, mais il fut démontré qu'une villa romaine existait jadis en ces lieux. Une théorie assez romantique fut émise, selon laquelle au début du Ve siècle la famille qui vivait là, contrainte de s'enfuir, avait enterré ses biens précieux dans l'espoir de revenir les y prendre un jour. Mais les Romains n'étaient jamais revenus et le Moyen Age avait commencé.

Ce trésor fut découvert par le fermier lui-même, en creusant dans un petit lopin de terre qui jusqu'alors faisait partie de pâturages à moutons, dans l'intention d'y cultiver du maïs afin d'engraisser des faisans. Sa valeur fut estimée à un peu plus de deux millions de livres, dont le fermier reçut la majeure partie. Il abandonna l'agriculture et s'en fut vivre en Floride. La statuette d'or qu'il avait trouvée, une lionne en train d'allaiter ses deux petits, de même que les deux bracelets d'or, l'un orné au repoussoir d'un motif de chasse à l'ours, l'autre d'un cerf aux abois, peuvent aujourd'hui être admirés au British Museum, où ils sont désignés sous le nom de « Horde de Framhurst ».

Cela eut pour effet d'encourager les prospecteurs. Semblant de loin nettoyer la lande et la vallée à l'aide d'aspirateurs, ils arrivaient avec leurs détecteurs de métaux et travaillaient patiemment, en silence, pendant de longues heures d'affilée. Les fermiers n'y voyaient pas d'objection. Il y avait peu de sols arables dans la région et, du moment que les visiteurs n'endommageaient rien et n'effrayaient pas les moutons, ils étaient non seulement inoffensifs mais la source éventuelle de richesses incalculables. Tout prospecteur couronné de succès dans ses recherches se verrait obligé de remettre au propriétaire terrien la moitié de son butin.

A ce jour, on n'avait rien trouvé de plus. La cache où étaient enfouis la lionne et les bracelets était apparemment un phénomène isolé. Mais les chasseurs de trésor continuaient de venir, et ce fut l'un d'eux qui, s'aventurant un peu hors de la zone de prédilection et faisant passer et repasser son détecteur sur des éboulis crayeux, tomba d'abord sur une pièce de monnaie, puis sur le corps d'une jeune fille.

Là commençait la plaine, entre Cheriton et Myfleet. Une étroite route blanche, sans clôture, mur ni haie s'étendait au pied des contreforts, et c'était à vingt mètres à gauche de cette route, à l'orée du bois, qu'elle était enterrée. Lorsque Colin Broadley avait manié son détecteur de métaux, le temps était clair, le sol légèrement humide à cause des pluies récentes, mais pas détrempé. Les conditions étaient idéales pour des fouilles et Broadley, ayant exhumé la pièce qui avait tellement affolé son détecteur, avait poursuivi ses recherches.

« Quand vous vous êtes rendu compte de ce que vous

aviez trouvé, pourquoi avez-vous continué à creuser ? » lui demanda Wexford.

Broadley, qui avait la quarantaine et l'embonpoint d'un buveur de bière, haussa les épaules d'un air sournois. Il n'était pas archéologue mais un plombier au chômage poussé par la cupidité et l'espoir. Ce n'était pas lui qui avait alerté la police mais un automobiliste qui, apercevant la vaste excavation en cours et la trouvant suspecte, s'était garé afin d'aller voir. Ce bon citoyen, James Ranger de Myringham, avait été récompensé de son esprit civique en étant retenu sur les lieux, où il avait passé les deux dernières heures assis dans sa voiture.

« C'était une réaction bizarre, non ? insista Wexford.

— Il fallait bien qu'on la déterre, lâcha enfin Broadley. Quelqu'un allait devoir s'en charger.

— C'était le travail de la police. »

Et certes, la police avait achevé la besogne. Wexford savait fort bien quelles avaient été les intentions de Broadley. Ayant trouvé la pièce et n'éprouvant ni sensiblerie ni délicatesse, il avait creusé plus profond dans l'espoir de découvrir de l'argent et peut-être des bijoux sur ce qui se trouvait là-dessous.

Il n'y en avait pas. Le corps était nu. Il n'était pas non plus possible d'affirmer, à ce stade, qu'il existait un lien entre la pièce et lui. Aux yeux de Broadley, cette pièce était le premier échantillon d'un trésor romain, mais en y regardant de plus près, Wexford constata qu'il s'agissait d'un demi-penny de l'ère victorienne, portant l'effigie de la jeune reine. Ses cheveux étaient apprêtés dans un style qui rappelait vaguement la coiffure des actrices de péplum. Wexford envoya Broadley et Pemberton s'asseoir dans un des véhicules de police.

Il pleuvait sans discontinuer. Ils avaient tendu une bâche au-dessus de la fosse et les arbres les abritaient un peu. Le médecin légiste procédait à l'examen du corps. Pas Sir Hilary ni la *bête noire** de Wexford, le Dr Basil Sumner-Quist, tous deux étant en vacances, mais un assistant ou suppléant qui s'était présenté comme Mr Mavrikiev. Wexford, sous un parapluie — il y avait dix parapluies sur le lieu du crime, sous les arbres que traversaient des gouttes —, tenait la pièce placée dans un sachet en plastique. Il était peu probable qu'elle conserve des empreintes après son séjour dans ce sol fin, crayeux et abrasif, dont les grains obstruaient les indentations, à la surface. Une fois que Mavrikiev serait sorti de là et qu'on aurait fait les photos, il lui faudrait accomplir le devoir tant redouté : se rendre à Ollerton Avenue et l'annoncer aux Akande.

Il devait le faire en personne, il le savait. Il ne pouvait envoyer Vine ou même Burden s'en charger à sa place. Depuis que la disparition de Melanie avait été signalée, il était allé chaque jour voir le médecin et sa femme, ne s'en abstenant que celui où il avait rencontré Akande dans la rue, par hasard. Il était devenu leur ami et il savait qu'il s'était comporté de la sorte parce qu'ils étaient noirs. Leur race et leur couleur méritaient des égards particuliers, pourtant il n'aurait pas dû en être ainsi. Dans l'absolu, s'il avait vraiment mis en pratique une totale absence de préjugés, il les aurait traités de la même manière que n'importe quels parents d'enfant disparu. Mais l'heure de rendre des comptes approchait pour lui.

Mavrikiev souleva un pan de la bâche et sortit. Un de ses assistants, à proximité, l'abrita sous un parapluie. C'était incroyable. Wexford pouvait à peine en croire ses yeux, car le médecin légiste s'apprêtait à partir sans lui dire un seul mot, et se dirigeait tout droit vers sa Jaguar qui attendait.

« Docteur Mavrikiev ! » cria-t-il.

L'homme était très jeune et avait une blondeur délavée toute nordique. Des ancêtres ukrainiens, probablement, pensa Wexford tandis que l'autre se tournait en disant :

« Monsieur. Monsieur Mavrikiev. »

Wexford ravala sa fureur. Pourquoi les légistes se montraient-ils toujours si grossiers ? Celui-ci était le pire du lot.

« Pouvez-vous me dire approximativement à quand remonte le décès ? »

Mavrikiev parut sur le point de s'enquérir des états de service de Wexford. Il fit la moue et se renfrogna.

« Dix jours. Peut-être plus. Je ne suis pas devin. »

Non. Vous êtes un vrai crétin.

« Et la cause du décès ?

— On ne l'a pas tuée par balle. On ne l'a pas étranglée. On ne l'a pas enterrée vivante. »

Il s'engouffra dans sa voiture et claqua la portière. Il n'aimait sans doute pas être appelé un samedi soir sous une pluie battante. Ça ne plaisait à personne. Il n'apprécierait pas non plus de pratiquer une autopsie un dimanche, mais tant pis. Burden s'approcha en trébuchant sur les broussailles glissantes, le col remonté, les cheveux dégoulinants. Pour lui, pas de parapluie.

« Vous l'avez vue ? »

Wexford secoua la tête. L'idée de regarder des cadavres par mort violente, même des corps en putréfaction, ne lui faisait plus ni chaud ni froid. Il y était habitué. On s'habitue à tout. Heureusement en un sens, son odorat n'était plus ce qu'il avait été. Il descendit sous la bâche et contempla la fille. Personne ne l'avait couverte, pas même d'un drap, par décence. Elle gisait étalée sur le dos, dans un état encore raisonnable de conservation. Le visage en particulier était presque intact. Jusque dans la mort, après des jours passés dans la terre, elle paraissait très jeune.

Les marques noires sur sa peau sombre, notamment la masse poisseuse du côté des cheveux, pouvaient être dues à la putréfaction ou à des ecchymoses. Il l'ignorait mais Mavrikiev le saurait. Un des bras avait un angle bizarre, et il se demanda s'il avait pu être cassé avant la mort. En ressortant sous la pluie, il aspira l'air à pleins poumons.

« Il a dit dix jours ou plus. Ça correspondrait à peu près, fit remarquer Burden.

— Oui.

— En remontant au mardi de la semaine dernière, cela fait onze jours. Si on l'a amenée dans le coin en voiture, cette voiture est restée garée sur la route. Evidemment, la fille était peut-être en vie en arrivant. On peut l'avoir tuée ici. Vous voulez que j'aille à l'autopsie ? Il a dit neuf heures du matin. J'irai, si vous voulez. Simplement, je ne parlerai pas à Mavrikiev à moins qu'il ne m'adresse la parole.

— Merci, Mike. Je préférerais aller à l'autopsie que faire ce que j'ai à faire ce soir. »

Vingt heures cinquante, et toujours cette clarté lugubre et désespérée qui n'appartient qu'aux soirs d'été humides d'Angleterre. Difficile de dire s'il pleuvait ou si c'étaient seulement des gouttelettes tombées des arbres. L'air était immobile et lourd, l'humidité flottait en une vapeur froide et blanchâtre. Aucune lumière ne brillait aux fenêtres, mais cela ne voulait rien dire. Le crépuscule tombait à peine. Wexford appuya sur la sonnette et presque immédiatement une lampe s'alluma dans le vestibule et une autre sous le porche, au-dessus de sa tête. Il sut aussitôt que le garçon qui avait ouvert la porte était le fils des Akande, pour l'avoir vu sur la photographie à côté de Melanie.

Wexford lui dit son nom. La présence du garçon lui rendait la tâche encore plus difficile, mais c'était peut-être mieux pour les parents. Un enfant leur restait pour les consoler.

« Je suis Patrick. Ma mère et mon père sont à l'arrière de la maison, en fait nous finissions de dîner. Je ne suis arrivé qu'aujourd'hui et j'ai dormi tard. Je me suis réveillé il y a à peine une heure. »

Fallait-il le préparer, ou non ?

« Je crains que les nouvelles soient mauvaises.

— Ah ! »

Patrick le dévisagea puis détourna les yeux.

« Oui... Il faut que vous alliez voir mes parents. »

En entendant leurs voix, Raymond Akande s'était levé de table et attendait, debout, le regard fixé en direction de la porte, mais Laurette resta assise à sa place, très droite, les deux mains sur la nappe de part et d'autre d'une assiette contenant des quartiers d'orange. Aucun des deux ne dit mot.

« Dr Akande, Mrs Akande, j'ai de mauvaises nouvelles pour vous. »

Le médecin retint son souffle. Silencieuse, sa femme tourna la tête vers Wexford.

« Voulez-vous vous asseoir, docteur ? Je pense que vous devinez ce que je suis venu vous dire. »

Sur le visage d'Akande, un infime frémissement qui se voulait un acquiescement.

« On a retrouvé le corps de Melanie. Du moins, nous sommes aussi certains que possible en l'absence d'identification formelle que c'est bien Melanie. »

Laurette fit signe à son fils.

« Reviens t'asseoir, Patrick. Où l'a-t-on trouvée ? » demanda-t-elle à Wexford d'une voix parfaitement ferme.

Il avait tant espéré qu'ils ne poseraient pas cette question !

« Dans les bois de Framhurst. »

Restez-en là, ne cherchez pas à en savoir plus.

« Son corps était-il enterré ? Comment ont-ils su où creuser ? continua implacablement Laurette.

— Non, maman, dit Patrick en posant la main sur le bras de sa mère.

— Comment ont-ils su où creuser ?

— Des gens y vont avec des détecteurs de métaux pour découvrir des trésors comme celui de la Horde de Framhurst. C'est l'un d'eux qui l'a trouvée. »

Il pensa aux ecchymoses et au bras cassé, à la masse sombre sur le crâne, mais elle ne posa pas la question, si bien qu'il n'eut pas à mentir.

« Nous savions qu'elle était certainement morte, dit-elle. Maintenant nous savons qu'elle l'est vraiment. Quelle différence ? »

Cela faisait une différence, qui résidait dans la présence ou l'absence d'espoir. Tous dans la pièce le savaient. Wexford écarta la quatrième chaise de la table et s'assit.

« Ce n'est probablement qu'une formalité, mais je dois vous demander de venir reconnaître le corps. Vous seriez le mieux qualifié, docteur. »

Akande hocha la tête. Pour la première fois il prit la parole, et sa voix était méconnaissable.

« Oui. D'accord. »

Il s'approcha de sa femme et se tint contre sa chaise, mais il ne la toucha pas.

« Où ? A quelle heure ? » demanda-t-il.

Et maintenant ? Autant les laisser essayer de prendre un peu de sommeil. Mavrikiev voulait opérer de bonne heure, mais la besogne risquait d'être longue.

« Nous vous enverrons une voiture. Disons treize heures trente ?

— J'aimerais la voir », dit Laurette.

On ne pouvait pas plus dire à cette femme qu'il valait mieux qu'elle s'en garde, que c'était une torture qu'aucune mère ne devrait endurer, qu'on ne l'eût dit à Médée ou à Lady Macbeth.

« Comme vous voulez. »

Elle n'ajouta rien mais tourna la tête vers Patrick, qui dut lire en elle un rare signe de faiblesse ou sentir qu'elle allait perdre son sang-froid. Il l'enlaça et la serra contre lui. Wexford quitta la pièce et sortit de la maison.

Si ces traits taillés à la serpe avaient été moins caractéristiques, il n'aurait pas reconnu le médecin légiste. Et cela n'avait rien à voir avec le déguisement sinistre constitué par une blouse et un bonnet en plastique vert. Mavrikiev était un autre homme. Des sautes d'humeur aussi brusques sont rares chez les gens ordinaires, et Wexford se demandait quel événement cataclysmique l'avait tant aigri la nuit passée, ou quelle bonne fortune l'avait récemment réjoui. L'une des choses les plus curieuses fut qu'il se comporta tout d'abord comme s'il n'avait jamais rencontré les deux policiers.

« Bonjour, bonjour ! Andy Mavrikiev. Comment allez-vous ? Je ne pense pas que la tâche sera longue. »

Il se mit au travail. Wexford n'était pas enclin à observer l'opération de près. Sans aller jusqu'à l'incommoder, le raclement de la scie sur un crâne, la vue de l'extraction d'organes ne l'intéressaient pas particulièrement. Burden regarda tout, de même qu'il avait regardé Sir Hilary Tremlett opérer sur Annette Bystock, et posa une foule de questions auxquelles Mavrikiev parut heureux de répondre. Le légiste parlait sans arrêt, et pas seulement de la dépouille sur la table.

Même s'il ne chercha pas à justifier son revirement, c'était bel et bien une explication. La veille à cinq heures du matin, sa femme enceinte de leur premier enfant avait ressenti les contractions de l'accouchement. On attendait une délivrance difficile et Mavrikiev espérait rester avec elle jusqu'au bout, mais l'appel de Framhurst Heath était arrivé juste au moment où l'on discutait pour savoir si l'on patientait dans l'espoir d'une délivrance normale, ou si l'on pratiquait une césarienne.

« Je n'étais pas des plus réjouis, comme vous l'imaginez. Néanmoins, je suis revenu à temps pour voir Harriet réconfortée par une péridurale donner le jour à un bébé en bonne santé.

— Félicitations, dit Wexford. Qu'est-ce que c'est ?

— Une jolie petite fille. Enfin, une jolie grande fille : plus de quatre kilos. Vous voyez ceci ? Vous savez ce que c'est ? Une rate éclatée. »

Quand il eut terminé, le corps sur la table carrelée — ou plutôt le visage, car le pauvre corps vide était entièrement dissimulé sous le drap en plastique — était beaucoup plus présentable que lorsqu'on l'avait déterré. La décomposition semblait même en être à un stade moins avancé, car Mavrikiev avait procédé à une toilette funéraire outre son travail de légiste. La terrible confrontation qui attendait les Akande serait moins déchirante.

Il enleva ses gants.

« Je reviens sur ce que j'ai dit la nuit dernière. J'ai dit dix jours ou un peu plus, c'est bien ça ? Je peux affiner cette estimation. Au moins douze jours. »

Wexford hocha la tête sans surprise.

« Quelle est la cause de la mort ?

— Je vous ai dit que la rate était rompue. Il y a une fracture du cubitus et du radius gauches — c'est dans le bras, le bras gauche. Ce n'est pas de ça qu'elle est morte. Elle était très maigre. Peut-être une boulimique. Des contusions sur tout le corps. Et une embolie cérébrale. Pour le non-initié, un caillot de sang dans le cerveau. Je dirais qu'un type l'a battue à mort. Je ne pense pas qu'il ait utilisé d'instrument, rien que ses poings et peut-être ses pieds.

— On peut donc bien tuer quelqu'un à coups de poing ? interrogea Burden.

— Bien sûr, pour peu qu'on soit grand et costaud. Prenez les boxeurs. Imaginez qu'un boxeur fasse à une femme

206

ce qu'il fait à son adversaire, mais sans gants. Vous voyez ce que je veux dire ?

— Oh ! Oui.

— Ce n'était qu'une gosse. Dix-huit ans ?

— Plus que ça, dit Wexford. Vingt-deux.

— Vraiment ? Vous me surprenez. Bon ! Je dois m'extraire de cet accoutrement et m'en aller car j'ai rendez-vous pour déjeuner avec Harriet et Zenobia Helena. Ce fut un plaisir de vous connaître, messieurs. Vous aurez mon rapport illico presto. »

Quand il fut parti, Burden bougonna :

« Zenobia Helena Mavrikiev. Ça ressemble à quoi ? »

La question était de pure forme mais Wexford y répondit.

« Au nom d'une servante dans une nouvelle de Tolstoï. Ce type était un peu moins imbuvable que la nuit dernière, mais quel manque de cœur ! Mon Dieu, ça m'a mis en rage qu'il enchaîne tout d'une traite la naissance de sa fille et la rate éclatée de la fille des Akande.

— Au moins, il ne fait pas de plaisanteries macabres comme Sumner-Quist. »

Wexford se sentit incapable d'avaler une bouchée au déjeuner. Cette perte d'appétit, rare chez lui, sembla satisfaire Dora qui s'évertuait toujours par des procédés plus ou moins subtils à le faire manger moins. Mais cela suscita les commentaires étonnés de Sylvia et sa famille, qui s'étaient invités à déjeuner comme ils en prenaient le pli le dimanche. Ce jour-là, il se serait bien passé de leur compagnie.

Maintenant que le fait d'être, pour ainsi dire, soutien de famille commençait à perdre de sa nouveauté, Sylvia avait l'habitude agaçante de montrer l'un après l'autre, sur la table et dans la pièce, les divers objets tels les fleurs et les magazines que n'avaient pas les moyens de s'offrir ceux qui vivaient avec soixante-quatorze livres par semaine. C'était le montant total d'allocations-chômage et de supplément familial accordé aux Fairfax par le Service pour l'emploi et la Sécurité sociale. Elle avait été bien preste à s'emparer de cette arme des gens défavorisés, parfaitement calculée pour blesser la sensibilité des mieux lotis ! Son père se demandait quelquefois d'où elle tenait une telle quantité de manières exaspérantes.

Un rire argentin précédait la plupart de ces réflexions.

« Voilà de la crème pour napper tes framboises, Robin. Savoure-la bien. Tu n'es pas près d'en avoir à la maison. »

Robin, bien sûr, répondit qu'il n'y avait pas de problème.

« *Koi gull knee.*

— A ta place, je ne reprendrais plus de vin, Neil. Boire est une habitude, et pas de celles que tu peux t'autoriser, au train où vont les choses.

— S'il n'y en a pas, je m'en passerai. Mais ici il y en a, et je le savoure comme tu as recommandé aux garçons de le faire pour la crème. D'accord ?

— *Mafesh* », approuva Robin avec une conviction qui partait du cœur.

Wexford eut l'impression qu'il passait sa vie à fuir, à fuir les situations désagréables, les gens malheureux, les événements affligeants. La pluie s'était remise à tomber. Il prit la voiture pour se rendre à la morgue, ayant vaincu la tentation masochiste d'aller chercher lui-même les Akande.

La voiture les déposa tous deux à quatorze heures dix. Pour une fois autoritaire, Akande dit à sa femme :

« J'entre le premier. J'y vais.

— D'accord. »

Laurette avait les yeux caves. Ses traits étaient accusés dans son visage amenuisé. Mais ses cheveux brillants étaient toujours coiffés avec soin, enroulés et fixés au-dessus de la nuque. Et elle était toujours aussi bien vêtue. En tailleur et chemisier noirs, elle paraissait prête pour un enterrement. Quant à Raymond Akande, son teint était devenu gris depuis longtemps et il avait perdu régulièrement du poids depuis la disparition de sa fille. Ces quinze jours lui avaient fait perdre cinq kilos.

Wexford le fit entrer dans la morgue, cette demeure glacée que se partageaient désormais les cadavres de deux femmes. Il souleva le bord du drap à deux mains et exposa le visage. Akande hésita un instant puis s'avança. Il se pencha, regarda et fit un bond en arrière.

« Ce n'est pas ma fille ! Ce n'est pas Melanie ! »

Wexford sentit sa bouche se dessécher.

« Dr Akande, en êtes-vous sûr ? Regardez encore, s'il vous plaît.

— Et comment, que j'en suis sûr ! Ce n'est pas ma fille. Pensez-vous qu'un homme ne reconnaisse pas sa propre enfant ? »

14

LE CHOC suspend tout. Il n'y a pas de pensée, seulement une réaction, un mouvement, un langage machinal. Wexford suivit Akande hors de la morgue, l'esprit vide, le corps régi par des instructions motrices.

Laurette avait le dos tourné. Elle bavardait, ou s'y efforçait, avec Karen Malahyde. Au bruit de leurs pas elle se leva, très lentement. Son mari la rejoignit. Sa démarche était un peu instable, et quand il tendit la main vers elle et agrippa son bras, on eût dit que c'était pour reprendre l'équilibre.

« Lettie, ce n'est pas Melanie.

— Comment ?

— Ce n'est pas elle, Lettie, dit-il d'une voix tremblante. Je ne sais pas qui c'est mais ce n'est pas Melanie.

— Que dis-tu ?

— Lettie, ce n'est pas Melanie. »

Il était tout contre elle. Il pencha la tête, la posa sur l'épaule de sa femme. Elle l'entoura de ses bras et le tint serré, attira son front contre sa poitrine. Par-dessus l'épaule d'Akande, elle regardait fixement Wexford.

« Je ne comprends pas, dit-elle, aussi froide que le marbre. Nous vous avons donné une photographie. »

L'énormité de ce qui s'était passé, la conscience de cette énormité commençaient à prendre le pas sur le choc.

« Oui, dit Wexford. Oui, c'est exact. »

Laurette éleva la voix.

« Cette jeune fille morte, elle est noire ?

— Oui. »

Karen Malahyde, qui avait vu l'expression de Wexford, intervint :

« Mrs Akande, si seulement vous... »

Doucement, comme si c'était un bébé qu'elle tenait dans ses bras et qu'elle ne voulait pas le déranger, Laurette Akande chuchota :

« Comment osez-vous nous faire une chose pareille ?

— Mrs Akande, dit Wexford, je suis absolument navré que cela soit arrivé. Personne ne le déplore plus que moi, ajouta-t-il, ce qui était sûrement un mensonge.

— Comment osez-vous nous faire une chose pareille ? » hurla-t-elle à Wexford, oubliant le bébé sur sa poitrine, que ses mains avaient cessé de bercer. Comment avez-vous l'audace de nous traiter ainsi ? Vous n'êtes qu'un sale raciste comme tous les autres. Venir chez nous avec vos airs protecteurs, le Blanc magnanime s'abaissant jusqu'à nous, si noble, si tolérant... !

— Lettie, non, la supplia Akande. Je t'en prie, non ! »

Elle l'ignora. Elle fit un pas vers Wexford, les poings levés.

« C'est parce qu'elle était noire, c'est ça ? Je ne l'ai pas vue mais je sais, j'imagine toute la scène. Pour vous une fille noire ressemble à n'importe quelle autre, n'est-ce pas ? Une négresse. Une bamboula, une blackos...

— Mrs Akande, je suis désolé. Je regrette profondément.

— C'est vous qui regrettez ? Sale hypocrite ! Vous n'avez pas de préjugés, oh, non ! Vous n'êtes pas raciste, blanc ou noir, ça ne fait pas de différence à vos yeux. Mais quand vous retrouvez le corps d'une jeune Noire c'est forcément notre fille, parce que nous sommes noirs ! »

Akande secouait la tête.

« Elle ne lui ressemblait absolument pas, disait-il. Absolument pas

— Mais elle était noire, pourtant. Noire, n'est-ce pas ?

— C'est sa seule ressemblance avec elle, Lettie. Elle était noire.

— Alors on ne ferme pas l'œil de toute la nuit. Notre

211

fils reste assis toute la nuit. Que fait-il ? Il pleure. Pendant des heures et des heures. Lui qui n'avait pas pleuré depuis dix ans, il a pleuré cette nuit. Et nous l'apprenons aux voisins, ces gentils voisins blancs si tolérants, qui ont la générosité de plaindre des parents dont la fille a été assassinée, même si ce n'était qu'une fille de couleur, une Noire.

— Croyez-moi, Mrs Akande, c'est une méprise qui a été commise de nombreuses fois dans le passé, et les morts étaient blancs. »

C'était vrai, mais elle n'en avait pas moins raison. Il savait qu'elle avait raison.

« Je ne peux que vous renouveler mes excuses. Je suis tout à fait désolé de ce qui est arrivé.

— Maintenant, on rentre à la maison », dit Akande à sa femme.

Elle regarda Wexford comme si elle avait envie de lui cracher à la figure. Elle ne le fit pas. Les larmes qu'elle n'avait pas versées quand elle pensait que le corps, là-bas, était celui de sa fille coulaient sur ses joues. Sanglotante, elle s'accrocha à deux mains au bras de son mari et se laissa guider vers la voiture qui les attendait.

Une leçon salutaire. On croit se connaître mais il n'en est rien, et découvrir sur soi-même un aspect de cette nature particulière n'est pas sans susciter d'amertume. Dans les faits, ce qu'il avait dit à Laurette Akande était exact ; des confusions similaires se produisaient quelquefois entre les corps de personnes blanches. Mais intérieurement, il savait ce qu'il en était. Il avait pris le corps d'une jeune fille morte pour celui d'une jeune fille disparue, et s'il l'avait fait c'est parce qu'elles étaient noires. On n'avait pas tenu compte de la photographie de Melanie Akande. On n'avait pas comparé les tailles de la disparue et de la morte, alors qu'on les connaissait. Il tressaillit en se rappelant que ce matin encore, à peine trois heures avant, Mavrikiev avait marqué sa surprise que l'âge du corps sur la table fût de vingt-deux ans, et non de dix-huit ou dix-neuf. Il se remémora un détail appris bien des années plus tôt dans un rapport légal : certains os importants de l'anatomie féminine ne se soudent pas avant l'âge de vingt-deux ans...

Le pire, pour lui, était de découvrir qu'il s'était trompé sur son propre compte. Cette méprise résultait du préjugé, du racisme, d'une supposition qu'il n'aurait jamais émise si la disparue et le cadavre avaient été blancs. En pareil cas, il aurait certes jugé probable que la disparue avait été retrouvée, mais il se serait astreint à des recherches beaucoup plus rigoureuses sur l'aspect physique et les probabilités avant de convoquer les parents à l'identification. Les reproches de Laurette, quoique violents, étaient fondés.

Eh bien ! C'était une bonne leçon et c'était ainsi qu'il fallait considérer la chose. Il n'était pas question de mettre un terme à ses visites aux Akande. La première, mais la première seulement, serait désagréable pour chacun d'eux. A moins, bien sûr, qu'ils fissent en sorte que la première fût la dernière. Il s'était excusé, et plus humblement qu'envers quiconque. Il ne répéterait pas qu'il était désolé. L'idée lui vint, suscitant un amusement amer, que la leçon portait déjà ses fruits car, à partir du lendemain, il traiterait les Akande non comme les membres d'une minorité défavorisée et digne d'une considération spéciale, mais comme des êtres humains ordinaires.

Mais si la morte n'était pas Melanie, qui pouvait-elle bien être ?

Une jeune fille noire avait disparu et le corps d'une jeune fille noire avait été découvert, mais il n'existait aucune corrélation apparente entre les deux.

Burden, que n'étouffaient ni les scrupules ni la délicatesse de Wexford, décréta qu'il devait être assez facile de l'identifier maintenant que la police disposait d'un registre national des disparitions. Et plus facile encore du fait qu'elle était noire. Contrairement à la situation à Londres ou à Bradford, peu de Noirs habitaient dans cette région du sud de l'Angleterre, et moins encore disparaissaient. Cependant, la matinée du lundi lui suffit pour découvrir qu'aucun signalement correspondant à celui de la fille ne figurait sur les fichiers informatiques de la police du Mid-Sussex.

« Il y a une femme tamoule portée disparue depuis février. Son mari et elle possédaient un restaurant à Myringham, le Kandy Palace. Mais elle a trente ans, et même si techniquement, elle est noire — ils ont la peau très foncée, ces Tamouls...

— Ne nous engageons pas sur ce terrain, dit Wexford.

— Je vais passer au registre national. Je pense qu'on a pu l'amener ici, morte ou vive, d'un endroit comme le sud de Londres où je ne doute pas que des filles disparaissent tous les jours. Mais que devient notre théorie qu'Annette a été tuée à cause de quelque chose que Melanie lui aurait dit ?

— Elle reste inchangée, dit lentement Wexford. Le fait qu'on ait trouvé cette fille n'a rien à voir avec Melanie. C'est sans rapport, c'est à part. Nous en restons au *statu quo*. Melanie fait ou dit quelque chose que son tueur ne veut pas voir ébruiter, et il assassine Annette parce qu'elle, et vraisemblablement elle seule, a appris ce que c'est. Finalement, ce n'est pas parce que cette fille est morte que Melanie est vivante. Melanie est morte, elle aussi, seulement nous n'avons pas encore trouvé son corps.

— Vous ne pensez pas que cette fille... Comment allons-nous l'appeler ? Nous ferions mieux de lui donner un nom.

— Oui, d'accord, mais pour l'amour du ciel ne cherchez pas l'inspiration dans *La Case de l'oncle Tom*.

— Je ne l'ai pas lu, avoua Burden, perplexe.

— Sojourner[1], voilà comment nous l'appellerons. D'après Sojourner Truth, la poétesse qui a écrit "Ne suis-je pas une femme ?" D'ailleurs, en un sens je l'imagine solitaire, sans foyer, en transit. "Je suis une étrangère auprès de toi, je ne fais que passer." Vous savez bien. »

Non, Burden ne savait pas. Il arborait l'expression qui lui était familière lorsqu'il se sentait mal à l'aise et profondément méfiant.

« Sojourner ?

— C'est cela. Qu'alliez-vous dire ? Vous me demandiez si je ne pensais pas que cette fille...

---

1. *Sojourner* : littéralement, « celle qui est de passage ». (*N.d.T.*)

— Ah ! oui. Vous ne croyez pas que c'est cette fille-là, cette Sojourner, qui aurait pu dire quelque chose d'important à Annette ?

— Au Centre pour l'emploi, vous voulez dire ? demanda Wexford, intéressé.

— Même si nous n'avons aucun indice sur son identité, elle pourrait très bien pointer au chômage ou être une nouvelle demandeuse. Ce serait un bon moyen de l'identifier, de voir s'ils ont quelqu'un qui réponde à sa description parmi les demandeurs.

— Annette a été tuée le mercredi 7, Sojourner certainement avant, peut-être le 5 ou le 6. Ça colle, Mike. C'est une bonne idée. Bien joué. »

Cela parut faire plaisir à Burden.

« Nous pourrions aussi vérifier les noms des immigrés enregistrés chez nous. Je vais aller moi-même au Centre pour l'emploi. Je prends Barry avec moi. Au fait, où est Barry ? »

Le sergent Vine frappa à la porte et fut dans la pièce avant que Wexford ait eu le temps d'ouvrir la bouche. Il était allé à Stowerton interroger James Ranger. Veuf et retraité, Ranger vivait seul. Il s'apprêtait à passer son samedi soir à garder ses petits-fils quand de sa voiture il avait repéré Broadley, occupé à creuser une fosse.

« Il jure qu'on ne l'y prendra plus, raconta Vine. Apparemment, sa fille et son gendre ont raté leur dîner dansant. Il dit que la prochaine fois qu'il verra un pecquenot, je cite, profaner l'environnement, il accélérera et passera son chemin. Vous savez quelles sombres intentions il imputait à Broadley ? Je vous le donne en mille. Il croyait qu'il déterrait des orchidées ! Il paraît que des spécimens rares poussent là-haut et il s'est institué leur protecteur.

— Ranger de nom et Ranger dans l'âme, dit Wexford. Mais c'est un peu inhabituel, non, qu'un petit père tranquille comme lui, défenseur des espèces menacées, baby-sitter et possesseur d'une 2CV impeccable quoique vieille de dix ans ait un téléphone de voiture. Pour quoi faire ? Pour alerter le garde champêtre s'il voit quelqu'un cueillir une pâquerette ?

— Je lui ai posé la question. Il a dit que c'était une chance qu'il en ait un car ainsi il avait pu nous appeler.

— Cela ne répond pas à votre question.

— Non. Quand j'ai insisté, il a dit, tenez-vous bien, que c'était au cas où il tomberait en panne sur l'autoroute la nuit. »

Vine éclata de rire et poursuivit.

« Je l'ai mis en bonne place en haut de ma liste de suspects. Je revenais de chez lui — j'avais encore été obligé de me garer à cinq cents mètres, comme d'habitude —, et qui je vois sortir de cet immeuble de la rue principale, celui dont le nom se termine par "Court"... Clifton Court ? Kimberley Pearson !

— Vous lui avez parlé ?

— Je lui ai demandé comment elle se débrouillait dans sa nouvelle maison. Elle avait Clint avec elle, tout beau dans son petit jogging tout neuf, assis dans une splendide poussette. Elle était habillée de manière assez tape-à-l'œil, caleçon rouge, bustier, et des chaussures avec des talons hauts comme ça. »

Vine écarta son index et son pouce de douze centimètres.

« Une vraie métamorphose. Elle m'a dit qu'elle emménageait chez sa grand-mère décédée. L'immeuble ne cadrait pas avec l'image. Une résidence assez classe, de construction récente. »

Burden regarda Wexford du coin de l'œil et lui lança, pas très aimablement :

« Vous voilà rassuré, vous qui vous tourmentiez pour leur sort.

— "Tourment" est un mot trop fort, inspecteur Burden, riposta sèchement Wexford. Tout individu n'ayant pas le cœur totalement endurci s'inquiéterait qu'un enfant vive dans de telles conditions. »

Il y eut un bref silence gêné. Vine reprit son récit.

« On dirait qu'elle s'arrange très bien sans Zack. Elle est contente d'en être débarrassée, je crois. »

Wexford ne dit rien. Il avait un autre rendez-vous avec les Snow. La mort de Sojourner modifiait-elle sa façon de les considérer ? Changeait-elle radicalement son attitude à leur égard ? Il se sentit brusquement perdu dans une forêt obscure. Pourquoi s'était-il montré aussi caustique envers Mike ? Il décrocha le téléphone et demanda à Bruce Snow de venir au poste à dix-sept heures.

« Je n'aurai pas terminé avant la demie.

— A dix-sept heures, je vous prie, Mr Snow. Et je veux également voir votre épouse.

— Vous aurez de la chance si elle vient. Elle part ce soir, elle emmène les enfants à l'île de Malte, ou d'Elbe, je ne sais plus.

— Certainement pas », dit Wexford.

Il composa le numéro de la maison de Harrow Avenue et la voix d'une adolescente lui répondit.

« Mrs Snow, s'il vous plaît.

— C'est sa fille. De la part de qui ?

— Inspecteur principal Wexford, brigade criminelle de Kingsmarkham.

— Oh ! Très bien. Ne quittez pas. »

Il dut ne pas quitter pendant de longues minutes, durant lesquelles il ressentit un énervement croissant. Quand enfin elle vint prendre la communication, elle avait recouvré son sang-froid. La vierge de glace avait opéré son retour.

« Oui, qu'est-ce que c'est ?

— J'aimerais que vous veniez au commissariat à dix-sept heures, Mrs Snow.

— Désolée, ce ne sera pas possible. Je prends l'avion pour Marseille à seize heures cinquante.

— Il partira sans vous. Avez-vous oublié que je vous ai demandé de ne pas partir ?

— Non, mais je n'ai pas pris ça au sérieux. C'est tellement absurde ! Qu'est-ce que tout cela a à voir avec moi ? Je suis la victime, après tout ! J'emmène mes malheureux enfants loin de toute cette atmosphère sordide. La conduite de leur père leur a brisé le cœur.

— Leur cœur attendra quelques jours d'être recollé, Mrs Snow. Je doute qu'il vous plairait d'être inculpée pour entrave à la bonne marche de l'enquête ? »

Il était trop avisé pour se croire capable de comprendre les gens. Pourquoi, par exemple, cette femme avait-elle besoin de mentir ? Elle était, comme elle venait de le dire, une victime. Tromper une femme pendant neuf ans était lui faire gravement injure, car cela l'humiliait en plus de la blesser, cela la ridiculisait à ses propres yeux. Quant à Snow, Wexford savait qu'il ne comprendrait jamais la conduite de cet homme. Il l'aurait à peine cru si on lui avait dit qu'ici même, en Angleterre, dans les années 90, un homme pouvait profiter des faveurs d'une femme pendant des années sans la payer, sans lui faire de cadeaux ou l'inviter à sortir, sans lui offrir une chambre d'hôtel ni même un lit, mais dans son bureau, par terre, à seule fin d'être à portée du téléphone au cas où l'épouse appellerait.

Et si cela il ne pouvait le comprendre, pourquoi aurait-il compris un autre aspect de son comportement ? Il lui semblait absurde que cet homme ait pu tuer Sojourner parce que Annette lui avait parlé de leur liaison. Mais tous les faits et gestes de Snow lui étaient incompréhensibles. Donc, pouvait-il l'avoir battue à mort et enterrée dans les bois de Framhurst ? Avait-il tué Annette, tué celle à qui Annette s'était confiée, rien que pour empêcher que cela ne parvienne aux oreilles de sa femme ? Certes, ils savaient tous ce qui s'était passé quand pour finir cela était parvenu aux oreilles de Mrs Snow... Sojourner le faisait peut-être chanter. Sans être trop gourmande. Ça ne gênait pas Snow de lui donner un peu d'argent de temps en temps pour la dissuader de lâcher le morceau. Mais ensuite elle avait réclamé davantage, peut-être un gros paquet. Wexford se rendit compte qu'il détestait cette théorie. Quelque part dans son esprit, pas tout à fait consciemment, il considérait Sojourner comme quelqu'un de bien. Sojourner était la victime innocente de méchants qui l'avaient exploitée et maltraitée, alors qu'elle-même était vertueuse et douce, une âme craintive, simple et confiante qui gardait les secrets sans jamais les trahir.

Bien entendu il l'idéalisait. Que devenait la leçon qu'il aurait dû, qu'il avait cru tirer de son expérience avec les Akande ? Il ne savait rien de cette fille, de son nom réel ou de son pays d'origine, rien de sa famille si elle en avait une, ni même son âge. Et le rapport d'autopsie de Mavri-

218

kiev, quand il arriverait, ne lui apprendrait que très peu de chose à ce sujet. Il ne savait même pas si elle était déjà entrée au Centre pour l'emploi.

Bruce Snow était assis dans la salle d'interrogatoire numéro 1 avec Burden. Sa femme était avec Wexford dans la salle d'interrogatoire 2. Les réunir dans la même pièce avait résulté la dernière fois en une prise de bec que Wexford ne voulait pas voir se répéter. De l'autre côté de la table, une Carolyn Snow boudeuse lui faisait face. Derrière elle, Karen Malahyde, debout, ne dissimulait pas son mépris. Pour tout ce qui concernait Mrs Snow, devina Wexford, pour son mode de vie, son statut d'épouse sans travail ni revenus personnels et, malheureusement, sa récente situation d'épouse trahie et trompée.

« J'aimerais faire consigner que je trouve scandaleux que l'on m'empêche de partir en vacances. C'est une atteinte injustifiée à mes libertés. Et mes pauvres enfants ? Qu'ont-ils fait ?

— Le problème n'est pas ce qu'ils ont fait mais ce que vous, vous avez fait, Mrs Snow. Ou plutôt, ce que vous n'avez pas fait. Consignez donc ce qu'il vous plaît. Vous avez beau vous targuer de ne pas mentir, vous n'avez pas été franche avec moi. »

Dans l'autre salle, Burden demandait à Bruce Snow s'il désirait modifier ses déclarations ou y ajouter quelque chose. Désirait-il, par exemple, lui dire ce qu'il avait fait dans la soirée du 7 juillet ?

« J'étais chez moi. J'étais chez moi, c'est tout. J'ai lu, peut-être, je ne m'en souviens pas. J'étais assis à côté de ma femme. Je regardais la télévision. Mais inutile de me demander ce que j'ai vu, je ne me le rappelle pas.

— Avez-vous déjà vu cette jeune fille, Mr Snow ? »

Burden lui tendit une photo de Sojourner alors que le décès remontait à douze jours. Le cliché avait été pris avec habileté mais n'en montrait pas moins un visage mort, et meurtri de surcroît. Snow recula.

« C'est la fille d'Akande ? »

219

Toujours la même confusion... Mais avec Burden, ça ne se passait pas de cette façon.

« Qu'est-ce qui vous fait dire ça ?

— Oh, bon dieu ! De toute façon, je ne l'ai jamais vue. »

Le regard aussi tragique que si elle venait de subir un deuil, Carolyn Snow implorait Wexford de la laisser partir en vacances. Elle avait fait sa réservation six mois plus tôt. A l'époque, Snow était censé y aller aussi mais sa fille aînée avait accepté de le remplacer. L'hôtel ne pourrait les accueillir la semaine suivante, il n'y aurait de place sur aucun vol, les frais d'agence n'étaient pas remboursables.

« Vous auriez dû réfléchir à tout cela avant », dit Wexford.

Il lui montra la photo de Sojourner, les yeux clos, la peau marbrée par les contusions, des plaques sur le front et les tempes où les cheveux avaient commencé à tomber.

« Vous la reconnaissez ?

— Je ne l'ai jamais vue de ma vie. »

Loin de défaillir, Carolyn la scruta de plus près.

« Est-ce une métisse ? Je ne connais pas de personne de couleur. Ecoutez, j'ai raté mon avion mais la femme de l'agence croit pouvoir nous avoir des places sur celui de demain matin, qui part à dix heures quinze.

— Vraiment ? Stupéfiant, non, comme les services aériens sont devenus obligeants envers les passagers ?

— Vous me rendez malade ! Vous n'êtes qu'un sadique. Vous savourez la situation !

— Des satisfactions professionnelles considérables sont attachées à ce que je fais, répondit Wexford, se demandant si "satisfactions professionnelles" entrait dans le jargon du Service pour l'emploi. Il faut bien que je retire quelque chose de mon travail. Toutes ces longues heures supplémentaires non rémunérées ! Je préférerais être chez moi avec ma femme que coincé ici à essayer de vous faire dire la vérité.

— Vous êtes heureux en ménage, inspecteur principal ? Tous ces événements ont brisé le mien, j'espère que vous en avez conscience.

— Votre mari en est le fautif, Mrs Snow. Vengez-vous de lui si vous y tenez. Ne vous servez pas de nous pour le faire.

— Me venger ? Que voulez-vous dire ? »

Wexford rapprocha sa chaise et planta les coudes sur la table.

« N'est-ce pas ce que vous êtes en train de faire ? Vous vous vengez de lui à cause de ses deux liaisons. Niez qu'il était chez vous ce soir-là, affirmez qu'il est sorti à vingt heures, pendant deux heures et demie, et vous obtiendrez peut-être, en plus de la maison et d'une grosse partie de ses revenus, la satisfaction de le voir accusé de meurtre. »

Il avait mis le doigt dessus, il le voyait dans ses yeux.

« Elle vous faisait chanter, Mr Snow ? interrogeait Burden de l'autre côté du mur.

— Oubliez ça. Je ne l'ai jamais vue.

— Nous savons ce qui s'est passé quand votre épouse a découvert votre infidélité. Nous l'avons bien vu. Elle n'est pas femme à pardonner, n'est-ce pas ? Je pense que vous auriez volontiers payé pour éviter qu'elle ne l'apprenne, et peut-être pendant pas mal de temps. Qu'avait Annette Bystock de si spécial pour que vous continuiez aussi longtemps ? » demanda-t-il, dépassant les bornes une fois de plus.

Il n'obtint pas de réponse, seulement un regard maussade.

« Et pourtant vous avez continué. Vous vous êtes lassé de payer ? Vous avez compris que ça n'aurait jamais de fin, même si vous rompiez avec Annette ? Tuer celle qui vous faisait chanter, c'était la seule solution ? »

De l'autre côté de la cloison, Carolyn Snow déclara :

« Tout ce que j'ai dit est vrai mais, oui, j'aimerais le voir souffrir. Et pourquoi pas ? J'aimerais qu'il paie pour ces deux femmes en passant des années en prison.

— Voilà qui est franc. Et pour votre part, Mrs Snow, seriez-vous prête à payer le prix de votre vengeance ?

— Je ne sais pas de quoi vous parlez.

221

— Vous semblez considérer le problème à l'envers. Vous supposez depuis le début que nous vous interrogeons pour confirmer ou infirmer les dires de votre époux concernant ses faits et gestes. Que c'est votre époux le suspect, votre époux le seul candidat possible au meurtre d'Annette Bystock. Mais vous vous trompez du tout au tout. Il y a vous. »

Elle répéta, avec nervosité cette fois :

« Je ne sais pas de quoi vous parlez.

— Nous n'avons que votre parole pour croire que vous ignoriez tout de la place qu'avait Annette dans la vie de votre mari, jusqu'à sa mort. Je crois que nous savons ce que vaut votre parole, Mrs Snow. Vous aviez un meilleur mobile que lui pour la tuer, vous plus que quiconque. »

Elle se leva, livide.

« Bien sûr que je ne l'ai pas tuée ! Vous êtes fou ? Bien sûr que non !

— C'est ce qu'ils disent tous, répliqua Wexford en souriant.

— Je vous jure que je ne l'ai pas tuée !

— Vous aviez un mobile. Vous aviez le moyen de le faire. Vous n'avez aucun alibi pour ce mercredi soir.

— Je ne l'ai pas tuée ! Je ne la connaissais pas !

— Vous aimeriez peut-être faire une déposition à présent, Mrs Snow. Avec votre permission, nous allons l'enregistrer. Et ensuite je pourrai rentrer chez moi. »

Elle se rassit. Elle respirait vite, par à-coups, le front plissé, les lèvres pincées. Elle serra les poings, s'enfonça les ongles dans les paumes et parvint à redevenir maîtresse d'elle-même. Elle entreprit de retracer devant le magnétophone le fil des événements — elle était seule à Harrow Avenue avec son fils qui étudiait à l'étage, son mari était parti à vingt heures et revenu à vingt-deux heures trente — mais elle s'interrompit pour demander à Wexford :

« Puis-je partir demain ?

— Je crains que non. Je ne veux pas que vous quittiez le pays. Vous pouvez passer quelques jours à Eastbourne, je n'y vois aucune objection. »

Carolyn Snow fondit en larmes.

Mardi 20 juillet

Dans le temps, le sergent Vine avait passé plus d'une heure monotone à un de ces bureaux dans la partie du fond, s'efforçant d'avoir l'air d'un assistant administratif tout en attendant qu'un quidam se présente pour pointer. Quelqu'un qu'il recherchait pour un délit mineur, en général, et c'était un moyen sûr de le coincer. Quelles que fussent les recettes qu'ils tiraient du cambriolage, du vol à la tire, du recel ou de la fauche à l'étalage, ils voulaient tous empocher leurs allocations-chômage.

Si Wexford et Burden étaient des nouveaux venus au Centre pour l'emploi, Vine s'y trouvait donc en territoire familier. Personne ne s'entendait avec Cyril Leyton et Osman Messaoud était généralement intraitable, mais le sergent avait de bons contacts avec Stanton et les femmes. Burden, claquemuré avec Leyton et l'officier de sécurité, le laissait mener la besogne à bien. En attendant que Wendy Stowlap ait quelques instants de libres, il passa en revue les demandeurs d'emploi qui patientaient dans la salle et repéra deux personnes qu'il connaissait. L'une était Broadley, l'homme qui avait découvert le corps de Sojourner, l'autre la fille aînée de Wexford. Il essayait encore de se rappeler son nom, qui commençait forcément par une lettre comprise entre A et G, quand le client de Wendy Stowlap s'éloigna du guichet.

Elle releva la tête et le regarda.

« Il y a tellement d'étrangers qui viennent chez nous ! Des Italiens, des Espagnols et que sais-je encore. Pourquoi devrions-nous les entretenir aux frais du contribuable ? L'Union européenne est responsable pour une grande part de cette situation.

— Mais vous n'avez sûrement pas beaucoup de demandeurs noirs. Pas dans cette campagne.

— Cette cambrousse, c'est ça que vous alliez dire ? »

Wendy était native de Kingsmarkham et prenait des airs de propriétaire dès qu'il s'agissait de sa ville.

« Si vous ne vous plaisez pas, ici, pourquoi vous ne retournez pas dans le Berkshire ou dans la région si animée et si chic d'où vous venez ?

— Bon, d'accord, je m'excuse, mais est-ce que vous en avez ?

— Des demandeurs d'emploi qui sont des personnes de couleur ? Vous seriez surpris. Nous en avons plus qu'il y a deux ans. D'ailleurs, nous avons en général plus de demandeurs qu'il y a deux ans, beaucoup plus. On arrive peut-être au bout du tunnel, mais le chômage est encore très grave.

— Donc, vous ne remarqueriez pas particulièrement une fille noire ?

— Une femme noire, le corrigea Wendy. Je ne parle pas de vous en vous traitant de garçon.

— J'aimerais avoir cette chance, dit le sergent Vine.

— Quoi qu'il en soit, je n'ai jamais remarqué de femme noire parlant spécialement avec Annette. Je n'ai jamais remarqué cette Melanie, comme vous le savez. Franchement, j'ai déjà assez de pain sur la planche à mon guichet sans regarder ce que font tous les autres. »

Wendy pressa le bouton pour afficher le numéro suivant sur le panneau.

« Par conséquent, si vous voulez bien m'excuser, je ne peux pas faire attendre mes clients plus longtemps. »

Peter Stanton voulut savoir si Sojourner était jolie. Il dit carrément qu'il fantasmait souvent sur les femmes noires. Elles avaient des longues jambes fantastiques. Il aimait leur cou de cygne noir et leurs mains étroites. Et cette façon de marcher comme si elles portaient une lourde jarre sur la tête.

« Je ne l'ai vue que morte, dit Vine.

— Si elle a fait une demande, c'est-à-dire si elle a rempli un ES 461, nous vous la retrouverons. Comment s'appelait-elle ? »

Hayley Gordon demanda aussi le nom de Sojourner. Les deux superviseurs posèrent beaucoup de vaines questions pour savoir si elle réclamait des allocations-chômage ou un supplément familial, si elle avait déjà exercé un emploi et quel genre de poste elle recherchait. Osman Messaoud, qui cette semaine n'était pas au guichet et travaillait au bureau même où Vine s'était tant de fois morfondu, dit qu'il fermait son esprit et quelquefois ses yeux devant les jeunes femmes qui venaient le consulter. S'il les apercevait, il se forçait à ne pas les regarder.

« Votre épouse ne vous laisse guère la bride sur le cou, c'est ça ?

— Il convient à une femme d'être possessive.

— Question d'opinion. »

Vine eut une idée. Il tâtonna, essayant de poser la question avec tact.

« Votre femme est-elle, hem, antillaise, comme vous-même ?

— Je suis citoyen britannique, dit Osman d'un ton glacial.

— Oh ! pardon. Et d'où est votre femme ?

— De Bristol. »

Ce type s'amusait vraiment de la situation, pensa Vine.

« Et sa famille était de quelle origine ?

— Je me demande où tout cela peut bien mener. Suis-je soupçonné du meurtre de Miss Bystock ? A moins que ce ne soit mon épouse ?

— Je veux seulement savoir... »

Vine renonça et dit brutalement :

« Si elle est aussi une personne de couleur. »

Messaoud sourit, tout au plaisir d'avoir mis Vine au pied du mur.

« De couleur ? Quelle expression intéressante ! Rouge peut-être, ou bleue ? Mon épouse, sergent Vine, est une dame afro-caribéenne de Trinidad. Mais elle n'est pas chômeuse et n'a jamais mis les pieds dans ce Centre. »

Pour finir, Vine réussit à tirer de l'ensemble du personnel, non sans quelques entorses de la part de chacun à la terminologie politiquement correcte, qu'au total quatre des demandeurs étaient noirs : deux hommes et deux femmes, tous âgés de plus de vingt ans.

15

S AVAIT-IL, lui demanda Sheila au téléphone, que le PNB présentait un candidat aux partielles pour la circonscription de Kingsmarkham ?

« Mais c'est la semaine prochaine, dit Wexford, tâchant de se rappeler ce qu'était le PNB.

— Je sais, mais je viens tout juste de l'apprendre. Ils ont déjà un siège au conseil municipal. »

La mémoire lui revint. Le PNB était le Parti national britannique, prônant une Grande-Bretagne blanche pour les Blancs.

« Ça, c'est dans l'est de Londres, objecta-t-il. C'est un peu différent par ici. La victoire sera facile pour les tories.

— Les agressions racistes se sont multipliées par sept dans le Sussex l'année dernière, papa. Le fait est là. Tu ne peux pas contester les statistiques.

— Très bien, Sheila. Tu t'imagines que je veux qu'une bande de fascistes entrent au conseil ?

— Alors tu ferais bien de voter pour les démocrates-libéraux ou pour Mrs Khoori.

— Elle se présente donc.

— Sous l'étiquette des conservateurs indépendants. »

Wexford lui parla de ses rencontres avec Anouk Khoori, ainsi que de la garden-party. Elle voulut savoir comment Sylvia et Neil s'en sortaient. Pour la première fois depuis de nombreuses années, Sheila n'avait pas d'homme dans sa vie. Ce vide semblait faire d'elle une femme plus calme, plus triste. Elle s'apprêtait à jouer Nora dans *Maison de poupée*, produite pour le Festival d'Edimbourg. Ses parents pensaient-ils venir ? Wexford songea à Annette et à Sojourner, à Melanie qui avait disparu, et dit qu'il avait vraiment bien peur que non.

Rendant visite aux Akande pour la première fois depuis la scène devant la morgue, il s'exhorta à ne pas être lâche, à les affronter. Il avait agi en toute bonne foi bien qu'à la légère. En dépit de tous ces raisonnements il ne put rien manger au petit déjeuner. Le café passa, mais rien de plus. Des lignes de Montaigne lui revinrent à l'esprit : « Il est une vieille maxime grecque qui dit que les hommes se tourmentent non pour les choses elles-mêmes mais pour ce qu'ils en pensent. » Qui pouvait être sûr de penser avec justesse ?

Après les orages du week-end le temps s'était remis au beau fixe, et la journée était chaude sans être étouffante, l'atmosphère limpide, le ciel bleu éclatant. Des lis rose et blanc s'étaient ouverts dans le jardin des Akande. Wexford avait perçu leur senteur funèbre avant même d'atteindre le portail. Laurette Akande vint ouvrir. Wexford lui dit bonjour et attendit qu'elle lui claque la porte au nez.

Mais elle l'ouvrit plus largement et le pria d'entrer, quoique pas très aimablement. Elle semblait s'être radoucie. La maison était silencieuse. Le fils, Patrick, n'était sans doute pas encore levé — il était un tout petit peu plus de huit heures. Dans la cuisine, debout près de la table, le médecin buvait une grande tasse de thé. Il posa la tasse, s'approcha de Wexford et lui serra la main.

« Je regrette, pour ce qui s'est passé dimanche, dit-il. De toute évidence, vous aviez commis cette erreur en toute bonne foi. Nous espérions que cela ne vous dissuaderait pas de venir nous voir, n'est-ce pas, Lettie ? »

Laurette Akande haussa les épaules et tourna la tête. L'inspecteur principal songea qu'il pourrait ranger parmi ses lois (il en avait toute une liste mentale : première loi de Wexford, deuxième loi, etc.) celle qui veut que, si au bout de deux ou trois expressions de regret on cesse de s'excuser auprès d'une personne que l'on a offensée, c'est elle qui bientôt commence à s'excuser.

« A dire vrai, assez bizarrement cela nous a plutôt remonté le moral, continua Akande. Cela nous a rendu l'espoir. Le fait que cette jeune fille n'était pas Melanie nous a vraiment donné des raisons d'espérer qu'elle est encore en vie. Vous pensez peut-être que c'est insensé ? »

Il le pensait mais il n'avait pas l'intention de le dire. Ils se trouvaient dans la pire des situations que pouvaient connaître des parents, pire que pour ceux dont l'enfant est mort, pire que pour les parents de Sojourner, si elle en avait. C'étaient des parents dont l'enfant avait disparu et qui ne sauraient peut-être jamais quel avait été son sort, quel tourment elle avait enduré, quelle avait été sa mort.

« Je peux seulement vous dire que je n'ai pas plus idée qu'il y a deux semaines de ce qui est arrivé à Melanie. Nous allons continuer à la chercher. Nous n'abandonnerons jamais les recherches. Quant à l'espoir...

— Une perte de temps et d'énergie, dit rudement Laurette. Excusez-moi, mais maintenant il faut que je parte à mon travail. Ce n'est pas parce que l'infirmière-chef Akande a perdu sa fille que les patients cessent d'exiger des soins.

— N'en veuillez pas à ma femme, dit le docteur quand elle fut partie. Tout cela est pour elle un terrible stress.

— Je sais.

— Je suis heureux d'avoir cette impression tout à fait illogique que Melanie est vivante. C'est peut-être ridicule, mais j'ai quasiment la certitude qu'un après-midi, en rentrant de mes visites, je la trouverai assise là. Et elle aura une explication parfaitement rationnelle pour son absence. »

Laquelle, par exemple ?

« Ce serait mal de ma part de vous encourager à espérer, dit Wexford, se rappelant sa résolution de traiter les Akande comme tout le monde. Nous n'avons aucun fondement pour croire que Melanie est encore en vie. »

Le médecin secoua la tête.

« Savez-vous qui est l'autre jeune fille, celle que vous

preniez pour Melanie ? Je suppose que je ne devrais pas vous poser cette question, de même que vous ne devez pas m'interroger au sujet d'un patient.

— C'est justement ce que j'allais vous demander. Je voulais savoir si vous l'aviez déjà vue auparavant.

— Vous n'en avez guère eu l'occasion. Nous aurions dû nous sentir soulagés, mais nous étions seulement furieux. Non, je ne l'avais jamais vue. Ce ne sera certainement pas difficile de trouver qui elle est ? Après tout, il n'y a pas beaucoup de gens comme nous dans les parages. Parmi mes patients, je n'ai qu'une seule personne noire. »

Qu'il y eût ou non un rapport entre les deux, ce second décès rendait inévitable d'interroger tous les témoins potentiels du premier crime en référence avec le dernier. Si l'un d'eux avait vu Sojourner, la reconnaissait ou se souvenait d'elle, même vaguement, cela pouvait leur fournir le lien qu'ils cherchaient. Cela pouvait contribuer à élucider son identité. Le pire scénario concevable était celui où le corps de Sojourner avait été transporté en voiture d'un lieu situé à des centaines de kilomètres, peut-être d'une ville du Nord où les prostituées, noires ou blanches, n'avaient pas de passé, certainement pas d'avenir, et pouvaient disparaître sans que personne ne le remarque.

Il se surprit à l'évoquer une fois de plus avec tendresse, et le rapport légal ne fit rien pour modérer ce sentiment. Mavrikiev ne lui donnait pas plus de dix-sept ans. Ses blessures étaient épouvantables. Outre le bras, deux côtes étaient fracturées. Des contusions sur l'intérieur des cuisses, d'anciennes cicatrices de lacération sur les parties génitales indiquaient de violentes agressions sexuelles antérieurement, et plus d'une fois. Le médecin légiste estimait qu'un coup de poing brutal l'avait projetée à terre et que, dans sa chute, elle s'était cogné la tête contre un objet contondant. C'était celui-ci qui avait provoqué la mort.

Des fibres découvertes dans la blessure crânienne étaient parties au laboratoire aux fins d'analyse. Mavrikiev exprimait l'opinion que la laine provenait d'un pull-over et non d'un tapis, mais ne s'engageait pas davantage sur ce terrain qui n'était pas sa spécialité. Wexford lut le rapport du labo, qui confirmait cette hypothèse. Les fibres étaient du mohair et du shetland, composants typiques du fil à tricoter. On en avait encore découvert sous les ongles de la victime, ainsi que des particules du sol où elle avait été enterrée. Mais pas de sang. Elle n'avait égratigné personne en se débattant pour garder la vie sauve.

Des ambassades, des Hautes Commissions, tous les pays africains en possédaient. C'était une piste à suivre et il mit Pemberton sur l'enquête. Karen Malahyde commença ses investigations dans les établissements scolaires, dont bon nombre étaient fermés à cette époque, ce qui supposait donc de contacter des proviseurs, des administrateurs, des principaux de collège — et des patrons d'hôtel. Si Sojourner n'avait que dix-sept ans, elle allait peut-être encore au lycée. Les chances qu'elle ait vécu en hôtel immédiatement avant sa mort étaient infimes, mais il fallait enquêter dans chacun d'eux, de l'Olive and Dove, au sommet de l'échelle, jusqu'au plus humble *Bed & Breakfast* de Glebe Road.

Annette avait confié à sa cousine qu'elle avait des révélations à faire à la police, et Wexford se demandait pourquoi elle n'en avait rien dit à Bruce Snow lorsqu'il lui avait téléphoné le mardi soir, la veille de sa mort. Il pensait à la relation de Ladyhall Avenue dont les deux Snow niaient l'existence. Et il supputait ce qu'une fille aussi jeune, aussi vulnérable et, semblait-il, aussi indésirable que Sojourner avait bien pu faire pour pousser quelqu'un à la frapper à mort. Et s'il considérait le problème à l'envers ? Se pouvait-il, non pas qu'Annette eût été tuée en raison de ce qu'on lui avait dit, mais que Sojourner eût été tuée, elle, en raison des confidences d'Annette ? Annette était-elle dépositaire d'un secret, à l'insu de Snow, de Jane Winster et d'Ingrid Pamber ?

En retrouvant Burden devant Le Nawab, il lui dit :

« Je n'ai pas pu affronter le petit déjeuner ce matin, et maintenant j'éprouve ce vide pas désagréable qui est le gong silencieux de l'âme à l'heure du déjeuner.

— P. G. Wodehouse. »

Wexford ne fit pas de commentaire. Ce devait être la

première fois que Burden devinait la source d'une de ses citations. C'était une expérience qui réchauffait le cœur, mais l'inspecteur Burden y déversa immédiatement un seau d'eau froide. Il dit de la voix grincheuse qu'il affectait parfois :

« La femme de Messaoud est antillaise.

— Ma femme est anglaise, dit Wexford à l'intérieur du restaurant, cela ne veut pas dire pour autant qu'elle connaissait Annette Bystock.

— C'est différent. Vous savez que c'est différent. »

Wexford hésita, prit un morceau de naan dans l'assiette devant lui.

« Oui, je sais. C'est différent. Je suis désolé. Et à propos, je regrette pour hier. Je n'aurais pas dû vous parler ainsi.

— Oubliez ça.

— Non, je n'aurais pas dû, pas devant Barry. Excusez-moi. »

Wexford se rappela sa dernière loi et changea de sujet.

« J'aime bien les pains indiens. Pas vous ?

— Mieux que les Indiens. Désolé, mais ce Messaoud est vraiment désagréable. J'irai quand même interroger sa femme. »

Le menu spécial pour hommes d'affaires qu'ils avaient commandé, le « Thali express », arriva très rapidement. Il se composait de pratiquement tous les mets que l'on associait à la nourriture indienne, disposés autour d'un plateau avec du riz au milieu et un pappadom sur le côté. Wexford se servit de l'eau.

« J'aurais voulu qu'elle ne ressemble pas tant à un cadavre, qu'elle n'ait pas l'air morte depuis si longtemps sur cette photo, mais on n'y peut rien. Ça ne fera pas de mal de la montrer dans Ladyhall Avenue. Nous essaierons dans les boutiques de la rue principale et dans les centres commerciaux, aux caisses des supermarchés.

— A la gare et au terminus des cars. Dans les églises ?

— Les Noirs vont plus souvent à l'église que les Blancs, alors oui, pourquoi pas ?

— Et dans la zone industrielle de Stowerton ? Ils seraient contents d'avoir des disparitions, ça leur éviterait de licencier. Pardon, c'était une plaisanterie de mauvais goût. Ça vaut le coup d'essayer, non ?

— Il faut tout essayer, Mike. »

Wexford soupira. Il n'entendait pas par là qu'il fallait interroger chaque résident noir des îles Britanniques. Il aurait vraiment voulu procéder comme si Sojourner avait été une jeune collégienne blanche. Mais il sut soudain que c'était impossible, que ce n'était pas la bonne méthode même si en apparence elle correspondait à l'éthique.

Un coup d'œil rapide au fax de la police de Myringham, posé sur son bureau, lui révéla qu'aucun des signalements ne correspondait à celui de Sojourner. Les femmes disparues étaient classées suivant leur origine ethnique, mais de telles catégories n'étaient-elles pas inévitables dans une affaire comme celle-ci ? Il se rappela une conversation qu'il avait eue un jour avec le commissaire Hanlon de la police criminelle de Myringham au sujet du langage politiquement correct.

« En ce qui me concerne, avait dit Hanlon, j'appelle un chat un chat. »

Sur la liste figuraient quatre femmes dont les ancêtres étaient issus du sous-continent indien, et une Africaine. Myringham et ses industries, à présent en plein marasme, avaient drainé beaucoup plus d'immigrés que Kingsmarkham ou Stowerton, et ses deux universités accueillaient des étudiants des quatre coins du monde. Melanie Akande n'était pas la seule ancienne de l'ex-IUT de Myringham à avoir disparu. La liste mentionnait Demsie Olish de Gambie, étudiante en sociologie, dont le foyer était un lieu nommé Yarbotendo. Une des Indiennes, Laxmi Rao, était diplômée de l'université du Sud. On avait complètement perdu sa trace depuis Noël mais on savait qu'elle n'était pas retournée dans son pays. La Sri Lankaise, Burden y avait déjà fait allusion : c'était la patronne de restaurant. La Pakistanaise, Naseem Kamar, veuve, était ouvrière dans une fabrique de confection jusqu'au mois d'avril, où la société qui en était propriétaire avait fait faillite. Après avoir perdu son emploi, Mrs Kamar avait disparu. Quant à

Darshan Kumari, la police de Myringham avait la quasi-certitude qu'elle s'était enfuie avec le fils du meilleur ami de son mari. On soupçonnait que Surinder Begh avait été assassinée par son père et ses oncles pour avoir refusé l'époux qu'ils lui destinaient, mais on ne possédait aucune preuve pour étayer cette théorie.

Il faudrait convoquer à la morgue les proches parents de ces femmes pour tenter une identification. Sauf pour Mrs Kamar. Elle avait trente-six ans. Et l'âge de Laxmi Rao, vingt-deux ans, lui rappelait péniblement la bourde qu'il avait commise. La candidate la plus probable était Demsie Olish. Elle avait dix-neuf ans, était retournée chez elle, en Gambie, au mois d'avril puis en était revenue, avait été vue par sa logeuse, par les deux autres étudiantes qui habitaient la maison, par de nombreux étudiants pendant son année à Myringham. Et puis, après le 4 mai, plus personne ne l'avait revue. Une semaine s'était écoulée avant qu'on signale sa disparition. Tous ceux qui la connaissaient la croyaient ailleurs. Elle ne pouvait néanmoins être Sojourner en raison de sa taille, 1,64 m d'après le signalement. Une fois toutes ces possibilités éliminées, on jetterait le filet un peu plus loin...

Wexford convoqua l'équipe à dix-sept heures pour mettre en commun ce que chacun avait découvert et, pour sa part, proposa l'hypothèse Demsie Olish. Une jeune fille qui avait été son amie et résidait dans le Yorkshire viendrait voir le corps le lendemain. Pour plus de sûreté, si elle ne l'identifiait pas, on demanderait à Dilip Kumari de tenter de le faire. Sa femme n'avait que dix-huit ans.

Claudine Messaoud s'était montrée aussi obligeante que son mari était retors. Burden semblait l'avoir appréciée, ce qui marquait une sorte de triomphe pour l'entente entre les races. Même si elle ne connaissait aucune femme noire âgée de seize à vingt ans et susceptible d'avoir disparu, elle orienta Burden vers l'église qu'elle fréquentait de même que d'autres familles noires. C'étaient les Baptistes de Kingsmarkham. Le ministre du culte dit à Burden que la plupart des familles noires de la ville avaient un représentant parmi eux, habituellement une femme d'âge mûr. Mais ils n'étaient guère nombreux.

« Laurette Akande va elle aussi là-bas. Donc, ça ne nous laisse que quatre familles. J'en ai vu une, mais c'est un jeune couple dont les enfants n'ont que deux et quatre ans. J'ai pensé que Karen aurait peut-être envie de parler aux autres.

— Karen ? demanda Wexford en se tournant vers elle.

— Bien sûr. J'irai ce soir. Mais je me demande si je n'ai pas déjà vu deux de ces familles, dont les enfants vont au lycée public. Deux filles de seize ans et un garçon de dix-huit ans, qui tous vivent actuellement dans leur foyer, ce que j'ai vérifié.

— Cela nous laisse les Ling, dit Burden. Mark et Mhonum, M.H.O.N.U.M., sur Blakeney Road. Il est de Hong Kong et dirige un fast-food, le Moonflower. Elle est noire, et s'ils ont des gosses on ne connaît pas leur âge. C'est elle, l'unique patiente noire du docteur Akande. »

Pemberton avait parlé à un membre de la Haute Commission de Gambie. Ils avaient bien conscience que leur ressortissante Demsie Olish avait disparu, et « suivaient le problème de près ». Les nombreuses autres ambassades africaines avaient eu encore moins à lui offrir. Dans le registre national, il avait resserré son champ d'investigation pour ne conserver que les cinq femmes dont le signalement concordait le plus avec celui de Sojourner. Les proches parents ou, à défaut — car les parents faisaient souvent défaut —, des amis devraient être convoqués à Kingsmarkham pour accomplir la tâche pénible de l'identification.

D'après les calculs de Wexford, dix-huit personnes noires vivaient à Kingsmarkham, peut-être une demi-douzaine de plus à Pomfret, Stowerton et dans les villages. Ce nombre incluait les quatre Akande, Mhonum Ling, neuf personnes parmi lesquelles trois des familles pratiquantes, une mère et son fils qui étaient les autres Baptistes noirs de Kingsmarkham, deux hommes inscrits au Centre. Melanie Akande et la sœur d'un des Baptistes constituaient les deux demandeuses d'emploi noires du Centre.

Les Epson, qui vivaient à Stowerton, étaient le couple dont Sylvia avait dû prendre les enfants en charge. Il était noir, elle blanche. Un an plus tôt ils étaient partis en vacances à Ténériffe, laissant leur enfant de neuf ans garder son petit frère de cinq ans. Ils étaient à nouveau en voyage, mais quand Karen avait téléphoné une gouvernante avait répondu. La femme, harassée et à bout de nerfs, ne connaissait pas de jeune fille noire âgée de dix-sept ans ayant disparu.

« Ces garçons, ces jeunes qui traînent tout le temps devant le Centre, je ne crois pas que ce soit toujours les mêmes, mais le jour où j'y suis allé lorsqu'on a trouvé Annette morte, l'un d'eux était noir. Des tresses et une grande casquette en tricot. Puisque nous semblons bien partis pour repérer et classer tous les Noirs de Kingsmarkham — ça ne me plaît pas, mais il faut en passer par là —, que faisons-nous de lui ? Quelle est sa place dans tout ça ?

— Il n'était pas là aujourd'hui, dit Barry, qui se tourna vers Archbold. Il n'y était pas, n'est-ce pas, Ian ?

— Je ne l'ai pas vu. Vous avez une mère et son fils sur la liste. C'est peut-être le fils.

— Et c'est probablement mon jeune de dix-huit ans, dit Karen.

— Pas si le vôtre va encore au lycée. Ou alors il passe son temps à sécher ! Il va falloir le retrouver. »

Wexford les regarda tour à tour, se sentant soudain infiniment plus vieux qu'eux tous. Il retint les mots qu'il s'apprêtait à prononcer. Pas facile, hein ? Chez eux, les mères ne vont pas toutes à l'église. La plupart d'entre eux arrêtent très tôt l'école ou ne font pas d'études supérieures. Quant aux ambassades, nous oublions, nous oublions toujours que la majorité de ces gens sont britanniques, qu'ils sont aux termes de la loi aussi britanniques que nous. Ils ne sont pas fichés, ils n'ont pas de dossiers, pas de carte d'identité. Et ils glissent à travers les mailles du filet.

Elle était toute jeune et, quoique très brune avec son teint mat et ses longs cheveux noirs, d'apparence fragile. Yasmin Gavilon de Harrowgate, l'amie de lycée de Demsie Olish, ne semblait pas fixée sur ce qu'on attendait d'elle et souffrait d'une extrême timidité. Wexford aurait préféré que quelqu'un d'autre la conduise là-bas, mais c'était une besogne qu'il ne pouvait déléguer. Le souvenir de ce qui s'était passé la dernière fois était encore frais dans son esprit. Et cette fille avait l'air si jeune ! Elle ne faisait pas du tout ses vingt ans.

Il lui avait déjà expliqué trois fois que le corps qu'elle allait voir n'était peut-être pas, très probablement pas celui de Demsie. Elle devait simplement regarder et lui dire la vérité. Mais, baissant la tête vers ce visage confiant et perplexe, à l'air si candide, si totalement inexpérimenté, il fut à deux doigts de lui dire de partir, de prendre le prochain train pour rentrer chez elle, et qu'il trouverait quelqu'un d'autre pour regarder le corps de Sojourner.

L'odeur de formaldéhyde se répandait comme un gaz. La couverture en plastique fut repliée, le drap tiré. Yasmin regarda. Son expression ne s'altéra pas plus que lorsqu'on l'avait fait entrer dans le bureau de Wexford et qu'on le lui avait présenté. De même qu'elle avait dit bonjour, elle murmura : « Non. Non, ce n'est pas elle. » Le ton était identique.

Wexford la raccompagna jusqu'à la sortie. Il lui posa de nouveau la question.

« Non. Non, ce n'est pas Demsie. Je suis contente que ce ne soit pas elle. »

Elle essaya de sourire, mais son visage avait pris une pâleur verdâtre et elle dit très vite :

« Je veux aller aux toilettes, s'il vous plaît. »

Quand on lui eut fait boire du thé chaud sucré et qu'on l'eut déposée à la gare en voiture, Dilip Kumari arriva. Si Wexford l'avait croisé dans la rue, s'il n'avait pas su son nom ni entendu sa voix, il l'aurait pris pour un Espagnol. Kumari s'exprimait dans l'anglais châtié, bien qu'un peu chantant comme le gallois, de l'Indien né aux Indes. Il était sous-directeur à la NatWest Bank de Stowerton, sur la rue principale, et avait la quarantaine bien sonnée.

« Votre femme est très jeune, remarqua Wexford.

— Trop jeune pour moi ? Est-ce là ce que vous voulez

dire ? Vous avez raison. Mais cela ne se voyait pas, à l'époque. »

Il était philosophe, fataliste, presque désinvolte. Et, comme cela apparut bien vite, aussi convaincu qu'il pouvait l'être sans l'avoir vue que Sojourner n'était pas Darshan Kumari.

« Pour autant que je sache elle s'est enfuie avec un garçon de vingt ans. Bien entendu, si c'est elle, ce dont je doute au plus haut point, cela m'évitera les soucis et les frais d'un divorce. »

Il s'esclaffa, peut-être pour montrer à Wexford qu'il n'était pas tout à fait sérieux. Ils entrèrent et Sojourner fut une fois de plus exhibée.

« Non. Non, vraiment pas, dit-il, et dehors il ajouta : Vous aurez plus de chance la prochaine fois. Savez-vous, par hasard, si l'on peut divorcer d'une femme qui reste introuvable ? Peut-être seulement au bout de cinq ans, hélas, trois fois hélas. Je me demande ce que la loi dit en la matière. Il faudra que je vérifie. »

A travers quelles mailles avait-elle glissé ? Les mêmes, peut-être, que le garçon aux cheveux tressés et à la casquette multicolore qui n'était pas devant le Centre pour l'emploi quand Wexford y arriva dix minutes plus tard. Le garçon au crâne rasé, lui, était là, cette fois en tee-shirt si délavé que le dinosaure qui y était dessiné n'était plus que l'ombre de lui-même, ainsi que le jeune à queue de cheval et en treillis, qui fumait cigarette sur cigarette. Ils étaient en compagnie d'un petit gros aux boucles dorées peignées en arrière pour le faire paraître plus grand, et d'un autre, difficile à décrire autrement que par son acné et son short. Mais le jeune Noir aux cheveux tressés n'était pas là.

Deux d'entre eux étaient assis du côté droit de la balustrade rugueuse, écornée et tachée, et les deux autres à gauche, où il y avait aussi un petit tas de détritus — boîtes de Coca vides et enfoncées, paquets de cigarettes écrasés. Le garçon à queue de cheval fumait une cigarette qu'il s'était roulée. Le boutonneux laissait traîner ses pieds dans une couche de mégots, décrivant des boucles et des cercles dans les cendres du bout de ses bottes noires en toile lacées jus-

237

qu'en haut. Il rongeait ses cuticules. Au moment où Wexford s'approchait, son voisin d'en face, celui au dinosaure pâle sur le torse, eut l'idée divertissante de jeter la poignée de gravier qu'il avait dans la main sur le tas de boîtes vides, son but étant peut-être de déloger celle du haut pour l'envoyer rouler un étage plus bas.

Pas plus que ses compagnons, il n'eut de regard pour Wexford. Celui-ci dut leur dire par deux fois qui il était avant d'obtenir leur attention, après quoi le petit gros leva la tête vers lui, vraisemblablement parce qu'il était le seul à ne pas avoir d'autre occupation.

« Où est votre ami ?

— Quoi ?

— Où est votre ami ? Celui au chapeau rayé ? »

C'était une façon d'éviter de le désigner par son origine ethnique. Wexford s'exhorta à en finir avec ces vaines susceptibilités, et précisa :

« Le Noir aux cheveux tressés.

— Je sais pas de quoi vous parlez.

— Il parle de Raffy. »

Un caillou atteignit sa cible, une boîte vacilla et tomba.

« Ça peut être que Raffy.

— Oui, c'est de lui. Vous savez où il est ? »

Personne ne répondit. Le fumeur fumait, concentré, comme engagé dans une étude sur la mémoire et la faculté de déduction. Le rongeur d'ongles rongeait ses cuticules et continuait à faire des cercles du bout du pied dans les cendres du fumeur. Le jeteur de cailloux jeta sa poignée de gravillons par-dessus son épaule et sortit un paquet d'où il tira une cigarette. Ayant lancé à Wexford le genre de regard qu'on aurait pour un chien dangereux provisoirement paisible, le gros aux cheveux blonds s'écarta du mur et entra au Centre pour l'emploi.

« Je vous ai demandé si vous savez où il est.

— Ça se pourrait, dit le lanceur de cailloux.

— Alors ?

— Je sais p'têt où est sa mère.

— Ça ira pour commencer. »

Ce fut le rongeur de cuticules qui lui donna l'information. Il parla comme si seul un fou vivant dans son univers schizophrénique pouvait ignorer cette évidence.

« Elle fait passer les petits mioches devant Thomas Proctor. »

Cette phrase, sous ses apparences sibyllines, apprit aussitôt à Wexford sans qu'il eût besoin de réfléchir pour la décoder que la mère de Raffy était la gardienne de passage clouté qui, à neuf heures et à quinze heures trente, faisait traverser la rue aux enfants de l'école primaire Thomas Proctor.

« Il a une sœur ? » demanda-t-il au jeteur de cailloux.

Les épaules minces se soulevèrent et retombèrent.

« Une copine ? »

Ils se regardèrent et éclatèrent de rire. Le blond ressortit et le rongeur de cuticules lui chuchota quelques mots. Lui aussi se mit à rire, et ce rire communicatif les secoua tous. Wexford hocha la tête et rebroussa chemin.

16

U NE LUNE RONDE apparaissait derrière les branches tor-
dues d'un cerisier dont les fleurs avaient une invrai-
semblable nuance rose vif. Cette image, peinte sur un rou-
leau de bambou, se répétait tout au long de la salle d'attente
du « Moonflower — Vente à emporter ». C'était, à la connaissance de Wexford, le seul endroit où on laissait la radio
et la télévision allumées en même temps. Les clients, en
attendant leur riz frit et leur poulet au citron, ne regardaient
jamais la lune à travers les fleurs de cerisier mais seulement
la télévision quand il y avait du sport.

Ce midi, la radio émettait une chanson de Michelle
Wright, *Baby, don't Start with me*, et la télévision passait
une rediffusion de *South Pacific* [1]. Karen Malahyde entra au
Moonflower au moment où Mitzi Gaynor, en concurrence
farouche avec la chanteuse de country, chantait *Wash that
Man Right out of my Hair*. Karen s'approcha du comptoir
où une femme distribuait les commandes à mesure qu'elles
arrivaient du fond.

Le restaurant étant disposé en L, on pouvait voir Mark
Ling, dans sa cuisine en acier luisant, jongler avec une
demi-douzaine de woks pendant que son frère lui parlait en
transvasant un sac de riz.

Mhonum Ling était une petite femme solide dont la peau

1. Comédie musicale américaine, montée à Broadway en 1945.
(*N.d.T.*)

avait la couleur d'un grain de café, et les cheveux raidis, encore un peu crépus, l'éclat lustré d'un gisement de charbon. Dans sa blouse blanche rappelant celle d'un médecin, elle distribuait des barquettes en aluminium pleines de chow mein et de porc aigre-doux aux clients dont le numéro s'allumait en rouge sur le panneau au-dessus de sa tête. Cela ressemblait un peu à une version plus gaie du Centre pour l'emploi, où les clients étaient assis sur des chaises en rotin, à lire *Today* et le *Sporting Life*.

Quand Karen lui dit ce qu'elle voulait, Mhonum Ling appela son beau-frère d'un signe assez péremptoire et lui désigna le comptoir du menton. Il vint aussitôt. Elle regarda la photographie.

« Qui c'est ?

— Vous ne savez pas ? Vous ne l'avez jamais vue ?

— Jamais de la vie. Qu'est-ce qu'elle a fait ?

— Rien. Elle n'a rien fait. Elle est morte. Vous n'avez pas vu les informations à la télé ?

— Nous, on a du travail à faire, dit Mhonum avec fierté. On a pas le temps de regarder ça. »

D'une longue griffe rouge prune, elle fit presser son beau-frère qui, tout à sa conversation avec un client, n'avait pas vu arriver derrière lui une commande de riz frit et de pousses de bambou. Elle lança aux clients un coup d'œil sévère.

« Pas le temps de lire les journaux non plus.

— D'accord, donc, vous ne la connaissez pas. Mais il y a un jeune d'environ dix-huit ans, qui a une coiffure rasta et qui porte toujours une grande casquette en tricot. C'est le seul qui corresponde à ce signalement par ici. Ce n'est pas votre fils ? »

Pendant une fraction de seconde, Karen crut que Mhonum allait répondre qu'elle n'avait pas le temps d'avoir des enfants. Mais celle-ci lui dit :

« Raffy ? On dirait Raffy. Oublie pas les petits gâteaux à oracles, Johnny. Quand ils ont pas leurs petits gâteaux, ils sont pas contents.

— Donc, c'est un parent à vous ?

— Raffy ? Raffy est mon neveu, le fils de ma sœur.

241

Deux ans qu'il a quitté le lycée et toujours pas de boulot. Il en aura jamais, du boulot, y en a pas. Ma sœur Oni, elle voulait que Mark lui en donne ici, juste pour aider en cuisine. Elle a dit qu'une autre paire de bras nous serait bien utile, mais pour quoi faire ? On a pas besoin d'une autre paire de bras et on est pas une œuvre de charité, on est pas en Afrique à faire du bénévolat. »

Karen lui demanda où habitait sa sœur et Mhonum lui fournit l'adresse.

« Mais elle sera pas chez elle, elle est au travail. Elle a du travail, elle. »

Dans l'espoir de trouver Raffy chez lui, Karen passa par Castlegate, l'unique tour de Kingsmarkham, où Oni et Raffy Johnson habitaient l'appartement 24. Ce n'était pas vraiment une tour, une simple HLM de huit étages dont le conseil municipal aurait aimé vendre les logements aux occupants, si ces occupants avaient été prêts à acheter. Wexford avait prédit que bientôt ils n'auraient d'autre choix que de la démolir pour tout reconstruire. Le 24 se trouvait au sixième étage et, comme d'habitude, l'ascenseur était en panne. Alors qu'elle arrivait en haut, Karen était sûre que Raffy ne serait pas là. Elle avait raison.

Qu'est-ce qui faisait penser à Wexford que ce Raffy pourrait les aider ? Il n'avait aucun lieu de le croire, pas la moindre preuve, rien qu'un pressentiment. On pouvait appeler cela de l'intuition et parfois, elle le savait, il montrait une intuition spectaculaire. Il fallait qu'elle ait foi, qu'elle se persuade que si Wexford jugeait utile de retrouver Raffy parce que Raffy avait un lien avec la solution, c'est que c'était possible. Sojourner avait un rapport, peut-être infime, avec ce garçon dont la tante parlait avec tant de mépris.

Elle rentra au poste juste au moment où la Jaguar de Kashyapa Begh entrait majestueusement dans l'avant-cour, et Wexford lui demanda d'accompagner le visiteur à la morgue. Kashyapa Begh était un vieil homme ridé aux cheveux d'un blanc de neige. Il portait un costume à rayures fines et une chemise immaculée, avec, piquée dans sa cravate en soie rouge, une épingle ornée d'un gros rubis et de

242

deux petits diamants. Il hérissa Karen en lui demandant pourquoi il était escorté par une femme pour une aussi grave besogne. Elle ne dit rien, se souvenant que, selon toute probabilité, cet homme aidé des membres masculins de sa famille avait assassiné une jeune fille pour l'empêcher d'épouser celui qu'elle avait choisi. Jetant un regard sur le corps sans chercher à dissimuler son dégoût, Kashyapa Begh dit d'un ton outré :

« Cela a été une complète perte de temps.

— Je le regrette, Mr Begh. Nous sommes obligés de procéder par élimination.

— Procédé idiot ! » dit Kashyapa Begh, avant de s'éloigner d'un air hautain en direction de sa voiture.

A peine avait-il disparu qu'un véhicule de police amena Festus Smith, un jeune habitant de Glasgow dont la sœur de dix-sept ans avait disparu depuis le mois de mars. Sa réaction devant le corps fut sensiblement la même que celle de Begh, à ceci près qu'il ne dit pas qu'avoir parcouru six cents kilomètres pour le voir avait été une perte de temps. Après lui vint Mary Sheerman de Nottingham, dont la fille avait disparu alors qu'elle rentrait chez elle après le travail, un vendredi de juin. Carina avait seize ans et avait fugué une fois, juste avant son quatorzième anniversaire, mais elle n'était pas la jeune morte qui reposait à la morgue.

En se rendant chez Carolyn Snow, Wexford songeait que Sojourner était une fille de la région, qu'elle avait vécu dans cette ville ou dans ses environs. Elle n'avait pas glissé à travers les mailles du filet : simplement, sa disparition n'avait jamais été signalée. Parce qu'elle était passée inaperçue ? Ou n'était-ce pas plutôt que ceux qui savaient voulaient dissimuler son absence, de même qu'ils avaient voulu dissimuler son existence ?

Carolyn Snow était assise dans un fauteuil-relax rayé dans le jardin derrière la maison. Elle lisait justement le genre de roman moderne d'où il avait dit à Burden qu'elle tirait sa connaissance des mots orduriers. Ce fut Joël qui l'y conduisit. Il y avait bien longtemps que Wexford n'avait pas vu une telle expression de désespoir, d'égarement et de chagrin sur le visage d'un adolescent.

Carolyn Snow leva à peine les yeux.

« Oui ? Qu'est-ce qu'il y a encore ?

— J'ai pensé que j'allais vous donner l'occasion de dire enfin la vérité, Mrs Snow.

— Je ne sais pas de quoi vous parlez. »

Une autre loi de Wexford était qu'aucune personne sincère ne fait cette remarque. Elle est la propriété exclusive des menteurs.

« Moi, en revanche, je sais fort bien que vous ne m'avez pas dit la vérité en affirmant que votre mari est sorti le soir du 7 juillet. Je sais qu'il a passé toute la soirée ici. Mais vous avez prétendu qu'il était sorti et, qui plus est, vous avez encouragé votre fils, un garçon de quatorze ans, à se faire complice de ce mensonge. »

Elle posa le livre à l'envers sur le siège, à côté d'elle. Wexford resta debout. Elle leva les yeux vers lui et une légère rougeur lui monta aux joues. Le pli de ses lèvres était presque un sourire.

« Alors, Mrs Snow ?

— Oh ! Et puis après ? Merde alors ! Je lui ai donné quelques nuits blanches. Je l'ai puni. Bien sûr qu'il était à la maison ce soir-là. C'était seulement pour plaisanter que j'ai dit le contraire, et ça a été assez facile de duper tout le monde. J'ai raconté en détail à Joël ce qu'il avait fait, et je lui ai aussi parlé de cette Diana. Il aurait fait n'importe quoi pour m'aider. Il y a tout de même des gens qui se soucient de moi, vous savez. »

Son sourire était franc cette fois-ci, un sourire épanoui, éclatant, un peu hystérique.

« Il est dans un état épouvantable, il croit vraiment qu'on peut lui faire endosser le meurtre de cette garce.

— Nous n'avons rien à retenir contre lui, dit Wexford. C'est vous que je vais faire inculper pour entrave à la police dans l'exercice de ses fonctions. »

Il s'était fait naturaliser australien et avait déjà un fort accent du pays. Vine lui avait à peine serré la main et dit

« Bonjour, Mr Colegate » que l'homme s'était lancé dans un discours enflammé contre la famille royale et sur les vertus de la République.

Sa mère, chez qui il séjournait à Pomfret, passa la tête dans l'entrebâillement de la porte pour demander à Vine s'il désirait du thé. Stephen Colegate s'exclama : « Pas de thé, par pitié ! » et demanda en maugréant ce qu'on reprochait au café.

« Rien pour moi », dit Vine.

Deux fillettes accoururent dans la pièce, un scott-terrier sur les talons. Elles bondirent sur le sofa, les bras en l'air, en piaillant. Colegate les contempla avec satisfaction.

« Mes filles. Je me suis remarié à Melbourne. Ma femme n'a pas pu nous accompagner, elle a un poste à responsabilités. Mais j'avais promis à ma mère de venir au Royaume-Uni cette année, et quand je dis quelque chose, je m'y tiens. Emmène le petit chien dans la cour, Bonita.

— Donc, vous n'êtes pas revenu pour les obsèques de votre ex-femme ?

— Bon Dieu non ! Quand je me suis débarrassé d'Annette, c'était pour de bon. A la vie, à la mort, et au-delà du tombeau. »

Il éclata d'un rire sonore. L'idée vint à Vine qu'Annette Bystock avait eu un goût déplorable en matière d'hommes. Les deux petites filles sautèrent du sofa et prirent la fuite, la plus jeune décochant au passage un coup de pied au chien.

« Quand êtes-vous arrivé dans ce pays, Mr Colegate ?

— Pourquoi diable aurais-je tué Annette ?

— Si vous vouliez simplement me dire quand vous êtes arrivé, monsieur.

— Oh, bien sûr. Je n'ai rien à cacher. C'était samedi dernier. Je suis venu par Qantas, pour rien au monde je n'aurais voyagé sur une compagnie rosbif. J'ai loué une voiture à Heathrow, les gosses ont dormi pendant tout le chemin. Je peux tout prouver. Vous voulez voir mon billet ?

— Ça ne sera pas nécessaire. »

Vine lui montra la photo de Sojourner mais il fut clair, au regard indifférent de Colegate, qu'il ne l'avait jamais

245

vue. Le café arriva, apporté par une femme craintive qui n'avait pas l'habitude d'en faire.

« Je ne suis venu que samedi, hein m'man ? dit Stephen Colegate.

— Et c'est bien dommage ! Tu m'avais dit que tu venais le 6, je ne comprends toujours pas pourquoi tu as changé d'avis.

— Je te l'ai pourtant dit. Un truc m'est tombé dessus et je n'ai pas pu me défiler. Si tu dis ce genre de chose, il va penser que je suis venu plus tôt et que je me suis planqué quelque part pour étrangler Annette. »

Mrs Colegate poussa un petit cri perçant.

« Oh ! Stevie ! »

Elle reprit son souffle pendant que son fils, le nez froncé, écumait les grains qui flottaient à la surface du liquide brunâtre dans sa tasse.

« Je sais qu'il ne faut pas dire du mal des morts », commença-t-elle, et elle en était encore à décortiquer les défauts d'Annette et, par extension, ceux de ses parents, quand Vine prit tranquillement congé.

Lors des élections locales de Kingsmarkham, il était fort peu dans la pratique courante d'exposer des affiches portant la photographie du candidat. Dora, peu charitable, disait que c'était parce qu'ils étaient trop laids, et Wexford ne pouvait la contredire. Le représentant du Parti national britannique, avec son cou de taureau, sa figure rougeaude, ses cheveux gris taillés en brosse et ses petits yeux porcins, n'avait rien d'un prix de beauté, et le tory au visage de vautour, au nez en bec d'aigle et aux paupières lourdes n'était guère mieux. En revanche, de l'avis de la plupart des gens, Anouk Khoori serait un ornement qui rehausserait n'importe quelle fonction, et son affiche constituait la meilleure publicité qu'elle aurait pu imaginer pour elle-même.

Wexford s'arrêta pour regarder celle qu'on avait collée sur un panneau dans Glebe Road. Une simple photo, avec son nom et son étiquette politique. Elle lui souriait, et l'emploi judicieux du pinceau à air avait supprimé les rides qu'un tel sourire devait avoir creusées. Pour l'occasion, elle s'était fait une coiffure à boucles. Ses yeux étaient limpides, graves, sincères. L'école Thomas Proctor servirait de bureau de vote la semaine suivante, et cette affiche en était juste assez proche pour que ce visage s'attarde dans les mémoires.

Il était en avance mais des voitures étaient déjà garées le long du trottoir, attendant de prendre les enfants qui allaient sortir. On disait que c'était une bonne école, choisie par certains parents aisés plus susceptibles d'opter pour l'enseignement privé. Son gibier apparut à l'angle du bâtiment, portant un panneau de stop. De toute évidence, Karen Malahyde était sur la même piste. Par une trajectoire différente, elle avait elle aussi abouti à cette école, à ce passage piéton, car il la vit descendre d'une voiture qu'il avait prise pour celle d'un parent d'élève, et s'approcher de la femme qui était arrivée sur le trottoir.

Elle se tourna et l'aperçut.

« Les grands esprits se rencontrent, chef.

— J'espère qu'ils ne se sont pas égarés tous les deux, Karen. Son fils s'appelle Raffy. Vous connaissez leur nom de famille ?

— Johnson. Elle s'appelle Oni Johnson. »

Elle se risqua à poser la question qui la chiffonnait.

« Pourquoi pensez-vous que Raffy pourrait identifier le corps ? »

Il haussa les épaules.

« Nous n'avons pas plus de raisons de penser que Raffy la connaissait que ce vieux gredin de Begh. Ou que le Dr Akande, d'ailleurs. C'est peut-être qu'ils m'apparaissent tous deux comme des exclus. Des êtres irrécupérables dont personne ne se soucie beaucoup.

— Et c'est notre dernière chance ?

— Dans notre travail, Karen, ce n'est jamais la dernière chance. »

Les portes de l'école s'ouvrirent et les enfants commencèrent à sortir. La plupart portaient des sacs et des paquets en plus de leur cartable. C'était le dernier jour jusqu'à la rentrée, en septembre. Oni Johnson était une petite femme trapue d'une quarantaine d'années, engoncée dans sa jupe bleu marine. Elle avait une veste jaune fluorescente sur son chemisier blanc, et sur la tête un calot bleu marine. Elle se tenait au bord du trottoir tel un berger contraint de rassembler son troupeau sans l'aide d'un chien. Mais les enfants étaient des agneaux dociles. Ces gestes, ils les avaient déjà faits, ils les avaient répétés chaque jour.

Elle regarda à droite, à gauche, encore une fois à droite, puis elle descendit sur la chaussée en levant son panneau de stop. Le flot d'enfants la suivit. Wexford remarqua la benjamine des Riding, celle qui était à la garden-party avec son frère. Plus haut sur le trottoir, une petite fille brune qui portait des boucles d'oreilles en or monta dans une voiture dont la conductrice pouvait être Claudine Messaoud. Il voyait des Noirs partout, ces temps-ci. C'était toujours comme ça. Ensuite, ce fut un gamin de huit ou neuf ans ouvrant la portière d'une voiture — celle des Epson, mais conduite par quelqu'un dont il ne put voir le visage. Noir, cet enfant ne l'était pas vraiment, plutôt café au lait avec des cheveux châtains bouclés. Il l'était seulement dans la classification sans nuances de la société.

Oni Johnson arrêta de sa main levée le nouveau groupe d'enfants sur le trottoir. Elle revint vers eux, à pas lents et déterminés, remonta sur le trottoir et fit signe au trafic d'avancer. La petite Riding sauta dans la Range Rover de ses parents. L'automobile qui pouvait être celle des Messaoud passa en direction du sud, suivie d'un flot de voitures. Wexford s'approcha d'Oni Johnson et lui montra sa carte.

« Aucun motif d'inquiétude, Mrs Johnson. Simple formalité. Nous aimerions parler à votre fils. Est-ce que vous rentrez chez vous après votre travail ? »

Une lueur d'anxiété passa dans ses yeux.

« Mon Raffy... Qu'est-ce qu'il a fait ?

— Rien, pour autant que je sache. Nous voulons lui parler d'une certaine affaire, sur laquelle il pourrait avoir une information.

— Bon. Je sais pas quand il sera à la maison. Il rentre pour le thé. J'irai là-bas directement quand j'aurai fini ici. »

Elle laissa passer une voiture puis, brandissant son stop,

s'avança sur la chaussée, mais, sembla-t-il à Wexford, avec moins d'assurance cette fois.

Dans la première des voitures qui attendaient qu'elle fasse traverser les enfants, Jane Winster était au volant. Elle le vit et détourna les yeux. L'adolescent assis à côté d'elle avait bien plus de seize ans et devait venir d'une autre école, probablement du lycée d'Etat.

Wexford n'était pas loin de chez lui. Une petite tasse de thé rapide à la maison, et il irait rejoindre Karen à Castlegate. La dernière auto à passer fut une Rolls Royce dont le conducteur était Waël Khoori.

Sylvia et ses fils étaient là, attablés dans la cuisine avec Dora. Pour Ben et Robin c'était aussi le dernier jour de classe.

« J'envisage de suivre une formation. Pour être conseillère dans un centre médical.

— Eclaire ma lanterne, dit son père.

— Ils en ont une chez Akande, Reg, dit Dora. Tu n'as pas vu l'inscription sur la porte en descendant le couloir vers son bureau ? »

Robin détourna provisoirement son attention de son jeuvidéo.

« Conseillers, c'est comme ça qu'on appelle les avocats, en Amérique.

— Oui, mais pas ici. On m'enverra des patients pour que je leur recommande une solution préférable aux tranquillisants. L'idée, c'est ça. Et n'essaie pas de mettre ton grain de sel, Robin. Contente-toi de faire ton puzzle.

— *Ko se wahala.* »

Depuis longtemps, les membres de la famille s'abstenaient d'interroger Robin sur ses « pas de problème ». Sylvia avait pour théorie que si on l'ignorait, il finirait par se lasser. Pour un simple passage, celui-ci durait depuis pas mal de temps et rien n'indiquait qu'il était près de se terminer. Cela faisait des mois que parents, grands-parents et frère ne riaient plus, ne faisaient plus de commentaires et ne posaient plus de questions, mais pour une fois, Wexford demanda :

249

« Quelle est cette langue, Robin ?

— Du yorouba.

— Où la parle-t-on ?

— Au Nigeria. C'est chouette, tu trouves pas ? *Ko se wahala*. Bien mieux que *nao problema*, qui est pratiquement la même chose qu'en anglais.

— C'est quelqu'un de l'école qui te l'a appris ? demanda Wexford, plein d'espoir sans trop savoir pourquoi.

— Ouais. C'est Oni, dit Robin, visiblement très content de tant d'intérêt. Oni George. Elle est juste après moi sur le registre. »

Ainsi, Oni était un prénom nigérian... Raymond Akande était nigérian. Wexford fut soudain sûr, sans autre raison que son instinct, que Sojourner l'était aussi. L'autre Oni, Oni Johnson, avait dit qu'elle serait rentrée à dix-sept heures. Il avait une impression très forte, une intuition presque exacerbée qu'il était sur le point de tout élucider, de découvrir qui était Sojourner, quel lien il y avait entre elle et Annette et pourquoi on les avait tuées toutes les deux. Le garçon était la clef de l'énigme, ce Raffy au béret multicolore qui n'avait rien d'autre à faire toute la journée qu'observer, remarquer, enregistrer... ou traverser en aveugle le vide de son existence.

Quand il arriva à Castlegate un peu après dix-sept heures, Karen l'attendait. La palissade, devant le pâté de maisons, était couverte d'affiches d'Anouk Khoori, pas moins de dix placardées côte à côte. Karen et lui traversèrent la cour dont le sol de béton était cassé. Un chien, un renard ou peut-être un humain avait déchiré un des sacs-poubelle en plastique noir entassés devant l'entrée principale, semant derrière lui des os de poulet, des barquettes de plats à emporter, des sachets de légumes congelés. Le temps s'était réchauffé au fil de la journée, et une odeur presque chimique de pourriture montait des sacs.

Wexford se rappelait encore l'époque où une demeure victorienne de style gothique, ornée de tourelles et de créneaux, s'élevait à cet endroit. Pas très belle, plutôt grotesque mais intéressante. Son jardin était un arboretum d'es-

250

sences rares. Tout avait disparu dans les années 60 et, en dépit du mécontentement général, de pétitions et même d'une manifestation, on avait bâti Castlegate sur le site. Même ceux qui autrement auraient été sans logis le détestaient. Wexford poussa les battants de la porte d'entrée, ce qui fit vibrer la vitre craquelée.

« L'ascenseur est hors service, dit Karen.

— Et c'est maintenant qu'elle le dit. C'est à quel étage ? Si ce garçon n'est pas chez lui, on ferait aussi bien de l'attendre ici.

— Ce n'est qu'au sixième, chef. Mais si vous voulez que je monte voir, je...

— Non, non, bien sûr que non. Où est l'escalier ? »

Les murs en béton étaient couverts d'une peinture crème écaillée, le sol d'un motif de carreaux gris en camaïeu, qui avec l'usure s'étaient fendus et avaient pris la couleur de la poussière de charbon. Sur la cage de l'ascenseur en panne, un graffiti à la bombe proclamait : « Gary est un gros dégueulasse. »

« Ils vont abattre tout l'immeuble », dit Karen comme s'il lui incombait de s'excuser pour les défauts de Castlegate, son aspect sordide et son délabrement qui n'étaient pas sans rappeler le cœur de Londres. « Tout le monde a été relogé, sauf les Johnson et une autre famille. Par ici, chef. L'escalier est à gauche. »

Elle étouffa un cri en portant la main à sa bouche. Un dixième de seconde plus tard, Wexford découvrit à son tour ce qu'elle venait de voir.

Au pied des marches en béton, une femme ou son cadavre gisait sur le carrelage. Sa tête baignait dans une mare de sang. Oni Johnson n'était jamais arrivée chez elle.

17

Dans le service des soins intensifs de l'Hôpital royal de Stowerton, Oni Johnson oscilla toute la nuit entre la vie et la mort. Au sein de ce si petit monde, elle était sous la responsabilité de l'infirmière-chef Laurette Akande, qui dirigeait cette salle depuis un an. Les blessures d'Oni n'étaient pas toutes consécutives à sa chute, même si apparemment elle avait roulé sur toute la hauteur de l'escalier depuis le sixième étage. Elle présentait une ecchymose sur le côté gauche de la tête alors qu'elle avait heurté le sol du côté droit, c'est pourquoi un policier montait la garde jour et nuit devant sa porte, et Wexford traitait l'affaire comme une tentative de meurtre.

Ou comme un meurtre, si elle mourait. Laurette Akande lui dit qu'elle doutait qu'Oni Johnson survive à ses blessures. Les deux jambes étaient cassées, de même la cheville gauche ; trois côtes, le radius droit et le pelvis étaient fracturés, mais la blessure la plus grave était l'enfoncement de la boîte crânienne. Une chirurgie du crâne était indispensable pour la sauver, et l'opération devait être réalisée par le Dr Algernon Cozens, neurochirurgien, le vendredi après-midi. Son fils qui était resté à son chevet des heures durant, les yeux dans le vide, des larmes roulant sur ses joues, avait signé le formulaire d'accord avec la lenteur d'un robot dont le mécanisme est grippé.

« C'est curieux que l'agression ait eu lieu juste avant

notre arrivée, dit Karen à Wexford, qui acquiesça pensivement.

— On sait avec quelle arme ?

— A mains nues. Celui qui a fait le coup l'attendait au sommet de l'escalier, et quand il l'a vue apparaître il lui a balancé un coup de poing au visage qui l'a envoyée rouler jusqu'en bas. Il n'avait plus qu'à dévaler les marches après elle, en la bourrant de coups de pied, et à prendre la fuite dix minutes avant que nous y soyons.

— Sojourner a été assassinée à mains nues, dit Burden. Rappelez-vous ce que Mavrikiev a dit : elle a été tuée à coups de poing.

— Oui. C'est le seul lien que nous ayons, et ce n'est pas grand-chose.

— Où était le fils ?

— Quand tout cela est arrivé ? On dirait qu'il ne sait jamais très bien ce qu'il a fait de sa journée. Un fait est sûr : il n'était pas à Castlegate. D'après la bande qui traîne devant le Centre pour l'emploi, il a passé une partie de l'après-midi avec eux mais ils sont incapables d'être plus précis. Normal. Il va, il vient. Il fait la manche.

— Quoi ? Il mendie ?

— Ils le font tous, Mike, s'ils voient un bienfaiteur potentiel. Il m'a pris pour tel. Je suppose que je devrais en être flatté. Nous le cherchions, vous vous rappelez, quand on a emporté sa mère à l'hôpital, et je l'ai croisé. Il marchait dans Queen Street en direction de Castlegate. Il a tendu la main et m'a dit : "T'as de quoi m'payer une tasse de thé, mon pote ?" Quand je lui ai dit qui j'étais et ce qui s'était passé, j'ai cru qu'il allait tourner de l'œil. »

Trois heures plus tard, Raffy Johnson et lui avaient eu une petite conversation. Mais Raffy n'avait jamais vu de jeune fille noire à Kingsmarkham. « Rien que des vieilles », dit-il à Wexford. Et Melanie Akande ? voulut savoir le policier. L'avait-il déjà vue ?

Un air bizarre, mi-humilié mi-dédaigneux, se peignit sur les traits de Raffy, et Wexford comprit avant qu'il eût parlé que ces enfants d'immigrés étaient déjà contaminés par le mal anglais. Leur peau noire ne les avait pas sauvés.

« C'est qu'elle est d'un milieu différent, quoi. Son père est un docteur. »

La race, la misère et un certain système de caste l'avaient condamné à un célibat solitaire, car l'idée ne semblait jamais l'avoir effleuré de parler, et encore moins d'essayer de se lier, avec une jeune fille blanche.

« Votre mère est du Nigeria, c'est bien ça ?

— C'est ça. »

Il regarda Wexford d'un air déconcerté. Il n'avait jamais interrogé sa mère sur son pays natal et, faute d'avoir demandé, n'avait reçu aucune information à ce sujet. Il savait seulement qu'elle était venue ici avec sa sœur lorsqu'elles étaient très jeunes, et qu'après la sœur avait épousé un Chinois. Wexford ne s'intéressait pas à l'identité du père de Raffy, si le garçon la connaissait. Il semblait savoir si peu de choses ! Sans passion et sans talent, sans ambition et sans espoir, il vivait au jour le jour avec l'unique désir de vagabonder dans les rues de la ville qui ne lui avait rien donné.

« Je lui ai demandé s'il savait pourquoi quelqu'un aurait voulu tuer sa mère, relata Wexford. Je m'attendais à de l'indignation, je m'attendais à un choc. Je ne m'attendais pas à ce sourire nerveux. Il m'a regardé comme si je le faisais marcher. Il était presque gêné.

— Mais il prend la chose au sérieux, maintenant ?

— Je ne sais pas. J'ai tâché de lui faire comprendre que quelqu'un avait tenté d'assassiner sa mère. Dieu sait qu'il doit en voir tous les jours de sa vie, des meurtres, à la télévision, mais pour lui la télé, c'est l'imaginaire, et la vie la réalité — exactement ce qu'ils sont censés être, sauf qu'on nous répète à tout bout de champ que les jeunes ne font pas la part des choses.

— Le meurtrier n'aurait pas pu se tromper et prendre Oni Johnson pour Raffy ? suggéra Karen avec hésitation. Il ne faisait pas très clair là-haut.

— Même dans l'obscurité, personne ne prendrait Oni pour son fils. D'abord, il fait six ou sept centimètres de plus. Il est maigre comme un clou et elle plutôt enveloppée.

Non, c'est après Oni que notre tueur en avait. Pourquoi ? Je n'en ai pas la plus petite idée. »

Les seuls autres habitants de Castlegate, un couple marié, étaient au travail à cette heure-là. Il n'y avait personne dans les parkings vides qui entouraient la cité. On aurait dit que celle-ci était déjà abandonnée aux équipes de démolition, les quatre personnes qui y vivaient encore étant presque oubliées. L'agresseur d'Oni Johnson aurait difficilement trouvé un endroit plus propice pour tenter de tuer en secret, et en silence.

La suggestion de Karen fut définitivement écartée le lendemain, quand on chercha pour la seconde fois à attenter aux jours d'Oni Johnson.

Archbold était resté devant sa porte toute la nuit et Pemberton avait pris la relève au matin. Personne n'avait pu entrer à leur insu, mais ils n'avaient vu que le personnel de l'hôpital, des médecins, des infirmières, des techniciens et Raffy.

Ce fut l'infirmière Stacey Martin qui l'apprit à Wexford. Il entra dans la salle à neuf heures et elle le rejoignit devant la porte d'Oni, où Pemberton était déjà de faction.

« Voudriez-vous venir par ici, s'il vous plaît ? »

Elle le conduisit dans un bureau dont la porte était marquée « Infirmière ».

« J'ai pris mon service à huit heures ce matin, dit-elle. C'est l'heure où arrive l'équipe de jour. L'infirmière-chef était déjà là. Je suis directement allée voir Oni et j'ai trouvé bizarre que le drap soit remonté sur sa main.

— Je ne vous suis pas.

— Il fait chaud ici, comme vous l'avez sans doute remarqué. Nous maintenons cette température afin que les patients n'aient pas besoin de se couvrir. Le drap cachait le dos de sa main, là où passe l'intraveineuse. Je l'ai baissé et le fil n'était plus en place. Quelqu'un l'avait enlevé et l'avait obturé à l'aide d'une pince pour empêcher le liquide de s'épancher dans le lit. »

Il la dévisagea et vit qu'elle était encore sous le choc.

« Vous dites que quelqu'un l'a enlevé. Aurait-elle pu le faire elle-même ?

— Difficilement. Je suppose que c'est possible... Mais pourquoi l'aurait-elle fait ? »

Avant qu'il ait pu répondre, à supposer qu'il eût trouvé une réponse, la porte s'ouvrit et Laurette Akande entra. Elle le considéra de l'air d'une directrice d'école devant un élève turbulent. Il comprit pour la première fois à quel point elle le détestait.

« Mr Wexford, dit-elle d'un ton glacial. Puis-je vous aider ?

— Vous pouvez me dire ce qui passe dans le goutte-à-goutte fixé au bras d'Oni ?

— Dans l'intraveineuse ? Un traitement. Tout un cocktail médicamenteux. Pourquoi voulez-vous le savoir ? Oh, je vois ! L'infirmière Martin vous a fait part de ses soupçons ridicules !

— Mais le fil était bien débranché, Mrs Akande ?

— Infirmière Akande. Malheureusement oui. Il s'est débranché. Cela n'a eu aucune conséquence fâcheuse, l'état de Mrs Johnson n'a marqué aucune rechute... »

Elle changea de ton brusquement et ajouta, en adressant un sourire radieux à Stacey Martin : « Grâce à la promptitude de l'infirmière Martin. »

Elle conclut, légèrement sarcastique :

« Nous lui en sommes tous très, très reconnaissants. Venez, maintenant, je vous emmène voir Mrs Johnson. »

Elle était seule dans la chambre, en chemise de nuit blanche, le drap jusqu'à la taille, et non pas allongée mais calée contre des oreillers. Un des illustrés de Raffy était posé sur la table de chevet, mais Raffy n'était pas là.

« Est-elle lucide ? Peut-elle parler ? demanda Wexford.

— Elle dort, répondit Laurette Akande.

— Est-ce que le fils peut avoir débranché ?

— Personne n'a débranché, Mr Wexford. Personne n'a rien fait. L'aiguille de l'intraveineuse est sortie toute seule. C'est un incident regrettable, mais aucun mal n'en a résulté. D'accord ? »

Il y aurait une inspection, pensa-t-il, si l'infirmière Martin ou lui divulguaient la chose. Quant à l'infirmière-chef Akande, il était clair qu'elle n'avait aucune intention d'en parler à quiconque car elle y risquait sa place. Et d'ailleurs, à quoi bon ?

« J'aimerais rester ici, dit-il. Dans cette chambre.

— C'est impossible. Vous avez un agent devant la porte, c'est la procédure habituelle.

— Je serai seul juge de la procédure habituelle. Il y a des rideaux autour de ce lit. S'il faut donner des soins que la bienséance m'interdit de voir, vous pourrez les fermer.

— Dans toutes mes années de métier, je n'ai jamais entendu dire qu'un policier était resté dans une salle du service des soins intensifs !

— Il y a un début à tout », répliqua Wexford.

Il oubliait d'être poli, de compatir aux sentiments de cette femme, il oubliait même sa terrible bévue à la morgue.

« Je créerai un précédent. Si ça ne vous plaît pas, il faudra vous y faire sans quoi j'irai trouver le Dr Cozens pour qu'il m'y autorise. »

Les lèvres pincées, elle croisa les bras et le toisa, dominant la colère dont il avait déjà eu un échantillon. Puis elle fit un pas vers le lit et observa attentivement Oni Johnson. Elle secoua le fil de l'intraveineuse pendant deux ou trois secondes, considéra l'écran sur le mur et sortit dignement, sans un regard pour lui.

Soit lui, soit Burden devrait rester ici. Barry Vine, peut-être, et Karen Malahyde. Personne d'autre. Jusqu'à ce qu'elle parle et leur révèle ce qu'elle savait, il ne fallait pas la laisser seule. Il s'assit sur la chaise inconfortable et au bout d'une demi-heure, une infirmière qu'il n'avait encore jamais vue, thaïe ou malaysienne, lui apporta une tasse de thé. On ferma les rideaux autour du lit en fin de matinée, et à treize heures Algernon Cozens entra, suivi d'une cohorte d'internes et des infirmières Martin et Akande.

Personne ne prit garde à Wexford. Laurette Akande avait dû fournir une explication préalable sur sa présence, mais il aurait parié n'importe quoi avec n'importe qui que ce n'était pas la bonne. Il appela Burden depuis son téléphone portable et à quinze heures l'inspecteur vint prendre la relève, entrant en même temps qu'une Mhonum Ling extrêmement élégante. D'étroites chaussures à talons hauts lui donnaient dix centimètres de plus, et ses cheveux relevés en un échafaudage compliqué sur le sommet du crâne faisaient d'elle une femme de haute taille.

Selon l'usage consacré elle avait apporté des raisins, inutiles pour Oni qui était encore alimentée par perfusion. Elle sembla heureuse de voir Burden — c'était quelqu'un avec qui bavarder et partager les raisins, même s'il refusa d'un signe de tête lorsqu'elle lui en offrit.

Elle dit ignorer totalement pourquoi quelqu'un aurait voulu tuer sa sœur. Comme Raffy, elle fut embarrassée par la question et l'éluda dès qu'elle le put pour entamer la liste des infortunes et des erreurs d'Oni, poursuivie par la guigne depuis leur arrivée en Grande-Bretagne et éternelle victime de la vie. Elle se demandait comment faisait sa sœur pour être perpétuellement de bonne humeur. Mhonum n'avait pas d'enfant et, peut-être pour cette raison, cita Raffy comme le principal souci d'Oni. Il lui avait causé des problèmes depuis le jour de sa naissance. Et même avant, vu que le père avait décampé sitôt qu'Oni lui avait annoncé qu'elle était enceinte. Raffy avait été un cancre, il séchait continuellement l'école. C'était un bon à rien qui savait à peine écrire son nom. Il n'aurait jamais de travail, pointerait toute sa vie au chômage. L'industrieuse et prospère Mhonum hocha la tête et déclara que le seul bien qu'elle pouvait en dire était qu'il ne ferait pas de mal à une mouche.

« Votre sœur a-t-elle des ennemis ? demanda Burden, reformulant sa question.

— Des ennemis ? Oni ? Elle a même pas d'amis ! »

Mhonum jeta un grain de raisin dans sa bouche. Elle lança un coup d'œil par-dessus son épaule à la femme sous sédatif.

« Il y a que Mark et moi, et on est très pris. On a un commerce à faire tourner. Oni avait bien quelqu'un, continua-t-elle en chuchotant, mais il a vite déguerpi, elle lui a fait peur. Oh ! Elle était possessive à un point, vous imaginez pas. Elle voulait qu'il soit rien qu'à elle, mais il a filé comme le père à Raffy. C'est toujours la même chanson.

« — Voyez-vous une raison pour laquelle on aurait voulu tuer Mrs Johnson ? »

Elle lécha délicatement l'extrémité de ses doigts. Burden observa ses vêtements, un ensemble-pantalon en soie turquoise et des chaussures Bruno Magli. D'après ses calculs, il y en avait bien pour cinq cents livres.

« Personne veut la tuer, répondit-elle. Ces gens-là, ils tuent, c'est tout. Ils sont faits comme ça. Elle était là et ils l'ont tuée, c'est tout. »

Comme s'il ne le savait pas, comme s'il avait besoin d'explications dans ce domaine.

Le soir, Barry Vine releva Burden. Il avait apporté un jeu électronique qui appartenait à son fils et un manuel d'espagnol. Il étudiait l'espagnol à un cours du soir quand il réussissait à se libérer. En réponse à une convocation péremptoire, Wexford alla à Stowerton voir le chef de la police. La circulation était épouvantable en ce début de soirée et sa file roulait au pas à l'approche du rond-point. Dans le rétroviseur, il vit la voiture rose des Epson derrière lui, mais le visage du conducteur n'était qu'un pâle reflet. Il lui fallut encore un bon quart d'heure pour arriver chez Freeborn.

Il avait dit un jour à Burden que c'était la seule maison un tant soit peu attrayante dans l'affreux petit Stowerton. C'était un ancien presbytère, une vaste demeure entourée de plusieurs arpents de jardin.

« Ça va durer encore longtemps, Reg ? voulut savoir Freeborn. Deux filles assassinées, et maintenant cette femme à l'article de la mort !

— Oni Johnson se remet.

— Elle le doit plus à la chance qu'à vos initiatives. En y repensant, si elle est dans cet état-là, c'est à cause de vous. »

Wexford trouva la pilule amère. Il aurait pu rétorquer que si Karen et lui avaient été moins rapides, elle n'aurait pas tardé à mourir, couchée dans son propre sang sur le sol en béton de Castlegate. Il ne le fit pas. Une date parfaitement arbitraire lui vint en tête et il annonça qu'il aurait résolu toute l'affaire à la fin de la semaine suivante. Qu'on lui donne seulement une semaine.

« On ne vous a plus photographié une chope à la main, j'espère ? dit Freeborn avec un rire désagréable. Je n'ose plus regarder le journal, ces temps-ci. »

Barry passa toute la nuit dans la chambre d'Oni, et au matin Wexford vint le relayer sur sa chaise. Il vit un médecin entrer et fermer les rideaux du lit, une nouvelle infirmière secouer le fil de l'intraveineuse. Comment deviner qui voulait nuire à Oni ? Comment savoir si l'injection administrée par l'interne lui serait bénéfique, ou au contraire fatale ? Tout ce qu'il pouvait faire, c'était rester là et espérer que bientôt le temps viendrait où elle pourrait lui parler.

Raffy vint en milieu de matinée, portant son éternelle casquette en tricot bien qu'il fît chaud dehors et encore plus chaud dans le service. Il regarda ses bandes dessinées, sortit ses cigarettes et, se rendant peut-être compte que fumer serait le pire des manquements, les remit en place. Il resta assis une demi-heure avant de sortir à pas furtifs. Wexford l'entendit courir dans le couloir. Karen arriva dans l'après-midi, ce qui coïncida avec le retour de Raffy. Il entra en mangeant des frites enveloppées dans un papier gras.

« Si elle reprend conscience, si elle parle, faites-le-moi savoir immédiatement.

— Bien sûr, chef », dit Karen.

Cela se passa le dimanche, alors que Vine montait la garde. Raffy fut la première personne sur laquelle Oni posa les yeux. Elle tendit la main, saisit la sienne et la retint. Wexford les découvrit ainsi, le garçon l'air emprunté et un peu décontenancé, ses longs doigts dans ceux, courts et dodus, d'Oni. Elle sourit à Wexford et se mit à parler.

Une fois lancée, elle parla beaucoup, de la chambre qu'elle occupait, des infirmières, des médecins ; elle parla à Raffy de ses chances de trouver un emploi de brancardier. De ce qui lui était arrivé en haut de l'escalier de Castlegate, elle n'avait absolument aucun souvenir.

Wexford ne s'attendait pas à autre chose. L'esprit est indulgent envers le corps et lui permet de guérir sans les rechutes que des souvenirs douloureux et terribles pourraient occasionner. Mais il n'osait la quitter tant qu'elle ne lui avait pas révélé tout ce qu'elle savait. Si seulement elle avait eu conscience de ce que c'était ! Dieu vienne en aide à cette femme si un fait essentiel lui semblait trivial ou insignifiant, ou, pire, si elle l'avait oublié. Telle qu'elle avait repris connaissance, c'était une femme joyeuse et coopérative, prête à parler d'elle-même, de sa vie et de son fils, mais sa mémoire renfermait désormais deux segments de souvenirs, ceux de l'hôpital, qui remontaient à son réveil dans le service des soins intensifs le samedi précédent, et ceux de sa vie d'avant, qui s'achevaient brutalement alors qu'elle entrait à Castlegate le jeudi après-midi, passait devant l'ascenseur en dérangement et montait l'escalier.

« Cet ascenseur est toujours en panne, dit Oni. Mais, vous savez, j'ai toujours espoir. Toujours, je me dis : "Oni, peut-être qu'aujourd'hui ils l'ont réparé et que tu vas monter en t'envolant comme un oiseau." Mais jamais de la vie ! Je dois monter sur mes deux pieds. Je me dis : "Ces choses nous sont envoyées pour nous mettre à l'épreuve", et juste à ce moment-là tout devient noir, le sol me monte au visage, et je me réveille ici.

— Avant d'entrer dans l'immeuble, vous vous rappelez si vous avez vu quelqu'un ? Y avait-il quelqu'un dehors ?

— Pas une âme. Il était là-haut, il attendait de me flanquer son gros poing de boxeur dans la figure.

— Et vous n'avez pas idée de qui ce "il" pourrait être ? »

Elle secoua sa tête surmontée d'un bandage blanc épais. Sa propre expression, « gros poing de boxeur », qu'elle avait utilisée à plusieurs reprises, la faisait toujours rire. Elle avait cette curieuse habitude, commune aux Africains et aux Antillais mais presque incompréhensible pour les Européens, de rire joyeusement d'événements tragiques ou terrifiants. Son rire faisait trembler le lit et Wexford tourna la tête vers la porte, craignant qu'une infirmière alarmée prenne la surexcitation d'Oni pour un signe qu'il était temps de remettre la suite de leur conversation à un autre jour.

« Vous a-t-on menacée ? Vous êtes-vous disputée avec quelqu'un ? »

Ses questions la firent pouffer de rire puis lever les yeux au ciel. Elle avait la même expression que son fils quand on lui avait demandé qui pouvait vouloir la tuer : gênée, soupçonnant une moquerie, déterminée à prendre la situation à la légère. Sous le coup d'une subite inspiration, Wexford demanda :

« Avez-vous eu une dispute ou une altercation avec un conducteur, quelqu'un que vous avez arrêté au passage piéton ? »

C'était fou de penser qu'on tenterait de tuer pour un tel prétexte, du moins autrefois il aurait trouvé cela fou. Il savait maintenant qu'il y avait des gens capables de faire ce genre de chose. Des hommes anodins, en apparence sains d'esprit, roulant dans les rues de cette ville et de tant d'autres, qui, au moindre blâme d'un agent de la circulation, n'hésiteraient pas à se venger sauvagement. Surtout si c'était une femme qui avait osé les réprimander. Et surtout si cette femme était noire. Mais il ne semblait pas y avoir de violent paranoïaque dans le passé d'Oni Johnson.

Comme sa sœur, elle répondit :

« C'est un tueur, non ? Pas besoin de raison. Il tue, il est fait comme ça. »

Et son joyeux résumé de l'injustice insensée des hommes lui parut si comique que cette fois l'infirmière fit irruption et décréta que c'était fini pour ce jour-là.

C'était peut-être fini tout court. Laissant Barry Vine dans la salle et prenant le couloir vers l'ascenseur, Wexford se demandait s'il y avait autre chose à tirer d'Oni ou si Mhonum et elle avaient raison, et qu'il s'agissait de l'acte gratuit d'un psychopathe ; quelqu'un qui avait une dent contre les Noirs, les femmes, les mères, les habitants des tours HLM ou simplement contre les autres en général. Peut-être cela n'avait-il rien à voir avec Raffy, rien à voir avec le Centre pour l'emploi et Annette ; peut-être n'y avait-il aucune corrélation entre Oni et Annette ni même entre Oni et

Melanie Akande. Peut-être Raffy avait-il enlevé l'intraveineuse parce qu'il en avait peur, qu'il pensait que cela faisait mal à Oni, ou simplement en voulant secouer le fil comme il l'avait vu faire au personnel de l'hôpital. Après tout, la plupart des meurtres n'étaient-ils pas commis pour des mobiles incompréhensibles au commun des mortels, voire sans aucun mobile apparent ?

Absorbé dans ses pensées, il se trompa de chemin et se retrouva devant un escalier qu'il descendit. Mais là, il fut perdu pour de bon dans une partie de l'hôpital où il n'était jamais allé. Il venait de voir l'inscription « Département de Pédiatrie et des Maladies infantiles » au-dessus de la double porte ouverte devant lui, quand une autre porte s'ouvrit sur sa gauche et Swithun Riding, sa blouse blanche ouverte sur un pull en mohair chamois, apparut un bébé dans les bras.

Wexford s'attendait à ce qu'il l'ignore, mais au contraire Riding lui adressa un sourire cordial et lui dit qu'il était content de le voir, qu'il avait eu l'intention, à leur prochaine rencontre, de le féliciter d'avoir deviné l'âge exact des jumelles à la garden-party.

« Ma femme m'a fait la morale, et mon expérience en a pris un coup ! Qu'est devenu l'ours en peluche ? Vous ne faites pas une régression vers l'enfance en le prenant dans vos bras pour vous endormir ? »

Wexford était trop intéressé par le comportement de Riding envers le nourrisson pour imaginer une repartie spirituelle. Il se borna à dire qu'il l'avait donné et s'émerveilla de la tendresse avec laquelle le pédiatre tenait l'enfant, avec tant de délicatesse pour quelqu'un d'aussi grand, tant de fermeté et de douceur, chacune de ses énormes mains assez vaste pour l'accueillir tel un berceau. Et l'expression de Riding, normalement si hautaine et arrogante, l'air altier du fier possesseur d'un intellect et d'un physique supérieurs, se fit caressante, presque féminine, tandis qu'il contemplait la minuscule bouille ronde et les grands yeux bleus.

« Il n'a rien de grave, j'espère ? hasarda Wexford.

— Rien de plus grave qu'une hernie ombilicale, et nous y avons remédié. Au fait, ce n'est pas un "il" mais une ravissante petite demoiselle. Regardez-moi ça si ça n'est pas joli ! Si ça n'est pas adorable ! »

On aurait cru entendre une femme, et ces paroles qui auraient dû être grotesques dans la bouche d'un solide baryton paraissaient seulement charmantes. Riding était transfiguré, il était pour un instant un homme « sympathique ». Et Wexford crut pouvoir demander la sortie sans risquer une rebuffade cinglante.

« Retournez sur vos pas et prenez à gauche, dit le pédiatre. Et maintenant, je dois ramener ce petit cœur à sa maman ou elle va réclamer, et il y aura de quoi. »

En relatant cette rencontre à Dora, plus tard, Wexford fut assez surpris d'entendre que cela ne l'étonnait pas.

« On l'a recommandé à Sylvia pour Ben, tu ne te rappelles pas ? Quand Ben s'est cassé le bras et a eu ces complications. Ça devait être il y a trois ans, peu après la venue des Riding.

— On juge les gens sur la force d'une seule malheureuse rencontre. C'est dommage, mais le fait est là.

— Elle l'a trouvé merveilleux avec Ben, et le petit s'était complètement entiché de lui. »

Trois ans plus tôt, quand Sylvia et Neil avaient un emploi, et que Dora se plaignait qu'on ne les voyait jamais.

« Nous ne les attendons pas ce soir, j'espère. Aucun d'entre eux.

— Non, nous ne les attendons pas, mais ça ne veut rien dire. Nous ne devrions pas parler de notre enfant de cette façon, tu ne crois pas ? Ce n'est pas bien de notre part. Je me dis toujours que je tente la Providence et qu'un malheur terrible finira par s'abattre. Tu imagines alors comme je me sentirais coupable ! »

Wexford allait dire que la Providence avait été tentée assez souvent pour avoir appris à résister quand la sonnette de l'entrée retentit. Sylvia avait la clef, mais elle avait aussi la délicatesse de ne pas s'en servir quand elle venait à l'improviste.

« J'y vais », dit-il, imaginant déjà, sur le chemin de la porte, une nouvelle soirée où il n'entendrait que reconversions, clubs de chercheurs d'emploi et « pas de problème » multilinguaux.

Toutefois, ce n'était pas Sylvia et sa famille. C'était Anouk Khoori.

A nouveau, il dut regarder à deux fois pour être sûr que c'était bien elle. Ses cheveux blonds étaient sévèrement tirés en arrière, son maquillage insoupçonnable et ses oreilles parées des petits boutons de nacre qui ont la faveur des femmes politiques. L'ourlet de sa robe en lin bleu foncé lui venait largement au-dessous du genou. Son attitude était simple, désarmante. D'emblée, cela paraissait la technique la meilleure, la moins pompeuse qu'une femme de son genre et de son allure pouvait employer. Elle entra sans attendre d'y être invitée.

« Vous avez sûrement deviné. Je suis venue vous demander de voter pour moi. »

Il avait deviné, mais à peine quelques secondes plus tôt. Elle lui rappelait brusquement Ingrid Pamber, dans une version sophistiquée et extrêmement cultivée. Et cela, c'était étrange, parce qu'elle était loin de l'attirer, alors qu'Ingrid... Avec surprise, avec répugnance, il vit Anouk Khoori passer son bras sous le sien et, montrant un instinct infaillible, l'entraîner dans sa propre maison vers la pièce où se tenait Dora.

« Dora, ma chère, dit-elle, j'ai toute cette rue à faire ce soir et toute la rue voisine — la politique est un travail de force — mais je suis venue chez vous la première, la toute première, car je sens qu'il y a entre nous trois quelque chose de particulier, ce quelque chose que les Français appellent des "atomes crochus". »

Cette expression sur le visage de sa femme, il la connaissait bien : un sourire, un bref battement de cils, et puis seulement ce sourire les lèvres closes, la tête droite. La prétention, et la présomption d'intimité de la part de quasi-inconnus la provoquaient toujours. La main d'Anouk Khoori, une main beige aux ramifications veineuses violacées, aux longs ongles couverts de vernis mauve reposait sur son bras à l'instar, imaginait-il, d'un crustacé exotique. C'était comme si son bras immergé était remonté à la sur-

265

face avec cette chose collée à lui, ce pentapode, cette actinie à tentacules. S'il avait attiré une telle bestiole en nageant, il aurait pu secouer son bras pour s'en débarrasser. Il ne disposait pas d'un tel recours, en l'occurrence, et sa vieille aversion envers cette femme, sa répulsion irraisonnée lui revinrent dans un frisson.

Mais il fallait bien qu'elle s'asseye, ce qui lui était difficile en restant cramponnée à lui. Dora lui proposa un verre, une tasse de thé si elle préférait. Anouk Khoori, refusant avec un sourire et un déploiement excessif de gratitude, se lança dans son appel. Au début, sa campagne sembla être exclusivement défensive. L'idée que le fascisme, qui aujourd'hui équivalait au racisme, pût s'implanter en un lieu tel que Kingsmarkham était le comble de l'horreur. Elle-même était relativement nouvelle dans le comté, mais elle s'y sentait tellement chez elle que c'était presque comme si elle était native de Kingsmarkham, tant elle comprenait les espoirs et les craintes de ses habitants. Le racisme la consternait, ainsi que toute idée visant à un Kingsmarkham blanc. Les Nationalistes britanniques devaient être écartés du conseil coûte que coûte.

« Je ne dirais pas que vous élire me coûte, Mrs Khoori, dit Dora d'une voix unie. J'allais voter pour vous de toute façon.

— Je le savais ! Oui, je savais que vous auriez ce sentiment. En fait, en m'approchant de votre porte, avant d'aller chez qui que ce soit d'autre, si vous voulez vous en rappeler, je me disais : "Je perds mon temps, ils n'ont pas besoin de ça, ils me font déjà confiance", et ensuite j'ai pensé : "Mais moi, j'ai besoin de leur soutien et eux, ils ont besoin de... Eh bien ! De me voir, de savoir que je les apprécie et que je m'en soucie vraiment." »

Elle dédia tout l'éclat de son sourire à Wexford et, incapable de retenir un geste de séduction, porta la main à ses cheveux et les lissa. En dépit de ce qu'elle avait dit, l'arc de ses sourcils et l'angle interrogateur de sa tête impliquaient l'attente d'un soutien identique de sa part à lui. Mais Wexford n'avait nullement l'intention de s'engager. Le scrutin était secret et son vote personnel. Il lui demanda quelles mesures concrètes elle avait à l'esprit au cas où elle serait élue, et fut plutôt amusé par son ignorance patente.

« N'ayez crainte, dit-elle. La première mesure à laquelle je m'attellerai sera la démolition de cet affreux Castlegate, où cette pauvre femme s'est fait agresser. Ensuite, le conseil local fera construire de bons logements neufs sur le site, grâce au produit des ventes privées. »

Wexford rectifia avec douceur :

« Les produits des ventes privées du conseil sont gelés et semblent devoir le rester dans les temps à venir.

— Oh ! J'aurais dû le savoir, en fait je le savais, dit-elle, pas décontenancée pour deux sous. Je vois que j'ai encore beaucoup de travail devant moi. Mais l'essentiel est avant tout de me faire élire, vous êtes bien d'accord ? »

Wexford refusa d'entrer dans son jeu. Pressé de répondre — la main d'Anouk Khoori était revenue sur son bras tandis qu'il la raccompagnait à la porte —, il dit que, comme elle le savait sans doute aussi, son vote était une affaire personnelle, entre lui et sa conscience. Elle était entièrement d'accord, rétorqua-t-elle, mais elle était tenace, elle regardait la réalité en face, comme disait son époux il était dans sa nature de ne pas se dérober devant la vérité, si désagréable fût-elle. A ce stade, Wexford ne voyait plus du tout où elle voulait en venir mais il réussit à formuler un au revoir assez courtois, assorti de la formule habituelle selon laquelle ils avaient été charmés de la voir.

Par la suite, elle avait sûrement réservé un traitement similaire aux Akande car, lorsque Wexford leur rendit visite le lendemain matin, Laurette se dégela au point de se plaindre des réflexions de la candidate, qui affirmait que les Noirs étaient tout particulièrement ses amis et qu'elle avait avec eux des atomes crochus.

« Vous ne savez pas ce qu'elle m'a dit ? "Ma peau est blanche, mais, oh ! mon âme est noire." Elle ne manque pas de toupet. »

Wexford ne put s'empêcher de rire, d'un petit rire discret. La gaieté n'avait pas sa place dans cette maison. Mais Laurette semblait avoir oublié leur altercation au sujet de l'intraveineuse. Elle se montra plus cordiale que jamais, et pour la première fois lui proposa à boire. Désirait-il du café ? Ou elle pouvait aisément préparer du thé.

« Mrs Khoori n'ira pas bien loin si son manifeste se résume à cela, dit le médecin. Nous ne devons pas être plus d'une demi-douzaine dans la ville.

— Dix-huit pour être précis, dit Wexford. Et ce n'est pas le nombre de famille, mais d'individus. »

Il arriva devant l'hôpital et se gara sur le seul emplacement libre, près du camion-bibliothèque. La voiture de l'autre côté était d'une couleur mauve insolite, qui lui remit à l'esprit celle des Epson. Brusquement, Wexford comprit ce qui le turlupinait depuis qu'il était allé chez le chef de la police. La voiture rose, derrière lui, était conduite par un Blanc. Il n'avait pu distinguer son visage, mais il avait vu que l'homme était blanc. Les Epson étaient un couple mixte — candidats assurés à la réprobation de Laurette Akande — mais c'était Fiona Epson qui était blanche et son mari noir. Cela signifiait-il quelque chose ? Cela avait-il de l'importance ? Il avait souvent remarqué que tout comptait, dans une affaire de meurtre...

La bibliothèque volante était une entreprise privée gérée par des volontaires, et l'an passé Dora avait persuadé Wexford de faire don d'une douzaine de ses livres, qu'elle disait « superflus ». Surpris, il vit Cookie Dix descendre du siège du conducteur. Il le fut plus encore quand elle le reconnut.

« Salut ! dit-elle. Comment allez-vous ? Quelle fête merveilleuse, chez les Khoori ! Ce cher Alexander a adoré. Depuis, il se montre tout à fait supportable. »

Elle parlait comme s'ils étaient intimes, amis de longue date, et que tous les détails de sa vie de couple sans doute problématique étaient entre eux un sujet banal. Wexford lui proposa de l'aider à charger les livres sur le chariot. Quoique presque aussi grande que lui, elle paraissait fragile avec ses jambes en échalas, son visage de fée et son flot de cheveux noirs.

« Vous êtes vraiment trop aimable, dit-elle, reculant pour le laisser extraire le chariot de l'arrière du camion. Je hais les lundis et les mardis matin, vraiment, mais ce sont mes seules bonnes œuvres et si je les abandonne, ma vie ne sera plus faite que d'hédonisme débridé. »

Wexford sourit et lui demanda où elle habitait.

« Tiens, vous ne le savez pas ? Je pensais que tout le monde connaissait la maison que Dix a construite. Le palais de verre, avec les arbres à l'intérieur ? Tout en haut de Ashley Grove ? »

Une des monstruosités de la ville, un des lieux devant lesquels tous les visiteurs s'exclamaient avec des yeux ronds. Il l'aida à charger les livres, demanda d'où ils provenaient et qui les sélectionnait. C'était elle qui s'en occupait ; tous ses amis lui en donnaient. Qu'il ne l'oublie surtout pas la prochaine fois qu'il voudrait se débarrasser des siens.

« Tout le monde pense aux romans d'amour et aux polars, dit-elle comme ils allaient se séparer dans l'entrée, mais j'ai constaté que les récits d'épouvante sont les plus appréciés. En fait, ceux qui parlent de mutilation et de cannibalisme, précisa-t-elle en lui adressant un sourire radieux. C'est ça qu'il faut quand on se sent vraiment au creux de la vague. »

Vine avait veillé toute la nuit auprès d'Oni Johnson. Elle dormait, les rideaux fermés tout autour de son lit. Wexford parla au sergent à voix basse :

« Je sais que vous n'êtes plus en service ; juste une dernière chose. Cela fait trois fois que Carolyn Snow me dit que l'ancienne maîtresse de son mari se prénommait Diana. Réfléchissez voir si ça ne vous rappelle rien. »

Une demi-heure après que Wexford eut remplacé Vine, Raffy entra, donna à sa mère un baiser qui la réveilla, et s'assit pour regarder son illustré. Ce devait être le jour de repos de Laurette Akande, car l'infirmière en charge du service des soins intensifs était une Irlandaise rousse. Elle apporta du thé que Raffy considéra d'un œil soupçonneux avant de demander s'il pouvait avoir un Coca.

« Dieu du ciel ! Descendez vous le chercher vous-même au distributeur, jeune homme. Et puis quoi encore !

— J'aime l'avoir ici, à côté de moi, confia Oni quand Raffy fut sorti, après s'être servi dans le porte-monnaie de sa mère, sur la table de nuit. J'aime savoir ce qu'il est en train de faire. De quoi on va parler, aujourd'hui ? »

Wexford se rappela ce que Mhonum lui avait dit du caractère possessif de sa sœur.

« Vous avez l'air beaucoup mieux. Je vois que votre bandage est plus petit.

— Petit bandage, petite cervelle, hein ? Peut-être que mon cerveau est plus petit maintenant que le docteur a coupé tout autour !

— Mrs Johnson, je vais vous dire de quoi nous allons parler aujourd'hui. Je veux que vous remontiez de quelques semaines en arrière, mettons trois à partir de jeudi dernier, et que vous me racontiez tout ce qui a pu se passer d'étrange. »

Elle le contempla sans mot dire.

« N'importe quel événement bizarre ou insolite, à la maison ou au travail, que cela concerne votre fils ou une personne inconnue que vous avez rencontrée. Ne vous pressez pas, réfléchissez bien. Remontez au début de juillet et essayez de vous souvenir de n'importe quel fait inhabituel. »

Raffy revint avec une boîte de Coca. Quelqu'un avait allumé la télé et il en rapprocha sa chaise. Oni ne pouvait atteindre sa main. Elle posa donc la sienne sur le bras de son fils, tout en demandant à Wexford :

« Vous voulez dire, comme quelqu'un qui m'aurait parlé au passage piéton ? Qui serait venu sonner à la porte ? Quelqu'un d'inconnu que j'aurais vu ?

— Tout cela. Absolument tout.

— Il y a quelqu'un qui a fait un dessin sur notre porte mais Raffy l'a nettoyé. Comme une croix avec des coins qui tournent.

— Une svastika.

— C'était le jour où le Centre avait un travail pour Raffy, il a été à l'entretien mais ça a pas marché. Et puis ça a été l'anniversaire de Mhonum, ma sœur, elle a quarante-deux ans même si elle en a pas l'air, et on a été au Moonflower pour le dîner d'anniversaire. J'ai un autre travail, vous savez ? Dame de service à l'école, trois fois par semaine. Un jour que je nettoyais, j'ai trouvé un billet de

270

dix livres — ils ont beaucoup d'argent de poche, ces gosses — et je l'ai donné au professeur. J'ai pensé que j'aurais peut-être une récompense, mais jamais de la vie. On nous envoie ces choses pour nous éprouver, vous savez. C'est à peu près ça que vous voulez ?

— Exactement ça, affirma Wexford, qui avait cependant espéré des informations plus lumineuses.

— Ça, c'est au tout début juillet, d'accord ? Le dimanche, la dame vient à la porte, la dame aux longs cheveux blonds. Elle dit : "Votez pour moi à l'élection du conseil", mais je dis : "Peut-être, je sais pas, je vais réfléchir." Ou peut-être que ça, c'était le dimanche d'après. Le lendemain c'était un lundi, ça je sais. On était le combien, le premier lundi ?

— Le 5 juillet ? »

Raffy riait de quelque chose à la télévision. Il posa sa boîte de Coca vide par terre. Sa mère lui dit :

« Viens ici, Raffy. J'aime te tenir la main. »

Le garçon déplaça sa chaise de quelques centimètres sans décrocher son regard de l'écran. Oni s'empara de sa main et la tint serrée, bien qu'elle dût pour cela tendre complètement son bras.

« Que s'est-il passé ce lundi-là ? demanda Wexford.

— Pas grand-chose. A part l'après-midi, quand j'étais au passage piéton. Peut-être pas ce lundi-là mais celui d'après. Je suis seulement sûre que c'était le lendemain du jour où la dame des élections est venue. J'ai pensé : "Dommage que Raffy soit pas là. Il t'emmènerait là-bas, ma pauvre fille, tu te perdras pas si Raffy t'emmène. »

Wexford en revanche était complètement désorienté.

« Je ne vous suis pas très bien, Mrs Johnson.

— Je vous dis que j'étais au passage piéton avant que les enfants sortent de l'école. J'étais là-bas, quand une fille arrive et s'arrête devant moi, là sur le trottoir, juste devant moi, et me parle en yorouba. Je suis tellement surprise qu'on pourrait m'assommer avec une plume. J'ai pas entendu de yorouba depuis vingt ans, sauf dans la bouche de ma sœur, et elle est trop fière pour ça. Mais cette fille est du Nigeria et elle me dit en yorouba : "Quel est le chemin pour aller là où on donne du travail ? *Mo fé mò ibit'ò gbé wà*. Je veux savoir où c'est." »

18

QUATRE HEURES d'un sommeil de plomb et Barry Vine était debout, avait pris une douche froide et téléphoné à Wexford. L'inspecteur principal lui dit quelques mots incompréhensibles dans une langue africaine. Leur traduction suffit à le faire partir en trombe au Centre pour l'emploi.

Le congé d'Ingrid Pamber était terminé et elle avait repris son travail depuis deux jours, au bureau entre ceux d'Osman Messaoud et de Hayley Gordon. Elle tourna l'éclat bleu de ses yeux vers Vine et lui sourit comme s'il était un amoureux revenant de guerre après une longue absence. Impassible, il lui montra la photo du visage sans vie de Sojourner, et une autre d'Oni Johnson que Raffy avait réussi à dénicher à Castlegate. Sojourner ne lui rappelait rien. Elle reconnut Oni.

L'indifférence de Vine à ses charmes et à ses sourires la rendait irritable.

« C'est la dame qui règle la circulation, non ? Je reconnaîtrais sa tête n'importe où. Je crois qu'elle m'a prise en grippe. Il suffit que je sois en retard en descendant sur Glebe Road pour qu'elle colle son panneau devant ma voiture.

— Annette la connaissait ?

— Annette ? Comment voulez-vous que je le sache ? »

De tout le personnel du Centre, seule Ingrid ne demanda pas ce qui était arrivé à Oni et pourquoi il posait ces questions. Elle fut aussi la seule à la reconnaître. Pas un des membres de l'équipe n'avait souvenir d'avoir vu Sojourner auparavant. La superviseuse Valerie Parker dit tout haut ce que les autres avaient peut-être hésité à exprimer par des mots.

« J'ai bien peur que pour moi, tous les Noirs se ressemblent beaucoup. »

Osman Messaoud, la dépassant pour aller consulter un des ordinateurs, dit d'un ton mordant :

« Comme c'est bizarre ! Tous les Blancs se ressemblent, pour les Noirs.

— Je ne vous ai pas adressé la parole.

— Non, je m'en doute. Vous gardez vos réflexions racistes pour les individus qui partagent vos opinions. »

Après une hésitation passagère — devait-il intervenir, se juger concerné ? Devait-il réfuter avec chaleur cette allégation ? —, Vine les laissa à leur dispute qui dégénérait en une bataille verbale, basse et sifflante. Niall Clark, l'autre superviseur, qui se piquait de sociologie, s'en mêla.

« Je ne pense pas que les Blancs connaissent vraiment les Noirs dans une société telle que la nôtre, une petite ville de province comme Kingsmarkham. Après tout, jusqu'à ces dix dernières années il n'y avait pas du tout de Noirs par ici. On se serait retourné, bouche bée, si on en avait vu un dans la rue. Quand j'étais à l'école, il n'y avait pas d'élève noir. Je doute que nous en ayons plus de trois ou quatre qui viennent pointer ici.

— Comment s'appelait-elle ? demanda Valerie Parker, les joues encore en feu d'avoir été mise en déroute par Messaoud.

— Si seulement je le savais !

— Nous pourrions essayer de faire une recherche sur ordinateur si nous avions son nom. Il y en a probablement des centaines qui portent le même nom mais nous pourrions...

— Je ne connais pas son nom », dit Vine, et il eut le sentiment que jamais il ne le découvrirait.

Même sans connaître son nom, il aurait dû être facile d'identifier et de retrouver une jeune fille noire disparue dans une ville comme Kingsmarkham, où les Blancs prédominaient en nombre écrasant. Mais ça ne l'était pas. Cet endroit qu'on lui avait indiqué, en toute vraisemblance elle s'était mise en route pour s'y rendre, mais quelque part en chemin elle s'était volatilisée. Ou alors elle était venue, mais personne ne l'avait remarquée. Pour sa part, Vine pensait qu'elle n'était jamais arrivée là. Il aurait besoin d'obtenir plus de détails auprès d'Oni Johnson avant de poursuivre cette piste. En allant vers la porte, il dépassa le guichet où Peter Stanton conseillait une nouvelle demandeuse, et il vit que celle-ci n'était autre que Diana Graddon.

Jusqu'à cet instant, il n'avait pas décidé s'il devait ou non lui parler. Cela semblait stérile, et même malsain. Bien sûr, la remarque de Wexford avait fait mouche, bien sûr il y avait pensé avant de s'endormir et depuis son réveil. Mais en quoi cela le regardait-il, en quoi cela regardait-il qui que ce soit si cette femme avait été la maîtresse de Snow et avait été supplantée par Annette Bystock ? Quel rapport cela avait-il avec cette affaire de double meurtre et de tentative de meurtre ? Toutefois, puisqu'il l'avait vue, Vine s'assit sur une des chaises grises près d'un faux pépéromia dans son pot en plastique, et attendit.

Quelle impression ce Stanton faisait-il aux femmes, à les regarder comme ça avec des yeux de merlan frit ? Diana Graddon était tout à fait séduisante mais Vine avait le sentiment que tout ce qui compterait jamais pour Stanton était qu'elle était jeune et qu'elle était une femme. Sur le présentoir, il prit une brochure — *L'Aide au revenu : y avez-vous droit ?* — et la lut pour passer le temps.

Il ne fallut pas plus de vingt minutes à Burden pour arriver à l'hôpital avec la photographie de Sojourner. Oni Johnson la reconnut aussitôt.

« C'est elle. C'est la fille qui m'a parlé devant Thomas Proctor. »

Ce devait être le 5 juillet, pensa Wexford. Le soir même, elle était morte. D'après Mavrikiev, le décès remontait à au moins douze jours avant la découverte du corps le 17. Oni Johnson lui avait donc parlé à peine quelques heures avant sa mort.

« Je suppose qu'elle ne vous a pas dit son nom ? demanda Burden.

— Non, pas une seule fois. Pourquoi elle l'aurait fait ? Elle a jamais dit d'où elle venait, jamais. Elle m'a dit où elle allait, au Centre pour l'emploi, pour trouver du travail. C'est tout ce qu'elle a dit : *Mo fé mò ibit'ó gbé wà ?*

— Pouvez-vous la décrire ?

— Quelqu'un l'avait battue, ça je le sais. J'ai déjà vu ça avant. Sa lèvre était fendue, et son œil ! On se fait pas des bleus pareils en rentrant dans une porte, non, jamais. Alors je lui ai dit où était le Centre, au bout de la rue, à droite et encore à droite, entre la Nationwide et Marks & Spencers, et ensuite je lui ai dit : "Qui c'est qui t'a battue ?"

— Vous le lui avez dit en anglais ou en yorouba ?

— En yorouba. Et elle m'a répondu : *"Bí ojú kò bá kán e ni, m bá là òràn náà yé e."* Je vous explique ce que ça veut dire. "Si tu es pas pressée, j'aimerais te l'expliquer." »

Le cœur de Wexford bondit dans sa poitrine.

« Et elle vous l'a expliqué ? »

Avec vigueur, Oni secoua négativement la tête.

« J'ai dit : "Oui, j'ai le temps, les enfant sortent pas avant cinq, dix minutes", mais juste quand j'ai dit ça, une voiture s'est arrêtée à côté de moi. Une mère qui venait chercher son enfant, d'accord ? Je lui ai dit : "Non, faut pas vous garer ici, descendez un peu plus bas" et quand j'en ai fini avec elle je me retourne, mais la fille, elle est partie.

— Quoi ? Elle avait disparu ?

— Je l'ai vue très très loin, tout en bas de la rue.

— Dites-moi comment elle était habillée.

— Elle avait un foulard autour de la tête, en tissu bleu. Une robe à fleurs, blanche avec des fleurs roses, et des chaussures comme Raffy. »

Les deux policiers contemplèrent les pieds de Raffy, entortillés autour des jambes de la chaise. Des demi-bottes lacées en toile noire, à semelle et trépointe en caoutchouc, sans doute les chaussures les moins chères qu'on pouvait trouver dans la boutique la plus bas de gamme de Kingsmarkham.

« Vous vous rappelez de quelle direction elle venait, Mrs Johnson ?

— Je l'ai pas vue avant qu'elle soit là, à me parler à l'oreille. Je l'ai pas vue arriver de la grand-rue, alors peut-être bien qu'elle venait de l'autre bout. Peut-être qu'elle venait du bout de Glebe Lane, là où il y a les champs. Peut-être qu'elle est descendue dans les champs en hélicoptère !

— Elle vous a parlé en yorouba. Mais connaissait-elle l'anglais ?

— Oh, bien sûr ! Un petit peu. Comme moi quand je suis venue ici. Je lui ai dit : "Tu descends par là un bon moment et tu es dans la grand-rue, tu tournes à droite et après un petit bout de chemin encore à droite et le Centre pour l'emploi est entre la Nationwide et Marks & Spencers." Ça, c'est des mots anglais, alors je les lui ai dits en anglais. Elle fait oui comme ça... » Oni Johnson hocha vigoureusement sa tête bandée « ... et elle répète ce que j'ai dit, descendre par là, à droite et encore à droite, et il est entre la Nationwide et Marks & Spencers. Et alors je lui demande qui c'est qui l'a battue.

— Mrs Johnson, vous rappelez-vous son comporte-ment ? Comment était-elle ? Essoufflée ? Elle avait couru ? Elle était gaie, ou bien triste ? Elle était nerveuse ? »

Le sourire qui était revenu sur le visage d'Oni s'effaça lentement. Elle fronça les sourcils et hocha à nouveau la tête, mais avec moins d'énergie.

« C'était comme si quelqu'un était après elle, comme si on lui courait après. Elle avait peur. Mais quand elle est partie j'ai regardé partout, et tout était vide, y avait per-sonne après elle, personne lui courait après. Mais ça oui, je peux vous dire qu'elle avait très peur. »

« On peut éliminer la descente en hélicoptère, bien que l'idée ne manque pas d'attraits, dit Wexford dans la voiture. Elle venait du quartier, de Glebe Road, Glebe Lane, Lich-field Road, Belper Road... »

Il réfléchit, visualisant par la pensée la topographie.

« Harrow Avenue, Wantage Avenue, Ashley Grove...

— Ou de l'autre côté de Glebe End, à travers champs.

— Quoi ! De Sewingbury ou Mynford ?

— Pourquoi pas ? Aucune de ces villes n'est très loin. »
Burden resta pensif quelques instants.

« Bruce Snow habite sur Harrow Avenue, reprit-il. Du
moins il y habitait, à l'époque. Le 5 juillet, il y vivait
encore.

— Certes. Mais si vous arrivez à trouver une raison qui
pousserait Bruce ou Carolyn Snow à traquer une jeune fille
noire terrifiée dans Glebe Road à trois heures et demie de
l'après-midi, vous êtes un meilleur scénariste que moi. La
ville n'est pas très grande, Mike, même aujourd'hui. Elle
pouvait venir de n'importe quel endroit situé au nord de la
grand-rue, ce qui inclut votre maison et la mienne.

— Et celle des Akande. Ces bottes... Ça servirait à quelque chose de faire le tour des magasins de chaussures pour
voir si une femme noire a acheté ce modèle récemment ?

— Ça ne peut pas faire de mal, convint Wexford, quoiqu'il soit peu probable qu'elle ait laissé son nom et son
adresse sur leur fichier de clients.

— Entre-temps, malgré tous ces nouveaux éléments on
n'est pas plus près d'apprendre qui elle était.

— Nous approchons sans doute du but sans le savoir.
Par exemple, nous connaissons le mobile de l'agression
contre Oni. Quelqu'un voulait l'empêcher de nous donner
cette information sur Sojourner.

— Alors pourquoi ne pas avoir fait ça il y a deux semaines ? objecta Burden.

— Très probablement parce que même si l'agresseur savait qu'Oni détenait cette information, il ne pensait pas un
instant que nous tomberions sur elle. Il n'imaginait pas que
nous finirions par interroger quelqu'un dont le seul rapport
avec Sojourner, par le plus grand hasard, était qu'elle lui
avait demandé son chemin dans la rue. Mais jeudi dernier
il a compris qu'il s'était trompé. Il nous a vus, Karen et
moi, parler à Oni devant Thomas Proctor.

— Il ?

— Il ou elle, ou, disons, un complice. Quelqu'un qui
savait nous a vus, et a eu vite fait de déduire le reste. Il
avait toute une heure pour se rendre à Castlegate et attendre

en haut de cet escalier. Nous allons faire du porte-à-porte, Mike. Nous allons interroger chaque foyer de Kingsmarkham au nord de la grand-rue. »

Au Centre pour l'emploi, ils découvrirent que Barry Vine était venu poser les mêmes questions une heure plus tôt. Mais il s'était borné à conjecturer que Sojourner était venue là, sans savoir quand ; Wexford était presque certain qu'elle était entrée le lundi 5 juillet, à seize heures au plus tard.

« Pour chercher du travail, dit-il à Ingrid, qui tourna vers lui son regard bleu et haussa légèrement les épaules.

— N'est-ce pas ce qu'ils veulent tous ? Je regrette de ne pas l'avoir vue, sincèrement. »

L'implication étant qu'elle le regrettait pour lui, qu'elle aurait voulu lui faire plaisir.

« Sinon je m'en souviendrais sûrement, parce que j'ai vu Melanie Akande le lendemain. En voyant Melanie j'aurais pensé : "Tiens, comme c'est bizarre ! Une autre fille noire que je n'ai encore jamais vue ici." Seulement, je ne l'ai pas vue. »

Elle lui adressa un sourire triste mais Wexford s'obstina.

« Il se peut qu'elle ait habité près de chez vous. Dans Glebe Lane ou Glebe End. Si vous ne l'avez pas vue ici ce jour-là, pourriez-vous l'avoir aperçue dans votre quartier ? Dans la rue ? A une fenêtre ? Dans un magasin ? »

Elle le regardait comme si elle le prenait en pitié. Il avait cette tâche accablante à exécuter, cette quête à mener, cette mission à accomplir. Elle était tellement navrée... Si seulement elle pouvait être utile, si seulement elle pouvait faire quelque chose pour alléger son fardeau ! Sa tête était un peu penchée sur le côté, en une attitude qui lui était familière. Il se demanda ce qui se passerait s'il avait, disons, de nouveau vingt-cinq ans, et s'il y avait cette fille qu'il était obligé de rencontrer continuellement, une fille qui d'une certaine façon était prise, mais seulement d'une certaine façon, et il se demanda comment il aurait fait pour évincer Jeremy Lang. Non pas s'il l'aurait fait, mais comment il l'aurait fait, car il était sûr qu'il aurait essayé, rien que pour les yeux les plus bleus du monde...

« Je ne l'ai jamais vue de ma vie », conclut Ingrid et, retrouvant brusquement son entrain, elle pressa sur l'appareil les boutons qui afficheraient le numéro du client suivant au-dessus de leur tête.

Pensif, Wexford rebroussa chemin dans le Centre et passa à côté des panneaux sur pieds où des employeurs potentiels proposaient des postes vacants. La plupart n'indiquaient ni nom ni adresse, n'offraient que des rémunérations pitoyables et des emplois insolites, dont pour certains il n'avait jamais entendu parler. Momentanément distrait, il parcourut du regard les rangées de fiches. En fait, rares étaient les postes pour lesquels un candidat, même désespéré, aurait voulu postuler, et un vers de Shakespeare lui revint à l'esprit : « La chose de rien jovialement accoutrée... » Des salaires ridicules étaient offerts aux personnes disposées à s'occuper à plein temps de trois enfants de moins de quatre ans, ou à combiner vingt heures par semaine comme auxiliaire dans une pension pour chiens avec l'entretien de la maison d'une famille nombreuse.

Il ne savait pourquoi, une demande de garde d'enfants — pas d'expérience antérieure requise — en l'absence des parents, à l'étranger pour affaires, lui rappelait très vaguement quelque chose. Sachant qu'en général son intuition était bonne, il fouillait sa mémoire, essayant de trouver le lien, quand il sortit pour rejoindre Burden.

Barry Vine — « l'autre », ainsi que le petit blond le désigna — avait déjà montré la photo de Sojourner aux garçons assis sur le muret. Celui à queue de cheval semblait faire de son mieux pour épuiser son paquet de cigarettes avant le déjeuner, car onze mégots jonchaient les cendres autour de ses pieds. Burden fondait ses derniers espoirs sur la faculté de ces jeunes à être plus précis.

« Un lundi après-midi, dit-il. Le premier lundi de juillet. Vers quatre heures. »

Le garçon au crâne rasé, visiblement collectionneur de tee-shirts — ce jour-là, il en portait un rouge déteint à l'effigie de Michael Jackson —, observa la photographie et, fort de ce nouvel élément, dit comme si cette déclaration s'effectuait au prix d'un terrible effort intellectuel :

« S'pourrait.

— Ça se pourrait que vous l'ayez vue ? Que vous l'ayez vue entrer au Centre ?

— L'autre m'a déjà demandé ça. C'est pas ça que j'veux dire. J'ai dit que j'l'ai jamais vue entrer là-dedans.

— Mais vous l'avez vue », dit rapidement Wexford.

Un coup d'œil vers Queue-de-cheval et :

« T'en dis quoi, Danny ? Ça fait un bon bout de temps.

— J'l'ai pas vue, mec. »

Danny écrasa sa cigarette en toussant. N'ayant plus rien pour occuper ses mains, il recommença à s'acharner sur la peau autour de ses ongles.

« Moi non plus, dit le blond, j'l'ai jamais vue. Tu crois qu'tu l'as vue, Rossy ?

— S'pourrait, répéta le garçon au tee-shirt. S'pourrait que j'l'aie vue de l'autre côté de la rue. Elle était plantée là-bas, elle regardait. Y avait moi, et Danny et Garry, et deux ou trois autres gosses, j'sais pas comment y s'appellent, on était tous sur les marches comme maintenant, seulement on était plus, et elle était là-bas, à regarder. »

Il en avait déjà parlé, Burden se le rappela. Au tout début des recherches concernant Melanie Akande, il avait dit qu'il avait vu une jeune fille noire le lundi.

« Et c'était le 5 juillet dans l'après-midi ? » demanda-t-il, plein d'espoir.

Si c'était bien ce lundi-là, le garçon l'avait oublié.

« Ça, j'sais pas. J'sais ni le jour ni l'heure. Y faisait chaud, j'me rappelle. J'ai enlevé le haut pour prendre un peu le soleil, quand une vieille bique est passée. "C'est comme ça qu'on attrape un cancer de la peau, jeune homme", qu'elle m'a sorti. J'y ai dit d'aller se faire voir, à la vieille.

— La fille sur le trottoir d'en face, vous pensez qu'elle voulait entrer au Centre ? »

Danny répondit tout en continuant d'arracher ses cuticules.

« Si elle voulait entrer, pourquoi qu'elle a pas traversé ? Elle avait qu'à traverser la rue.

— Mais vous ne l'avez pas vue ? insista Burden.

« — Moi ? Non. J'l'ai pas vue. Mais c'est logique, elle avait qu'à traverser la rue.

— Elle l'a pas fait, dit Rossy, perdant tout intérêt pour la question. File-nous une sèche, Dan. »

Une heure plus tôt au même endroit, Diana Graddon avait demandé à Vine si ça l'ennuyait qu'elle fume. Ils s'apprêtaient à monter dans la voiture du sergent.

« Je préférerais que vous attendiez d'être arrivée chez vous. »

Elle haussa les épaules et pinça les lèvres. Il était fasciné par sa ressemblance avec Annette Bystock. Elles auraient pu être sœurs. Cette femme était plus jeune de quelques années et plus mince, moins voluptueuse qu'Annette, mais elles avaient les mêmes cheveux sombres bouclés, les mêmes traits accusés — grande bouche, nez fort, yeux ronds et foncés, à ceci près que ceux d'Annette avaient été marron et que ceux de cette femme étaient bleu-gris.

Interrogée sur Snow, elle ne tenta pas du tout de nier leur liaison, mais se montra extrêmement surprise.

« C'était il y a dix ans !

— Ça vous ennuierait de me dire si c'est vous qui l'avez présenté à Annette Bystock ? »

Allant de surprise en surprise, elle demanda :

« Comment avez-vous pu le savoir ? »

Vine, bien entendu, avait tout à fait l'habitude d'éluder ce genre de questions.

« Cette relation n'avait pas duré longtemps, je crois.

— Un an. J'ai alors appris qu'il avait des enfants. Le plus jeune n'avait que trois ans. C'est drôle, comme tout me revient. Je n'y pensais plus depuis des années.

— Mais vous n'avez pas rompu tout de suite ?

— On a commencé à avoir des disputes. Ecoutez, je n'avais que vingt-cinq ans et je ne voyais pas de raison d'accepter qu'il vienne passer une heure en douce avec moi le soir, puis qu'il ne me donne pas de nouvelle pendant une semaine, et puis qu'il me téléphone pour tirer un coup. Non, merci. On sortait tous les trente-six du mois. Je ne voulais pas non plus de lui pour toujours, je ne pensais pas au mariage ni à rien de définitif. J'étais jeune mais j'avais de la cervelle. J'imaginais très bien ce que serait la vie avec un type qui avait trois gosses à entretenir, et une femme que tout le monde disait possessive. »

Elle reprit son souffle et Vine, rangeant la voiture devant chez elle dans Ladyhall Road, se demandait s'il avait envie d'en entendre plus long quand elle dit :

« Il est passé un soir où Annette était là. Oh ! Je savais bien qu'il viendrait, il téléphonait toujours avant, mais je me suis dit : "Et après ? Nous passerons une soirée entre amis pour une fois, nous réussirons vraiment à nous voir sans faire l'amour, on verra ce qu'il en pense", quoique je m'en doutais. C'est drôle comme tout me revient à l'esprit ! Annette ne savait pas qui il était ni... enfin, ce que nous étions l'un pour l'autre, si vous voyez ce que je veux dire. »

Elle parut frappée par une pensée désagréable.

« Vous ne voulez pas dire que c'est lui qui a fait ça ? Que c'est lui qui l'a tuée ?

— On peut entrer chez vous, Miss Graddon ? dit Vine en souriant.

— Oh ! Oui, bien sûr. »

Elle tourna la clef dans la serrure. Apparemment, Helen Ringstead n'était pas là. Ils entrèrent au salon.

« Enfin quoi ! reprit-elle. Annette et lui se connaissaient à peine. Je ne crois pas qu'ils se soient revus par la suite. »

Ainsi, elle ne savait pas... Le sergent était amusé. Si odieux que fût Snow, il avait tout parfaitement manigancé ; on ne pouvait lui enlever ça. Il y avait une autre question que Vine s'apprêtait à poser, mais la peine lui en fut épargnée.

« Il a rompu peu après. Il m'a dit que sa femme avait tout découvert. Quelqu'un qu'elle connaissait nous avait vus ensemble au restaurant, lors d'une des rares occasions où il m'avait invitée à dîner. Cette personne l'avait entendu m'appeler Diana. Il avait tout avoué à sa femme, avait imploré sa clémence. C'est du moins ce qu'il a dit.

— C'est vers cette époque que vous avez appris à Annette qu'il y avait un appartement à vendre en face ?

— Ce doit être ça. Elle avait divorcé peu de temps auparavant. Nous étions encore amies, alors. »

Diana Graddon alluma la cigarette dont Vine l'avait privée dans la voiture. Elle inhala une longue bouffée.

« Le fait est que j'ignore pourquoi nous avons cessé d'être amies. On aurait pensé qu'on serait toujours fourrées l'une chez l'autre, puisqu'on habitait plus ou moins en face, mais nous avons pris nos distances et je pense que c'est venu d'elle. Elle s'est repliée dans sa coquille. Et qui plus est, je ne pense pas qu'elle ait eu d'homme depuis son divorce avec Stephen. Mais je suis sidérée d'entendre que vous soupçonnez Bruce. »

Vine n'avait rien dit de tel. Il s'émerveillait de cet échafaudage de mensonge et de double jeu. Même si, humainement parlant, il déplorait le comportement de Snow, en tant qu'homme il ne pouvait manquer d'admirer sa subtilité. Sa liaison avec Diana était restée un secret pour Annette, sa liaison avec Annette un secret pour Diana. Et s'il n'avait pas réussi à dissimuler à sa femme l'existence de Diana, il avait pendant neuf ans bercé Carolyn de l'illusion que leur mariage était sacré. L'installation d'Annette à Ladyhall Gardens, en face de chez Diana, l'avait-elle consterné ? Ou au contraire, lui avait-elle fourni le prétexte idéal pour que sa nouvelle liaison ne dépasse pas le niveau d'une simple transaction sexuelle, continuellement renouvelée ? D'évidence, il était peu judicieux d'emmener une maîtresse au restaurant et déraisonnable d'aller chez elle, aussi était-il protégé contre tout engagement sérieux.

Qu'avait-il dit à Annette ? Ne sois pas trop intime avec Diana, elle connaît ma femme ? Ou même : elle est tout à fait capable de se mettre en rapport avec ma femme ? Les meilleurs menteurs restent aussi près de la vérité que leur duplicité le leur permet.

« Il aurait fallu que Bruce la connaisse bien, s'entêtait Diana. Il aurait fallu qu'il ait un mobile, non ? Croyez-moi, je l'aurais remarqué s'il était allé chez elle, et ça n'est jamais arrivé. Je voyais tous ceux qu'elle connaissait, tous ceux qui lui rendaient visite. »

Elle hésita, toussota. La cigarette trembla entre ses doigts.

« C'est drôle, elle me fascinait un peu. Je me demande pourquoi. Je ne sais pas pour quelle raison je vous pose la question, vous n'êtes pas psy, mais vous ne croyez pas qu'un psy dirait que c'est parce que... eh bien, parce que, en réalité, elle m'a rejetée ? »

Vine, qui connaissait les méthodes de Wexford, attendit en silence. Il n'était peut-être pas psy mais il savait comment procédaient les psychothérapeutes. Ils installaient le patient, ou le client, sur un divan et l'écoutaient. Un mot prononcé au mauvais moment pouvait être fatal. Il écouterait, même s'il ne savait pas ce qu'il attendait. Freud non plus, sans doute.

« Je suppose que je lui en ai voulu. Pour qui elle se prenait, à me snober comme ça ? Quelquefois je la voyais entrer avec la jolie fille, sa collègue du Centre pour l'emploi. Et elle était un peu liée avec Edwina je-ne-sais-pas-quoi. Mais c'est tout, vous savez. J'ai vu sa cousine une ou deux fois, une Mrs Winster, je ne me rappelle pas son prénom. Joan, Jane. Pas un homme ne mettait jamais les pieds là-bas, c'était comme un couvent. Cette idée, que Bruce y soit allé ! Il y a vraiment de quoi rire. »

Elle esquissa un sourire devant cette hypothèse absurde.

« Ce vieux Bruce. Qu'est-ce qu'il fait ces jours-ci ? A part assassiner des femmes qu'il ne connaît pas ? »

Son sourire s'épanouit en un éclat de rire.

La déception s'abattit sur les épaules de Vine. Elle n'avait rien à lui apprendre. C'était fini. Il eut l'idée de tout lui dire dans l'espoir que l'incrédulité, la rage tandis que lentement ses yeux se dessilleraient provoqueraient des révélations. Mais s'il n'y avait rien à révéler ? Il dit machinalement, se préparant à partir :

« Et donc, la dernière fois que vous l'avez vue, c'était le lundi soir ?

— Oui, j'allais passer la nuit chez mon ami, à Pomfret. »

Elle lui lança un sourire oblique, heureuse de cette occasion de lui apprendre que Snow avait un successeur.

« C'était toujours un peu gênant, vous imaginez bien. On

s'évitait plutôt, Annette et moi, mais il s'est trouvé qu'on a regardé chacune de l'autre côté de la rue en même temps. Elle m'a dit bonsoir et j'ai fait de même, et puis je me suis rappelé que j'avais oublié le pull que je voulais emmener, et donc j'ai fait demi-tour.

« Quand je suis ressortie, oh ! pas plus de deux minutes après, et encore, elle était entrée dans l'immeuble et il y avait une fille devant la porte, à l'entrée de Ladyhall Court. Annette était allée directement dans sa chambre pour ouvrir la fenêtre. Elle s'est penchée et a vu la fille — qui entre parenthèses était noire — et la fille s'est approchée de la fenêtre et a dit quelque chose, et là... Là, c'est la dernière fois que j'ai vu Annette. »

19

QUEL EST LE CHEMIN pour trouver du travail ? Voilà ce qu'elle avait demandé à Oni Johnson dans un langage obscur parce que quelque chose lui disait que cette femme était elle aussi nigériane.

Et Sojourner avait fait comme on lui avait dit, elle avait marché vers le sud jusqu'à la grand-rue, craignant un poursuivant mais y arrivant sans encombre, et arrivant ensuite au Centre pour l'emploi. Au lieu d'entrer, elle avait attendu de l'autre côté de la rue, le regard fixe. Pourquoi, comme l'avait fait remarquer Rossy, n'avait-elle pas traversé, pourquoi n'était-elle pas entrée ?

« A cause des hommes, dit Wexford. Les hommes lui faisaient peur. Bon, je l'admets, Rossy, Danny et Cie ne nous semblent pas très intimidants, mais ni vous ni moi ne sommes une jeune fille noire de dix-sept ans et, je le soupçonne, extrêmement simple et candide. Quoi qu'il en soit, elle avait une peur et une méfiance instinctives des Blancs. Un homme l'avait battue et elle était sur le point d'en parler à Oni, mais il a fallu juste à ce moment que les gosses sortent de l'école.

« Les hommes sont, pour les femmes, plus effrayants que les autres femmes. Mais si, Mike, que cela vous plaise ou non. Et cette bande est là, dont un garçon en jean et torse nu. Ils sont assis là-bas, barrant plus ou moins la porte. Et pour couronner le tout, quand une passante adresse la parole à l'un d'eux, il lui hurle des obscénités, la traite de vieille bique — ou pire. Ça, c'est la version qu'il vous a donnée. »

L'enquête au porte-à-porte avait commencé. Un plan du nord de Kingsmarkham étalé devant lui, Wexford mesurait l'expansion énorme qu'avait connue la ville depuis qu'il y était arrivé. Des lotissements aussi vastes que des villages avaient été construits dans les faubourgs nord. Dans les quartiers centraux, les vieilles bâtisses avaient été rasées comme dans Ladyhall Avenue, et remplacées chacune par une douzaine de petites maisons et un nouvel immeuble. La circonscription dans laquelle il voterait pour élire le conseil englobait autrefois la ville entière ; à présent, elle n'en formait qu'une petite section. Il releva la tête quand Burden reprit :

« Donc, Sojourner rôde sur le trottoir d'en face. Pour quoi faire ? Juste dans l'espoir qu'ils s'en iront ?

— Ou que quelqu'un sortira. Elle aura vu des clients entrer et ressortir, mais personne après quinze heures trente, rappelez-vous. Personne ne pointe le lundi, et les conseillers ont leur dernier rendez-vous à quinze heures quinze. Donc tous ceux qui sortent à seize heures trente travaillent forcément là-bas.

— Vous dites qu'elle a suivi Annette jusqu'à chez elle ?

— Pourquoi pas ?

— Et ce n'est qu'un pur hasard si elle a choisi Annette ?

— Pas tout à fait. La plupart des membres du personnel garent leur voiture dans le parking, à l'arrière. Ils ne sortent pas par-devant.

— Stanton n'emmène pas sa voiture au travail, objecta Burden. Et Messaoud non plus. Sa femme s'en sert dans la journée.

— Ce sont des hommes. Sojourner n'aurait pas suivi un homme.

— D'accord. Elle suit Annette, traverse la grand-rue, descend Queen Street, énuméra-t-il comme si Wexford n'avait pas un plan sous les yeux. Elle suit Manor Road et entre dans Ladyhall Gardens. C'est alors que Diana Graddon l'aperçoit. Ou plutôt, elle voit Annette et, en ressortant la seconde fois, elle voit Sojourner devant l'entrée de Lady-hall Court.

— Pour être précis, elle voit Annette penchée à sa fenêtre parler à Sojourner. Annette l'a-t-elle fait entrer dans la maison ? Sojourner avait-elle envie d'entrer ?

— Annette lui a sûrement dit que si elle voulait du travail, ou une allocation, son seul recours était de venir au Centre le lendemain mardi. Elle lui a peut-être dit de la demander et lui a donné son nom, mais elle ne l'a pas fait entrer. Elle ne laissait pas volontiers les gens entrer chez elle.

— Mais alors, qu'a dit Sojourner pour qu'Annette songe à en parler à la police ?

— C'est donc bien ça, d'après vous ? C'est Sojourner qui lui aurait dit quelque chose ? Mais c'est vingt-quatre heures, et même plus, avant qu'elle ne téléphone à la cousine Jane le mardi soir.

— Je sais, Mike. J'émets une hypothèse. Mais prenez la chose sous cet angle : Sojourner a dit quelque chose qui n'a pas plu à Annette ou lui a mis la puce à l'oreille. Ce que c'était, nous l'ignorons. Très probablement, ce qu'elle n'a jamais pu révéler à Oni en dépit de ses intentions, quelque chose sur l'homme qui la battait, et peut-être l'endroit où il habitait. Cependant, nous savons que Sojourner n'a pas suivi le conseil qu'Annette lui a sans doute donné de venir au Centre pour l'emploi le lendemain.

« Voyant qu'elle ne se présentait pas, ne pensez-vous pas qu'Annette s'est inquiétée ? Elle voulait peut-être discuter avec Sojourner avant de prendre des mesures. Mais à ce moment-là, elle ne se sentait pas bien. Elle est rentrée chez elle, s'est couchée, malade au point de dire à Snow qu'elle ne pourrait pas le voir le lendemain, mais quand même assez préoccupée pour faire part de ses inquiétudes à sa cousine.

« Quant à mes raisons de croire que cette information regardant la police avait trait à Sojourner, c'est que la petite est morte ce lundi-là. Elle a été assassinée cette nuit-là. Si elle n'a pas pu aller au Centre pour l'emploi, c'est parce qu'on l'avait tuée. Et son absence n'a pu que renforcer les craintes d'Annette, seulement tant qu'on a ce virus, croyez-moi, on ne pense qu'à soi.

— Donc, le lundi soir, Annette a simplement renvoyé Sojourner chez elle ?

— Elle a agi comme n'importe qui l'aurait fait dans ces circonstances, et s'est probablement bornée à lui conseiller de venir au Centre. Malheureusement, tragiquement, Sojourner n'avait nulle part où aller, sinon l'endroit d'où elle était venue. Quant à ce qui s'est passé ensuite, nous n'en avons aucune idée mais nous pouvons raisonnablement supposer que chez elle, un père, un frère ou même un mari, un membre masculin de la maison l'a, dirons-nous, "punie" pour s'être enfuie.

— Celui dont elle redoutait qu'il la poursuive ?

— Oui.

— Comment a-t-il appris l'existence d'Oni Johnson ? Et celle d'Annette ?

— Mais parce qu'elle lui a tout raconté, non ? »

Burden semblait avoir envie de demander pourquoi, mais il ne le fit pas.

« D'après vous, Sojourner lui a tout dit. Mais à qui ? A son père ? Son frère ? Son mari ? Son petit ami ?

— Cela ne peut être qu'au mari ou au petit ami. Nous connaissons tous les gens noirs du coin, Mike. Nous les avons tous retrouvés, nous leur avons parlé. Mais elle pouvait avoir un petit ami blanc. »

Pendant toute cette conversation, Wexford n'avait pu s'empêcher de penser au Dr Akande. Il lui semblait parfois que tous les chemins ramenaient aux Akande, que, sur chaque piste qu'il suivait il trouvait l'un ou l'autre des parents. Il décrocha le téléphone et demanda à Pemberton de monter.

« Bill, je veux que vous vous mettiez sur la famille de Kimberley Pearson et que vous me trouviez le maximum d'informations sur elle. »

Pemberton dissimula mal son incompréhension.

« La compagne de Zack Nelson, précisa Burden.

— Ah oui, bien sûr ! Quoi, vous voulez que j'enquête sur ses proches parents ? Où habitent-ils ?

— Je ne sais pas. Je n'en ai pas la moindre idée. Disons, quelque part dans un rayon de trente kilomètres. Il y a, ou il y avait une grand-mère. Je veux savoir où elle vivait et quand elle est décédée. Et Kimberley ne doit pas être au courant. Je ne veux pas qu'elle ait le moindre soupçon que nous enquêtons là-dessus. »

Pemberton eut alors un éclair d'intuition qui surprit agréablement Wexford.

« Vous croyez que la vie de Kimberley est en danger, chef ? Elle est la prochaine sur la liste ?

— Pas si nous gardons nos distances, dit lentement l'inspecteur principal. Pas si le meurtrier pense que nous en avons fini avec elle. Je retourne à l'hôpital. Je veux avoir encore une petite conversation avec Oni. Mais, ajouta-t-il, se souvenant des accusations de Freeborn, je ne vais pas passer par la rue principale de Stowerton, je prendrai au plus long. »

Mhonum Ling était là-bas. Si Kingsmarkham lançait le concours de la femme vêtue avec le luxe le plus outrancier, se dit Wexford, il serait difficile de départager la sœur d'Oni et Anouk Khoori. La jupe rose de Mhonum, longue jusqu'aux chevilles, s'arrêtait juste assez haut pour laisser voir des sandales incrustées de pierreries. Son tee-shirt brodé de sequins était aux antipodes de celui de Danny. Wexford garda un moment la main d'Oni dans la sienne, et elle lui adressa un de ses immenses sourires.

« Je vais encore vous faire revivre tout ça », lui dit-il.

Elle fit une grimace horrifiée, mais il pensa qu'en réalité cela l'amusait. Raffy entra, chargé d'un énorme radiocassette qui par bonheur n'était pas allumé. Il s'était habitué à Wexford, mais il lança à sa tante un regard que l'on aurait davantage attendu sur le visage de celui qui voit une lionne en liberté. Quand Oni répéta ce que Sojourner avait dit en yorouba, Mhonum haussa les épaules et tourna la tête pour scruter Raffy des pieds à la tête.

« Quand elle a disparu, demanda Wexford, les enfants commençaient-ils à sortir ? Beaucoup de parents étaient-ils déjà arrivés ?

— Les mères et les pères, les mères surtout, ils commencent à arriver cinq, dix minutes avant la sortie. Celle dans la voiture garée au bord du trottoir, à ma droite, celle à qui j'ai dit de circuler, elle était la première. Ensuite tous les autres ont commencé à arriver.

— J'aimerais que vous réfléchissiez bien, Mrs Johnson. Avez-vous eu l'impression qu'elle s'était sauvée de peur qu'un des parents la voie ? »

Oni Johnson tâcha de se rappeler. Elle plissa ses paupières closes dans son effort de concentration.

« Alors ça y est, vous connaissez son nom ? demanda Mhonum Ling.

— Pas encore, Mrs Ling.

— Pourquoi tu as apporté cette radio ici, Raffy ? dit-elle à son neveu, sans attendre la réponse. Descends au distributeur et rapporte un Fanta Light à ta tantine et un autre pour ta maman. Et prends-toi un Coca, mon garçon, dépêche-toi maintenant », ajouta-t-elle en sortant une poignée de monnaie de son sac en cuir rose.

Oni soupira en rouvrant les yeux.

« Ça sert à rien, j'en sais rien. J'ai jamais su. Elle était effrayée, elle était très pressée, mais effrayée de quoi ? Je sais pas. »

Il descendit par l'escalier. Le garçon silencieux marchait rapidement devant lui. Raffy s'arrêta près du distributeur de boissons, contempla désespérément les boutons surmontés d'images. Il aurait su arracher un Coca Light à l'appareil, mais le Fanta lui posait un problème. En passant, Wexford tapota du doigt le bon bouton et sortit dans le parking. Au moins cent voitures étaient arrivées depuis qu'il y avait laissé la sienne. Il se souvint avoir annoncé au chef de la police et à bon nombre d'autres qu'il aurait résolu l'affaire à la fin de la semaine. Il était encore tôt : on était seulement mardi.

Après avoir franchi le portail de l'hôpital, il tourna et s'engagea sur le rond-point. Il faillit prendre la première sortie mais il se rappela qu'il devait éviter la rue principale, et suivit le sens giratoire jusqu'à la troisième avenue. Peut-être était-il trop scrupuleux. Personne ne le suivait, cette idée était ridicule, il ne comptait pas s'arrêter devant Clifton Court et encore moins monter chez Kimberley Pearson, néanmoins il prit la troisième sortie. Il avait sauvé la vie à Oni, mais seulement après lui avoir fait courir un danger mortel.

Ce détour l'entraîna sur Charteris Road et dans Sparta Grove. Il n'était pas passé dans cette rue depuis que les petits Epson avaient été confiés à l'Assistance, et il n'y était venu, à l'époque, que pour prononcer quelques mots devant les caméras de la télévision, au sujet des parents qui partaient en vacances en laissant leurs enfants chez eux sans personne pour s'en occuper. Il essaya de se rappeler laquelle était la leur dans cette rangée de maisons victoriennes à trois étages. Elle n'avait rien d'un taudis, les Epson n'étaient pas indigents. S'ils ne voulaient pas emmener leurs enfants, ils avaient largement les moyens de se payer une gouvernante.

Il roulait lentement. Devant lui, un homme sortit d'une des maisons, ferma la porte d'entrée et monta dans une voiture rose garée au bord du trottoir. Wexford s'arrêta et coupa le moteur. L'homme était grand, bien bâti, jeune et blond, mais il lui tournait le dos et Wexford ne put voir son visage. Ce n'était pas Epson. Il était trop jeune, et d'ailleurs Epson était noir, il était jamaïcain.

La voiture démarra, prit rapidement de la vitesse et tourna au coin à toute allure pour s'engager dans Charteris Road. Il avait vu cet homme dans cette voiture très récemment, et il avait idée que les circonstances avaient été désagréables ou qu'il préférait éviter d'y penser. C'était sans doute pour cette raison qu'il ne pouvait s'en souvenir.

Il patienta quelques instants mais la mémoire lui faisait défaut. Sur le chemin du retour, il passa par la zone industrielle, un lieu désolé où la moitié des fabriques étaient à louer ou condamnées par des planches. Un petit chemin de terre le remit sur la route de Kingsmarkham, et dix minutes plus tard il était chez lui.

Quelquefois, dans le passé, la réponse qu'il cherchait lui était venue plus ou moins directement de Sheila ; d'une remarque qu'elle avait faite, de la dernière cause pour laquelle elle s'était prise de passion, ou d'un document

293

qu'elle lui avait donné à lire. En tout cas, de quelque chose qui l'avait mis sur la voie. Il avait besoin d'elle à présent, de quelques mots, d'une aiguille pointée vers la bonne direction.

Mais c'était son autre fille qui leur rendait visite ce soir-là avec Ben et Robin, ayant convenu avec Neil de se retrouver chez ses parents quand il aurait fini sa séance au club de chercheurs d'emploi. Indulgente, sa mère les avait tous invités à rester dîner. Tout en ingérant la nouvelle, Wexford songea combien Sylvia aurait détesté être appelée, même dans le secret de son cœur, « son autre fille ». Jamais un père n'avait tant lutté pour ne pas montrer sa préférence, et, pensa-t-il, jamais un père n'avait échoué de façon aussi éclatante. Dès qu'il eut passé la porte, il comprit qu'il devait résister à l'envie de téléphoner à Sheila tant que Sylvia serait là, ou du moins à portée d'oreille.

La soirée était douce. Ils étaient assis dehors, en cercle autour de la table à parasol, et la proposition de Sylvia de rester là pour dîner provoqua inévitablement une version de la phrase favorite de son aîné :

« *Mushk eler.*

— Si, moi ça me pose un problème, protesta Wexford. Vous savez que je ne supporte pas de dîner en plein air avec tous ces moustiques. C'est pareil pour les pique-niques. »

Les garçons et leur grand-mère s'engagèrent immédiatement dans une discussion sur les mérites et les inconvénients des pique-niques. Sylvia les ignora. Elle se rallongea sur sa chaise, les yeux mi-clos, et se mit à parler de son cours de formation, si totalement différent dans son approche des études en sciences sociales. Là au contraire on mettait l'accent sur les gens, sur l'interaction humaine, sur l'initiative personnelle et la solidarité... Wexford pensait qu'il était ridicule de se comporter ainsi, d'hésiter à téléphoner en cachette à Sheila de peur qu'elle ait branché le répondeur et rappelle au bout d'une ou deux heures. Quand Sylvia et sa famille partiraient-ils ? Pas avant la fin de la soirée. On n'attendait pas Neil avant une heure.

Dora emmena les garçons dans la maison. Elle dit à

Robin de mettre la table. La réponse attendue ne vint pas, probablement parce qu'il y avait un problème.

« Tu n'aimerais pas un verre ? demanda-t-il à Sylvia, autant pour endiguer ce flot verbal que parce qu'il en voulait un.

— De l'eau gazeuse. Pour l'essentiel nous serons confrontés à des états d'anxiété et de dépression. Mais il y a toujours énormément de violence domestique, et il faut garder à l'esprit que la discrétion est impérative pour instaurer la confiance chez le client. Nous nous conseillerons mutuellement, du moins, bien sûr, au début... »

Quand Wexford revint avec sa bière et de l'eau pour sa fille, elle parlait toujours. Elle semblait en être arrivée aux sévices infligés par les forts aux faibles. Elle avait fermé les yeux et tournait ses paupières closes vers le ciel bleu d'été.

« Pourquoi font-ils cela ? » lui demanda Wexford.

Il l'avait interrompue en plein milieu. Elle ouvrit les yeux et le fixa.

« Pourquoi font-ils quoi ?

— Pourquoi battent-ils leur femme, pourquoi maltraitent-ils leurs gosses ?

— Tu me poses la question pour de bon ? Tu tiens vraiment à le savoir ? »

Un coup au cœur, un tressaillement coupable, tel fut l'effet que lui causèrent ces questions. Comme si elle était sidérée qu'il s'intéresse à ce qu'elle avait à lui dire. Elle parlait, elle s'affirmait inlassablement, sans relâche, mais pas pour divertir ou informer. Pour prendre sa revanche, pour lui montrer. Et voilà qu'il avait l'air de vraiment vouloir l'entendre. Son ton était plein d'incrédulité : Tu me le demandes, à moi ?

Ce qu'il voulait en réalité, c'était trouver un moyen de s'échapper pour téléphoner à Sheila. Au lieu de quoi il affirma :

« Oui, j'aimerais le savoir. »

Elle ne répondit pas directement.

« Tu as déjà entendu parler de Benjamin Rush ?

— Je ne crois pas.

— C'était le doyen de l'école de médecine, à l'université de Pennsylvanie. Il y a, oh ! près de deux cents ans. Il passe pour le père de la psychiatrie américaine. Bien entendu, on pratiquait alors l'esclavage aux Etats-Unis. Une des doctrines de Rush était que tous les crimes résultent de maladies, et il était convaincu que l'athéisme était une maladie mentale.

— Et qu'est-ce qu'il a à voir avec les sévices corporels ?

— Je parie que tu n'as jamais entendu parler de ça avant, papa. Rush a élaboré une "théorie de la négritude". Il croyait qu'être noir était une maladie. Les Noirs souffraient d'une lèpre congénitale, mais sous une forme si bénigne que la pigmentation en était le seul symptôme. Tu vois ce qu'implique l'adhésion à une telle théorie ? Cela justifie la ségrégation sexuelle et l'injustice sociale. Cela signifie qu'on a une raison légitime de maltraiter les gens.

— Attends une minute. Cela revient à dire que si quelqu'un est un objet de pitié, on va vouloir user de violence physique contre lui ? Ça paraît tordu. C'est contraire à tout ce que nous enseigne la morale sociale.

— Non, écoute. Tu transformes quelqu'un en objet de... pas tant de pitié que de faiblesse, de maladie, de stupidité, d'incompétence. Tu vois ce que je veux dire ? Tu le frappes pour sa bêtise, son indolence, et quand tu lui as fait mal, quand tu l'as marqué, il est encore plus malade, plus repoussant. Il est apeuré et craintif. Oh, je sais ! Le sujet n'est pas très agréable, mais tu m'as posé la question.

— Continue.

— Tu as donc un être effrayé, stupide, même infirme, réduit au silence et enlaidi, et que peux-tu faire d'un être pareil, un être si indigne d'être traité correctement ? Tu le maltraites, parce que c'est ce qu'il mérite. On pense aux pauvres petits mioches que personne ne peut aimer parce qu'ils sont sales, couverts de morve et de merde et qu'ils pleurent tout le temps. Alors ils sont battus parce qu'ils sont détestables, ils sont vils, ils sont des sous-humains. Tout ce qu'ils méritent, c'est d'être frappés et encore rabaissés. »

Il se taisait. Elle se méprit sur son silence, le croyant

choqué non de ce qu'elle avait dit mais parce qu'elle l'avait dit, et s'empressa de faire amende honorable.

« Papa, je sais que c'est horrible, mais je suis bien obligée de savoir ces choses. Il faut que j'essaie de comprendre le bourreau au même titre que la victime.

— Non, ce n'est pas ça. Ce que tu me dis là, je le sais bien. N'oublie pas que je suis flic ! Non, c'est un mot que tu as prononcé qui m'a rappelé quelque chose. Je n'arrive pas à mettre le doigt dessus...

— Sous-humain ? Incompétence ?

— Non. Ça me reviendra. Merci, Sylvia, dit-il en se levant. Tu ne sais pas à quel point tu m'as aidé. »

Son expression lui alla droit au cœur. L'espace d'un instant, elle ressembla à son fils Ben. Il se pencha et l'embrassa sur le front.

« Je sais ce que c'était, dit-il à moitié pour lui-même. Ça m'est revenu. »

En haut, sur sa table de nuit, étaient posés les fascicules et les brochures que Sheila lui avait envoyés, toute une documentation sur sa dernière passion. Il ne les avait pas encore lus mais il le ferait sitôt le départ de Sylvia. Il s'était également rappelé un détail concernant l'homme qui était sorti de chez les Epson et avait pris leur voiture. Il n'avait pas vu son visage. Tout comme il n'avait pas vu les traits de celui qui était au volant de cette même voiture quand un petit garçon sorti de Thomas Proctor était monté à l'intérieur.

Wexford revoyait très distinctement ce petit garçon, un gamin à la peau café au lait et aux cheveux châtains bouclés, qui aurait pu être le fils de cet homme seulement si la mère était noire, et seulement s'il l'avait conçu quand il n'était lui-même qu'un enfant.

Etait-ce cet homme qu'avait fui Sojourner quinze jours plus tôt ?

Non, pensa Wexford, ce n'était pas cela du tout...

20

L A VISITE HABITUELLE aux Akande devrait être remise à plus tard. Si Wexford avait vu juste, il ne serait pas d'humeur à leur parler alors que cette idée occupait toutes ses pensées. D'ailleurs, qu'y avait-il à dire ? Même les plaisanteries banales, les remarques sur le temps, les questions sur leur santé auraient l'air artificielles. Il se rappela comment il avait essayé de les préparer, comment il leur avait conseillé d'abandonner tout espoir, et il se rappela l'optimisme d'Akande, un jour forcené, mourant le lendemain.

Il prit sa voiture pour aller au travail, passa devant la maison des Akande mais garda les yeux rivés sur la route devant lui. Des rapports l'attendaient sur les progrès de l'enquête au porte-à-porte, mais ils étaient négatifs ; les interrogatoires n'avaient rien révélé, sinon du racisme de la part des habitants les plus inattendus, et une tolérance insoupçonnée là où l'on prévoyait le plus de rencontrer des préjugés. Avec l'être humain, on ne pouvait jurer de rien. Malahyde, Pemberton, Archbold et Donaldson continueraient toute la journée à sonner aux portes, à montrer les photos, à poser des questions. Si Kingsmarkham ne donnait rien, ils s'attaqueraient aux villages, Mynford, Myfleet, Cheriton.

Wexford emmena Barry Vine à Stowerton. Ils évitèrent l'artère principale et passèrent par Waterford Avenue, où demeurait le chef de la police. Les quartiers changeaient très vite à Stowerton, et l'on n'était qu'à un long jet de

298

pierre de Sparta Grove. Wexford sourit en son for intérieur lorsqu'ils dépassèrent la maison, en pensant combien Freeborn avait été près de tout cela, de toute cette... conspiration, c'était le mot ? qui s'était déroulée sous son nez.

La voiture rose était garée sur la route, là où il l'avait vue le soir précédent. Au grand jour, par cette matinée ensoleillée, elle était très sale. Un auteur de graffiti avait tracé du doigt « Lave-moi » sur le coffre poussiéreux. Pas une fenêtre de la maison n'était ouverte. Celle-ci semblait déserte, mais la voiture était là.

La sonnette de l'entrée ne fonctionnait pas. Vine actionna vivement le heurtoir et dit, en levant la tête vers les fenêtres closes, que pour certains neuf heures c'était encore l'aurore. Il frappa à nouveau et s'apprêtait à appeler par la boîte aux lettres quand le châssis d'une des fenêtres du haut fut soulevé, et l'homme que Wexford avait vu de dos la veille au soir sans pouvoir l'identifier passa la tête au-dehors. C'était Christopher Riding.

« Police, dit Wexford. Vous vous souvenez de moi ?

— Je devrais ?

— Inspecteur principal Wexford, brigade criminelle de Kingsmarkham. Descendez et faites-nous entrer, je vous prie. »

Ils attendirent longtemps. L'écho d'une bousculade leur parvint de l'intérieur, et un bruit de verre cassé. Un chapelet de jurons étouffés fut suivi d'un choc mat. Vine dit d'un ton désenchanté que ça ne serait pas une mauvaise idée d'enfoncer la porte.

« Non, il arrive. »

La porte fut ouverte avec prudence. Un enfant d'environ quatre ans les regardait d'un air rieur. Il fut brusquement tiré en arrière et l'homme qui s'était montré à la fenêtre se tint devant eux. Il était en short et en gros pull Aran très sale. Il avait les jambes et les pieds nus.

« Vous voulez quoi ?

— Entrer.

— Il vous faudra un mandat pour ça, dit Christopher Riding. Sans ça, vous n'entrez pas. C'est pas chez moi, ici.

299

« — Non, c'est la maison de Mr et Mrs Epson. Où sont-ils, cette fois ? A Lanzarote ? »

Il fut un peu déconcerté, suffisamment pour reculer. Wexford, qui avait l'avantage de la taille, sinon de la jeunesse, lui donna un coup de coude et força le passage. Vine le suivit, se dégageant de l'étreinte de Riding qui tentait de le retenir. L'enfant se mit à pleurnicher.

C'était une maison composée de nombreuses petites pièces, avec un escalier raide au centre. Au milieu de l'escalier se tenait un gamin plus âgé que le premier, un jouet mou et crasseux pendu à la main. C'était le petit garçon aux cheveux châtains bouclés que Wexford avait aperçu devant Thomas Proctor. A la vue de Wexford, il tourna les talons et courut vers l'étage. La rumeur d'une radio traversait une porte fermée. Wexford l'ouvrit doucement. A quatre pattes par terre, une jeune fille ramassait du verre cassé, sans doute les vestiges de l'objet qu'ils avaient entendu tomber, et déposait les morceaux sur un journal plié. Elle tourna la tête en l'entendant tousser avec circonspection, bondit sur ses pieds et laissa échapper un cri.

« Bonjour, dit Wexford. Melanie Akande, je présume ? »

Son impassibilité était aux antipodes de ses sentiments véritables. L'extrême soulagement de l'avoir retrouvée saine et sauve à Stowerton le disputait dans son esprit à la colère et à une sorte de crainte atterrée lorsqu'il pensait à ses parents. Et si Sheila avait fait cela ? Qu'aurait-il éprouvé si sa fille avait fait cela ?

Christopher Riding s'appuya contre la cheminée, une expression mi-cynique, mi-amusée sur le visage. Melanie, qui avait d'abord paru sur le point de pleurer, s'était dominée et restait assise dans une attitude de désespoir. De surprise, elle s'était coupée avec un éclat de verre, et son doigt saignait sans qu'elle y prenne garde. En haut, l'aîné des Epson se mit à pleurer.

« Va voir ce qu'il veut, dit Melanie à Riding comme s'ils étaient mariés depuis des années, et pas très heureux en ménage.

— Bon Dieu ! »

Riding haussa très ostensiblement les épaules. Le plus jeune des garçons empoigna son jean et s'y accrocha, enfouit sa tête dans le creux des genoux. Christopher s'éloigna, l'enfant pendu à ses basques, et claqua la porte.

« Où sont Mr et Mrs Epson ? demanda Wexford.

— En Sicile. Ils rentrent ce soir.

— Et que comptiez-vous faire ?

— Je ne sais pas. »

Elle soupira. Le vue de son doigt lui fit à nouveau monter les larmes aux yeux. Elle entreprit de l'envelopper dans un mouchoir en papier.

« Voir s'ils me garderaient, je suppose. Je ne sais pas. Dormir dans la rue. »

Elle portait exactement la même tenue que le jour de sa disparition, telle que la décrivait son signalement : un jean, une chemise blanche et un long gilet brodé. Son visage exprimait un total désenchantement à l'égard de la vie qu'elle menait.

« Voulez-vous m'en parler ici ou préférez-vous que nous allions au poste ?

— Je ne peux pas laisser les enfants. »

Wexford réfléchit. Il savourerait peut-être mieux plus tard l'ironie de la situation. Evidemment, elle ne pouvait pas laisser les enfants. Les petits Epson figuraient sur le registre des Services sociaux depuis que leurs parents avaient écopé d'une peine de prison avec sursis pour les avoir laissés seuls à la maison toute une semaine. Mais ça ne l'inspirait guère de convoquer un représentant de l'Assistance, de faire rédiger un mandat, de mettre toute la machine en branle à seule fin de pouvoir emmener Melanie Akande pour la journée. Les Epson, échaudés par ce qui leur était arrivé la dernière fois, l'avaient certainement engagée de façon à peu près légale pour s'occuper de leurs deux fils.

« Qu'avez-vous fait ? Vous avez répondu à une annonce du Centre pour l'emploi ? »

Melanie secoua la tête.

« J'ai rencontré Mrs Epson là-bas — elle m'a dit de l'appeler Fiona. Je venais de finir mon entretien avec la conseil-

301

lère et je me promenais dans la partie des offres d'emplois. Cette femme était à côté du panneau où sont affichées les places de gouvernantes et de baby-sitters. Je n'avais jamais pensé à ce genre de petit boulot mais je regardais les fiches, et elle m'a demandé si je voulais travailler pour elle pendant trois semaines.

« Bon. Je savais qu'on n'était pas censé partir avec des gens qui vous proposaient du travail comme ça, mais venant d'une femme ça semblait différent. Le problème, c'est bien le harcèlement sexuel, non ? Elle m'a proposé de venir me rendre compte, alors je suis allée avec elle. Elle avait sa voiture dans le parking et nous sommes sorties par la porte latérale. C'est la voiture que vous avez vue dehors.

— Voilà pourquoi les jeunes ne vous ont pas vue partir, dit Vine.

— Peut-être. Mes parents m'ont cherchée ? demanda-t-elle, soudain frappée par cette pensée.

— Tout le pays s'est lancé à votre recherche, répondit Vine. Vous n'achetez pas les journaux ? Vous n'avez pas la télé ?

— La télé est en panne et nous ne savions pas quel réparateur faire venir. Je n'ai pas lu un seul journal.

— Au début, votre mère a cru que vous étiez avec Euan Sinclair, dit Wexford. Elle redoutait cette possibilité. Ensuite, elle vous a crue morte. Donc, Mrs Epson vous a amenée ici ? Tout simplement ? Elle ne vous a pas proposé de passer d'abord chez vous, de prendre vos affaires ?

— Ils s'en allaient le lendemain. Ils s'étaient plus ou moins faits à l'idée d'emmener les gosses. Je comprends très bien qu'ils n'en aient pas envie. Ces gamins sont de vraies terreurs.

— Pas étonnant, non ? » dit Vine, le père consciencieux.

Melanie haussa les épaules.

« J'ai dit à Fiona que je pouvais rester si elle voulait. J'avais des affaires avec moi, vous comprenez... Enfin, j'en avais suffisamment parce que je m'étais préparée à aller chez Laurel. Mais ça ne me disait rien. D'abord, j'avais rendez-vous avec Euan, mais je n'avais pas envie de le voir, je ne voulais plus entendre ses mensonges. Etre ici, dans cette maison, c'était exactement ce dont j'avais besoin. Du moins, je le pensais. J'aurais une paie qui ne serait ni une bourse ni de l'argent de poche de papa. Je me suis dit que je serais seule, et c'était ce que je voulais : être seule quelque temps. Mais on n'est pas seul, avec des gosses.

— Christopher Riding ne restait pas avec vous tout le temps ?

— Je ne sais pas où il était. Je ne le connaissais pas très bien, pas encore. Ça s'est passé... Ça s'est passé quand j'étais là depuis à peu près une semaine. J'allais presque laisser tomber, ces gosses sont si terribles ! Je devais conduire le grand à l'école, c'est pour ça qu'ils m'ont laissé la voiture, et Chris m'a vue, il m'a reconnue et alors il... il m'a suivie jusqu'ici. »

Depuis à peu près une semaine, songea Wexford. Ce devait être le jour, ou le lendemain du jour où il avait rencontré Christopher Riding et lui avait demandé s'il avait revu Melanie. Au moins, à ce moment-là il avait dit la vérité.

« Il trouvait ça drôle, toute cette organisation, poursuivit Melanie. On aurait dit que ça le fascinait. Il est resté un peu. Enfin, se reprit-elle en détournant les yeux, il allait et venait. Il m'aidait avec les petits. Ce sont vraiment des sales gosses.

— Et vous, Melanie, dit Vine, vous ne vous êtes pas conduite comme une sale gosse ? Il faut vraiment être une sale gosse, non, pour s'envoler, disparaître sans un mot à ses parents ? Leur laisser croire qu'on est morte ? Qu'on s'est fait assassiner ?

— Ils n'ont pas pu imaginer ça !

— Bien sûr que si. Qu'est-ce qui vous empêchait de leur passer ne serait-ce qu'un coup de fil ? »

Silencieuse, elle gardait les yeux baissés vers le mouchoir en papier trempé de sang autour de son doigt. Wexford pensa à tous les gens qui l'avaient vue et qui n'avaient pas réagi, qui n'avaient rien fait parce qu'elle était toujours avec deux enfants noirs qu'ils prenaient pour les siens. Ou parce qu'ils la voyaient avec Riding, qu'ils prenaient pour le père des enfants. Wexford avait cru qu'une jeune fille noire serait facile à retrouver parce que les Noirs étaient rares dans les parages, mais l'inverse était vrai. Pour cette raison même, on ne l'avait pas reconnue.

« Ils ne m'auraient pas laissée rester ici », dit Melanie d'une voix à peine plus haute qu'un murmure.

Elle lança un regard malheureux vers Christopher, qui était revenu dans la pièce.

« Ma mère aurait dit que c'était faire la boniche. Mon père serait venu me chercher pour me ramener à la maison. Vous ne savez pas comment c'est, à la maison ! s'écria-t-elle soudain, au bord de l'hystérie. Personne ne le sait. Et je ne peux pas m'en aller si je n'ai pas du travail et... et un toit. Je peux vous parler seule à seul ? Rien qu'une minute ? » demanda-t-elle à Wexford.

Un cri perçant éclata. Il provenait d'en haut mais il aurait aussi bien pu venir de la pièce où ils étaient. Ce cri fut suivi d'un violent fracas. Melanie hurla :

« Oh mon Dieu ! Va voir ce qu'il fabrique, Chris, je t'en prie.

— Vas-y toi-même, dit Christopher en riant.

— Mais je ne peux pas ! Il faut que je reste ici.

— Bon sang, j'en ai ma claque de tout ça. Je ne sais pas ce qui a pu m'attirer au début.

— Je le sais, moi !

— Il n'en reste pas grand-chose, en tout cas.

— J'y vais, dit Barry Vine d'un ton grave et réprobateur.

— Changeons de pièce », dit Wexford à Melanie.

Une pièce morne que personne ne semblait utiliser, avec une table entourée de chaises et une bicyclette dans un coin. Le store vert était complètement baissé. Wexford indiqua une chaise à la jeune fille et s'assit en face d'elle.

« Que vouliez-vous me dire ?

— J'ai eu l'idée d'avoir un bébé, rien que pour être logée par le conseil.

— Plus probable qu'il vous place dans un de ses fameux *Bed & Breakfast*.

— Ce serait toujours mieux qu'Ollerton Avenue.

— C'est vrai ? C'est tellement moche, là-bas ? »

Elle se détendit tout d'un coup. Elle s'accouda à la table et lui adressa un regard de conspirateur, prête à partager des confidences. Son petit sourire mi-figue mi-raisin la rendait infiniment séduisante. Elle était à la fois jolie et charmante.

« Vous ne savez pas. Vous ne savez pas comment ils sont réellement. Vous voyez simplement le généraliste bon et travailleur et son épouse, si belle et compétente. Ce sont des fanatiques, ces deux-là, ils sont obsédés.

— Par quoi ?

— Ils ont certainement un meilleur niveau d'études que n'importe qui dans le coin. Ça, ce n'est qu'un début. Ma mère a obtenu un diplôme ès sciences avant de s'orienter pour devenir infirmière, et elle possède à peu près toutes les qualifications qu'une infirmière peut avoir. Elle est spécialiste en tout. Médecine, psychiatrie, dites un nom au hasard : elle l'a. Quand on était petits, Patrick et moi, on ne la voyait jamais, elle passait tout son temps dehors à amasser des diplômes. Notre grand-mère et nos tantes s'occupaient de nous. Mon père est peut-être généraliste, mais il est aussi membre du Collège royal des chirurgiens. Il est capable de réaliser toutes sortes d'opérations et pas seulement d'enlever un appendice. Il pourrait facilement être aussi bon que le père de Chris.

— Et donc, ils avaient des ambitions pour vous ?

— Vous plaisantez ? Vous savez comment ils appellent leurs pareils ? L'Elite d'ébène. La crème des crèmes, version noire. Notre avenir était déjà tout tracé avant que nous ayons dix ans. Patrick serait l'éminent spécialiste, en chirurgie du cerveau probablement. Oui vraiment, eux ils trouvent cela normal. Et lui ça lui convient puisque c'est ce qu'il veut, il se dirige vers cette voie. Mais moi ? Je ne suis pas si brillante que ça, juste moyenne. Comme j'aime le chant et la danse, j'ai passé mon diplôme dans ces disciplines, mais mes parents détestaient ça parce que, voyez-vous, c'est le domaine où ordinairement les Noires réussissent. Ils se sont réjouis que je ne trouve pas de travail, ils voulaient que j'aille en fac tant que je vivrais à la maison. Ou alors, j'aurais eu la permission de prendre un emploi de bureau et d'étudier le droit des affaires le soir, par correspondance. Carrière, diplômes, promotion, ils n'ont que ces mots à la bouche. Et bien qu'ils soient trop civilisés pour le dire, ils n'en peuvent plus de fierté depuis qu'ils ont appris que les gens qui ne voulaient pas être nos voisins ont quitté l'école à seize ans.

« Si je m'en allais, ils penseraient que je me suis remise avec Euan ou quelqu'un du même genre. C'est peut-être ce que je vais faire, maintenant, dit-elle avec une moue amère. Sans homme, je ne peux pas avoir de bébé. Je ne laisserai pas Chris aller aussi loin, même s'il est venu pour ça, en dépit de ce qu'il prétend. Je le fais fantasmer parce que je suis noire. Charmant, non ? J'ai dû me battre pour repousser ses avances.

— Il ne faut pas laisser plus longtemps vos parents dans l'ignorance. Pas une heure de plus. Ils ont traversé une dure épreuve. Rien de ce qu'ils ont fait ne peut le justifier. Ils ont énormément souffert ; votre père a maigri, il a l'air d'un vieillard, mais ils ont continué de travailler...

— Normal.

— Je vais les informer que vous êtes saine et sauve, et ensuite il faudra aller les voir. Prenez les enfants avec vous, vous n'avez guère le choix. »

Il songea à la perte de temps subie par la police, à la logistique mise en place, au prix que toute cette histoire avait coûté, au chagrin, à la douleur et aux insultes, au frère rappelé de son voyage en Asie, à sa propre honte, aux prétextes qu'il avait trouvés pour excuser son comportement. Pourtant, il se radoucit. Il était peut-être exagérément sensible et sentimental, mais elle lui faisait de la peine.

« Quand les Epson rentrent-ils ?

— Elle a dit vers neuf ou dix heures.

— Nous vous enverrons une voiture à six heures. »

Il se leva et se préparait à partir quand un détail lui revint en mémoire.

« Un service en vaut en autre. J'aurai de nouveau à vous parler. D'accord ?

— D'accord.

— C'est vous qui avez répondu à mon agent quand nous téléphonions pour enquêter sur la jeune fille morte ? »

Elle hocha la tête.

« Ça m'a fait une peur bleue. J'ai cru que c'était fini.

« — Vous feriez mieux de vous occuper de ce doigt. Vous avez des pansements dans la maison ?

— Par milliers. C'est une priorité majeure. Ces mioches n'arrêtent pas de se blesser, seuls ou mutuellement. »

Deux rapports de Pemberton l'attendaient sur son bureau. Le premier lui apprit que le magasin de chaussures de Kingsmarkham qui vendait des demi-bottes en toile et caoutchouc noirs tenait scrupuleusement le registre des ventes. Dans les six mois écoulés, quatre paires avaient été vendues. Une employée se souvenait d'en avoir vendu une à John Ling. Elle le connaissait parce qu'il était l'un des deux seuls Chinois de la ville. Une autre paire avait été prise par une cliente qu'elle appelait « la clocharde », qui était entrée dans la boutique avec deux sacs en papier pleins à craquer et qui avait l'air de coucher dans les rues. Elle ne se rappelait pas les acheteurs des autres paires. Wexford parcourut rapidement le second rapport et dit :

« Je veux que Pemberton rapplique sur-le-champ. »

Le combiné à la main, Burden remarqua :

« Vous êtes tout rouge, chef.

— Je sais. Il y a de quoi. Ecoutez ça : La grand-mère de Kimberley Pearson est effectivement décédée au début du mois de juin mais elle n'a pas laissé d'argent, et encore moins de biens fonciers. Elle habitait un de ces bungalows qui appartiennent à la municipalité, dans Fontaine Road à Stowerton. Mrs Pearson, qui était sa belle-fille, n'a jamais entendu parler d'argent qui serait revenu à Kimberley, du moins pas en provenance de la famille. Ces gens n'ont absolument pas de fortune, ils sont tous aussi pauvres que des souris d'église.

« Clifton Court, où Kimberley a emménagé après que Zack a été placé en détention provisoire, est un immeuble à usage locatif. Et quelle est, à votre avis, la société qui détient la propriété perpétuelle de l'immeuble ?

— Arrêtez ce suspense et dites-le-moi.

— Nulle autre que Crescent Comestibles, ou en d'autres termes Waël Khoori, son frère et notre candidate au conseil local, son épouse. »

307

L'arrivée de Pemberton leur permit d'avoir des précisions.

« On loue ces appartements en bénéficiant d'une option d'achat, expliqua-t-il. Quarante livres par semaine, et ils affirment qu'après transfert, les remboursements de l'hypothèque s'élèvent à la même somme. Bien entendu, je n'ai pas parlé à Kimberley, j'ai demandé à sa mère de ne pas en dire un mot. D'après sa mère, elle est allée à Clifton Court dès la minute où Zack s'est fait choper, elle a versé une caution et s'est organisée de manière à s'y installer le lendemain. Depuis, elle s'est acheté tout un tas de meubles.

— Elle compte se porter acquéreur ?

— Un notaire s'occupe déjà des actes de cession. Ce pavillon, à Glebe End, ils le squattaient, seulement tout le monde s'en fichait. Le propriétaire le laisse à l'abandon. Il faudrait investir cinquante mille livres pour le retaper avant que quelqu'un veuille l'acheter.

— Et Crescent Comestibles possède cet immeuble.

— C'est ce que m'ont dit les administrateurs. Ce n'est pas un secret. Cette société fait construire dans tout Stowerton, partout où il y a un bout de terrain ou une vieille maison en démolition. C'est partout le même principe. Les logements sont bon marché par rapport aux prix actuels. On paie un loyer tout en attendant l'expiration de l'hypothèque, qui est de cent pour cent, sans caution. Les remboursements de l'hypothèque sont équivalents au loyer.

— C'est conforme à la doctrine politique de Mrs Khoori, dit lentement Wexford. Aider les défavorisés à s'aider eux-mêmes. Ne pas leur faire l'aumône, mais leur donner la chance d'être indépendants. Pas mauvaise, je pense, cette philosophie. Je me demande si un jour quelqu'un fondera le parti politique des socio-conservateurs. »

Le médecin fut prévenu au centre médical, entre deux consultations, son épouse avisée par téléphone aux Soins intensifs. Wexford arriva chez eux en même temps que le Dr Akande, dont le visage était aussi ravagé par la souffrance que lorsqu'il croyait sa fille morte. Ç'aurait été pire, infiniment pire, si elle avait été morte, mais cette nouvelle n'en était pas moins terrible. Apprendre que votre enfant est prêt à vous faire subir une telle épreuve, qu'il est indifférent à l'idée qu'on puisse en sortir brisé, n'est supportable que filtré par la colère, or Raymond Akande n'était pas en colère. Il était humilié.

« Je croyais qu'elle nous aimait.

— Elle a agi impulsivement, Dr Akande. »

Il n'avait rien dit de Christopher Riding. Melanie en parlerait elle-même.

« Et pendant tout ce temps, elle était à Stowerton ?

— On le dirait bien.

— Sa mère travaille juste en bas de la route. J'y passais quand je faisais mes visites.

— Les Epson lui ont laissé une voiture pour faire les courses et accompagner les enfants à l'école. Je ne crois pas qu'elle soit beaucoup sortie à pied.

— Je devrais remercier le ciel à genoux pour sa clémence, je devrais être aux anges. C'est ce que vous pensez ?

— Non, dit Wexford. Je sais ce que vous éprouvez.

— Où avons-nous fait fausse route ? »

Avant qu'il ait pu répondre, s'il en avait eu la faculté ou l'envie, Laurette Akande entra. La première pensée de Wexford fut qu'elle avait rajeuni de dix ans, la deuxième qu'elle rayonnait de joie, et la troisième qu'il n'avait pas vu de femme aussi furieuse depuis des années.

« Où est-elle ?

— Une voiture l'amènera à dix-huit heures. Elle aura les enfants avec elle. Sinon, il aurait fallu prendre des dispositions auprès des Services sociaux, et dans la mesure où les Epson reviennent ce soir...

— Où avons-nous fait fausse route, Laurette ?

— Ne sois pas bête. Nous n'avons pas fait fausse route. Qui est cette femme, cette Mrs Epson qui confie ses enfants à une personne totalement dépourvue de qualifications ? J'espère que quelqu'un lui intentera un procès, elle mérite d'être traînée en justice. Je suis tellement furieuse que je pourrais la tuer. Pas Mrs Epson. Melanie. Je pourrais la tuer.

— Oh, Lettie ! Nous pensions qu'on l'avait assassinée... »

La voiture amena Melanie et les turbulents petits Epson peu après dix-huit heures. Elle entra dans la pièce d'un air de défi, la tête haute. Ses parents restèrent assis, mais au bout d'une ou deux minutes de silence son père se leva et vint à elle. Il la prit par la main, l'attira un peu vers lui et, avec hésitation, l'embrassa sur la joue. Melanie se laissa faire sans réagir.

« Je vais vous laisser, dit Wexford. Je vous reverrai demain, Melanie, ici même à neuf heures du matin. »

Aucun d'eux ne fit attention à lui. Il se leva et se dirigea vers la porte. Laurette prit une voix forte et déterminée. Elle ne semblait plus furieuse mais seulement résolue.

« Bien, Melanie. Nous écouterons ton explication et ensuite nous n'en parlerons plus. Je pense que tu ferais bien d'entreprendre un diplôme de gestion. Tu pourrais commencer en octobre si tu t'y prends vite. Ils ont un bon cursus à l'université du Sud, et cela te permettrait de vivre à la maison. J'écrirai demain pour demander le dossier d'inscription, entre-temps papa pourrait te laisser faire un remplacement comme réceptionniste au... »

Le plus jeune des Epson se mit à hurler. Wexford sortit et referma la porte derrière lui.

21

DANS LE SECRET DE L'ISOLOIR, il fit une croix sur son bulletin de vote. Il y avait trois noms : Burton K. J., Parti national britannique ; Khoori A.D., conservateurs indépendants, et Sugden M., démocrates-libéraux. D'après Sheila, les démocrates-libéraux n'avaient pas une chance et le seul moyen d'évincer le PNB était de battre le rappel pour un soutien massif à Anouk Khoori.

Mais Wexford avait désormais de sérieux motifs de ne pas voter en faveur de Mrs Khoori, et il marqua d'une croix le nom de Malcolm Sugden. C'était peut-être un vote inutile mais il n'y pouvait rien. Il plia son bulletin en deux, se tourna et le glissa dans la fente de l'urne.

Depuis qu'il était entré dans l'école primaire Thomas Proctor cinq minutes plus tôt, Anouk Khoori était arrivée dans une Rolls Royce dorée conduite par son mari. Burton, du PNB, était déjà là, debout dans la cour bitumée, entouré de dames en robes de soie et chapeaux de paille, l'ex-avant-garde des conservateurs séduite par les attraits de l'extrême droite. Il fumait un cigare dont les volutes lourdes s'attardaient avant de filer au loin, dans la chaleur du matin. Mrs Khoori descendit de voiture à la manière d'un membre de la famille royale. Sa toilette était digne d'une princesse, mais de la jeune génération : jupe blanche très courte, chemisier en soie vert émeraude, veste blanche. Ses cheveux retombaient tel un voile jaune sous le bord blanc de son chapeau. Quand elle vit Wexford, elle lui tendit ses deux mains.

« Je savais que je vous trouverais ici ! »

Il s'émerveilla de la confiance qui permettait à une quasi-inconnue de prendre les intonations d'une amoureuse.

« Je savais que vous seriez parmi les premiers à voter. »

Son époux se matérialisa derrière elle, un large sourire artificiel aux lèvres, et tendit énergiquement la main en direction de l'inspecteur principal. Le geste avait une vigueur que Wexford associait à celle d'un boxeur, mais la poignée échangée fut molle, comme si sa propre main avait serré un lis fané. Il lâcha celle de Khoori et fit remarquer qu'ils avaient un temps splendide pour les élections.

« Tellement anglais ! dit Mrs Khoori. Mais c'est justement ce que j'adore. Maintenant, Reg, je veux que vous me promettiez quelque chose.

— Quoi donc ? »

Même à ses propres oreilles, sa voix parut d'une gravité rébarbative. Pourtant Anouk Khoori continua comme si de rien n'était.

« Avec la disparition des conseils départementaux, notre autorité va s'étendre et gagner en importance. J'aurai besoin d'un conseiller en matière de prévention du crime, de relations publiques avec la population de cette vieille ville endormie. Vous serez ce conseiller, Reg, voulez-vous ? Vous m'aiderez ? Vous m'accorderez le soutien dont plus que jamais je vais avoir besoin. Qu'en dites-vous ? »

Un sourire s'épanouissait sur le visage de Waël Khoori, tout à fait légitime mais aussi vide que cordial et adressé au tout-venant.

« Il faudra d'abord que vous soyez élue, Mrs Khoori.

— Anouk, je vous en prie. Mais je vais être élue, je le sais, et quand je le serai, vous m'aiderez ? »

C'était absurde. Il sourit sans mot dire, évitant d'infliger une rebuffade directe. Il était neuf heures moins cinq et Raymond Akande démarrait ses consultations à huit heures trente. Laurette serait partie pour prendre la relève de l'équipe de nuit à huit heures. Pendant les cinq minutes qu'il lui fallut pour aller en voiture à Ollerton Avenue,

Wexford se remémora toutes les visites qu'il avait rendues dans cette maison, la douleur du médecin, les larmes du jeune frère. Il se rappela l'arrivée de ces parents à la morgue et la fureur hystérique de Laurette. Il n'y avait rien à faire pour remédier à tout cela. Il pouvait difficilement inculper d'autres personnes d'avoir fait perdre du temps à la police, vu que la procédure même serait une perte de temps.

En toute vraisemblance, il ne reviendrait jamais ici. Ce serait sa dernière visite. Même après les événements de la veille, après l'identification et l'explication, ce fut un choc de voir vivant le visage de la photographie, le visage de la morte. Elle lui ouvrit la porte et l'espace d'une seconde, il fut réduit au silence par sa réalité, par son existence même.

« Il n'y a que moi ici, dit-elle.

— Christopher ne serait pas le bienvenu, j'imagine ?

— Il est retourné chez lui. Je ne veux plus jamais le revoir. J'étais amie avec sa sœur, avec Sophie, pas avec lui. »

Wexford suivit la jeune fille dans le salon dont les murs avaient entendu ses parents demander s'il restait le moindre espoir de la retrouver vivante. Elle lui sourit, d'abord hésitante, puis sereine.

« Je me sens heureuse, je ne sais pas pourquoi. Ça doit être le fait d'être débarrassée des petits Epson.

— Combien vous ont-ils payée ?

— Cent livres. La moitié avant de partir et l'autre moitié hier soir. »

Wexford lui montra la photo de Sojourner.

« Vous l'avez déjà vue ?

— Je ne pense pas. »

Certes, cette expression signifiait « non », mais un « non » pas absolument catégorique.

« C'est sûr ?

— Je ne l'ai jamais vue. Avez-vous le droit de prendre des morts en photo et de les montrer un peu partout ?

— Que suggéreriez-vous d'autre ?

— Des registres à l'échelle de toute la population, avec

photos, empreintes digitales et chaîne d'ADN. Un ordinateur central qui contiendrait toutes les données sur tous les gens du pays.

— Notre tâche serait grandement facilitée si nous tenions de tels registres, mais ce n'est pas le cas. Dites-moi ce que vous avez fait la veille du jour où vous êtes allée au Centre pour l'emploi, et où vous avez rencontré Mrs Epson.

— Comment ça, ce que j'ai fait ?

— Votre emploi du temps de la journée. Votre mère a dit que vous étiez allée faire du jogging.

— J'en fais tous les jours. Enfin, sauf quand il fallait que je m'occupe des gosses.

— Très bien. Donc, vous êtes allée courir. Où ?

— Ma mère n'est pas au courant de tout, vous savez. Je ne prends pas toujours le même chemin. Quelquefois je remonte par Harrow Avenue et le long de Winchester Drive, d'autres fois je passe par Marlborough Road.

— Christopher et Sophie Riding habitent dans Winchester Drive.

— Vraiment ? Je ne suis jamais allée chez eux. Je vous l'ai dit, je ne l'avais vu que deux ou trois fois avant qu'il me suive chez les Epson. J'ai connu Sophie à la fac. »

Si elle était heureuse cinq minutes plus tôt, elle semblait maintenant en proie à une détresse démesurée. Que deviendrait-elle, si les méthodes brutales d'une mère dominatrice la poussaient encore dans les bras d'Euan Sinclair ? Il ramena tout doucement la conversation sur l'itinéraire qu'elle avait suivi en faisant son jogging.

« Alors, c'était lequel des deux ce jour-là ? »

Melanie sembla contente de le contredire.

« Je ne suis pas du tout passée par là. J'ai coupé à travers champs, vers Mynford. Par les chemins de terre. »

Il fut déçu, sans trop savoir pourquoi. En posant ces questions, dont il pressentait l'importance sans la mesurer vraiment, il avait espéré que l'intuition viendrait.

Elle avait exactement la même façon que son père de le fixer des yeux.

« Je suis presque arrivée au nouveau manoir de Mynford. Ça m'a fait un sacré choc de le voir. Je ne me doutais pas que j'en étais si près. C'était le jour où je suis allée au Centre pour l'emploi. C'est bien de ça que vous parlez ? dit-elle, le perçant de son regard magnétique.

— Non, c'est la veille qui m'intéresse, dit-il en essayant de prendre patience. Le lundi.

— Ah, le lundi ! Il faut que je réfléchisse. Samedi, j'ai pris par Pomfret Road, et dimanche... J'ai fait pareil dimanche et lundi. J'ai suivi Ashley Grove, remonté Harrow Avenue puis Winchester Drive, et je suis passée par Marlborough Road. C'est agréable là-haut, l'air est pur et on voit la rivière tout en bas.

— Quand vous faisiez du jogging, vous n'avez jamais aperçu cette jeune fille ? »

Il ressortit le cliché et de nouveau elle l'examina, mais cette fois posément.

« Ma mère a dit que vous les avez emmenés identifier un cadavre qu'on prenait pour moi. C'était elle ?

— Oui.

— Mince ! En tout cas, je ne l'ai jamais vue. Je ne vois pratiquement personne quand je fais du jogging. Les gens ne marchent pas, ils prennent la voiture. Je parie que vous auriez des soupçons, non, si vous voyiez quelqu'un se promener là-haut ? Vous l'arrêteriez pour lui demander ce qu'il fait.

— On n'en est pas arrivés là. Vous ne l'avez jamais vue à une fenêtre ? Dans un jardin ?

— Je vous l'ai dit, je ne l'ai jamais vue. »

Il était difficile de se rappeler que Melanie Akande avait vingt-deux ans. Wexford était sûr que Sojourner, à dix-sept ans, paraissait plus âgée. Mais évidemment Sojourner avait souffert, elle en avait vu de dures. Les Akande avaient obligé leur fille à rester une enfant en la traitant comme un être irresponsable, fait uniquement pour être contrôlé et dirigé. Il frémit à l'idée qu'elle se fasse engrosser pour pouvoir s'échapper.

Le porte-à-porte était terminé. Il n'avait donné aucun résultat, aussi quand Wexford annonça qu'ils allaient à Ashley Grove, Burden voulut savoir dans quel but.

315

« Nous allons rendre visite à un architecte, lui dit-il après lui avoir relaté son entrevue avec Melanie. Ou peut-être à la femme d'un architecte, avant qu'elle parte accomplir de bonnes œuvres dans la paroisse. »

Toutefois, ce n'était pas le jour où Cookie Dix apportait de la lecture aux malades ; elle était chez elle avec son mari. Mais ce ne fut ni l'un ni l'autre qui firent entrer Wexford et Burden dans la maison.

Quelle maison ! Sur le sol de marbre du hall circulaire, où s'élevait un escalier blanc en fer à cheval bombé comme la proue d'un voilier, des citronniers en pot fleurissaient et donnaient des fruits simultanément. On avait créé des parterres où poussaient, en pleine terre, des ficus aux feuilles bruissantes et des aulnes aux frondaisons duveteuses, des cyprès fins comme des plumes et des saules argentés aux troncs tordus, qui tous s'élançaient vers la lumière versée par le dôme de verre, loin au-dessus d'eux. La bonne aux cheveux aile-de-corbeau, aux yeux noirs et au teint plombé les laissa attendre sous les arbres tandis qu'elle allait annoncer leur présence. Elle revint à peine trente secondes plus tard et les fit passer par une paire de doubles portes — Wexford dut se baisser pour éviter une branche —, traverser une antichambre tout en noir et blanc puis franchir une autre paire de portes, pour entrer dans une salle à manger jaune et blanc inondée de soleil où Cookie et Alexander Dix prenaient leur petit déjeuner.

Contrairement à l'usage, Cookie se leva alors que son mari restait assis, le *Times* dans une main et un morceau de croissant dans l'autre. Sans répondre à leur bonjour, il rappela la domestique qui s'apprêtait à partir.

« Margarita, rapportez du café pour nos invités, voulez-vous ?

— On a un peu de mal à démarrer, ce matin », dit Cookie.

Si elle avait été interrogée la veille par Pemberton ou Archbold, elle n'y fit pas allusion. Elle portait un vêtement vert foncé qui ne ressemblait que de très loin à un peignoir bien que ce fût le terme le plus approchant par lequel le désigner, extrêmement court et noué à la taille par une ceinture large, en mousseline sertie de pierreries. Ses longs cheveux noirs étaient attachés au sommet de son crâne, d'où ils retombaient en frondes rappelant assez les fanes d'une carotte noircie par le gel.

« Asseyez-vous, je vous en prie. »

Elle agita vaguement la main vers les huit autres chaises disposées autour de la table, un plateau de verre sur pieds incrustés de vert-de-gris.

« On a fait la bringue cette nuit, à une fête. Il était très tard, ou plutôt très, très tôt quand nous sommes rentrés, n'est-ce pas, chéri ? »

Dix tourna la page et commença à lire l'article de Bernard Levin, qui parut le divertir. Son rire avait le son sec et crépitant du bois vert qui brûle. Il leva la tête, souriant encore, regarda s'asseoir Wexford, puis Burden, et quand ils furent installés en face de lui, leur demanda :

« Que pouvons-nous faire pour vous, messieurs ?

— Mr et Mrs Khoori sont de vos amis, je crois ? dit Wexford.

— Ce sont des connaissances, dit Cookie en jetant un coup d'œil à son mari.

— Vous étiez à leur garden-party.

— Vous aussi, remarqua-t-elle. Quoi qu'il en soit, que vouliez-vous nous dire à leur sujet ?

— A cette garden-party, vous avez déclaré que Mrs Khoori avait une domestique qui venait de la quitter, et qui était la sœur de la vôtre.

— De Margarita, oui. »

Wexford ressentit une pointe de déception. Avant qu'il ait pu en dire davantage, Margarita revint avec le café et deux tasses sur un plateau. Il était inimaginable que Sojourner et elle aient été parentes, et encore moins sœurs. Cookie, qui visiblement comprenait vite, prononça quelques mots rapides en espagnol et la réponse vint dans la même langue.

« La sœur de Margarita est retournée aux Philippines en mai, traduisit Cookie. Elle n'était pas heureuse ici. Elle ne s'entendait pas avec les deux autres domestiques. »

317

Ayant servi le café et présenté le pot à lait et le sucrier à la ronde, Margarita attendit passivement, les yeux baissés.

« Elles étaient venues ensemble ? demanda Wexford, puis, voyant Cookie acquiescer : Avec un permis de séjour de six mois, ou de douze mois parce que leurs employeurs résidaient sur le territoire ?

— Celui de douze mois. C'est renouvelable auprès du ministère de l'Intérieur. C'est bien ça, chéri ? Margarita va... Que va-t-elle faire, Alexander ?

— Elle va faire une demande pour que son séjour soit prorogé par périodes successives de douze mois, et au bout de quatre ans, si elle désire rester plus longtemps, elle peut solliciter un permis à durée illimitée.

— Comment se fait-il que les Khoori et vous employiez des sœurs ?

— Anouk est allée dans une agence et m'en a parlé. C'est cette agence qui recrute des femmes aux Philippines. »

Elle dit quelque chose en espagnol et Margarita hocha la tête.

« Elle se débrouille tout à fait bien en anglais si vous voulez lui poser des questions. Et elle sait le lire. Quand sa sœur et elle sont arrivées dans ce pays, elles ont dû passer un entretien avec un agent de l'Immigration et elles ont reçu un petit livre qui leur explique leurs droits en tant que... En tant que quoi, chéri ?

— En tant que domestiques entrant au Royaume-Uni aux termes de la loi de 1971 sur l'Immigration », récita Dix sans interrompre sa lecture.

La nuit précédente, Wexford avait appris tout cela dans la documentation de Sheila. Il demanda à la femme qui attendait :

« Est-ce que quelqu'un d'autre travaillait avec votre sœur, à part... ?

— Juana et Rosenda, dit Margarita. Ces deux-là pas gentilles avec Corazon. Elle pleure après ses enfants, à Manille, et elles rient.

— Personne d'autre ?

— Personne. Je m'en vais, maintenant ?

— Oui, vous pouvez aller, Margarita. Merci. »

Cookie s'assit et se versa du café chaud.

« J'ai le cerveau un peu embrumé, ce matin. »

Wexford ne l'aurait jamais deviné.

« Au pays, Corazon a quatre enfants et un mari au chômage. C'est pour ça qu'elle est venue travailler ici, pour pouvoir envoyer de l'argent chez elle. Margarita n'a ni enfant ni mari. Je pense qu'elle est venue... pour voir le monde, pas toi, chéri ? »

Le rire de Dix pouvait aussi bien résulter de cette remarque un peu naïve que de l'article qu'il lisait. Il lui tapota la main de sa patte écailleuse dont on voit d'habitude des spécimens au Muséum d'histoire naturelle. Cookie haussa ses épaules couvertes de satin vert.

« Elle sort un peu, se donne du bon temps. Je crois qu'elle s'est trouvé un amoureux, n'est-ce pas, chéri ? Nous ne la tenons pas exactement cloîtrée, contrairement à ce que font certains. »

Silence.

« Comme les Khoori », dit Alexander Dix avec un à-propos dévastateur.

Burden reposa sa tasse de café sur la soucoupe.

« Parce que Mr et Mrs Khoori séquestrent leurs domestiques ?

— Ce cher Alexander exagère, mais en effet, on pourrait dire qu'ils sont assez stricts. Quand on vit dans ce manoir sans avoir la possibilité de conduire ni de se faire conduire quelque part, avec en plus cette immense maison à astiquer de fond en comble, qu'y a-t-il de mieux à faire — si l'occasion se présente ! — que couper à travers champs et rejoindre les faubourgs de Kingsmarkham ? »

Involontairement, Burden regarda Wexford, et Wexford regarda Burden.

« Ils n'ont pas eu d'autre bonne ?

— Pas que je sache, dit Cookie en hésitant.

— Margarita le saurait et elle dit que non, intervint Dix.

— Mais Margarita n'y est jamais vraiment allée, chéri. »

Cookie fronça les lèvres et poussa un sifflement silencieux.

« Vous recherchez quelqu'un qui serait enfermé dans la maison ? Une folle au grenier ?

— Pas tout à fait », dit Wexford.

Dix devait avoir perçu la tristesse de sa voix car il proposa, en hôte attentif :

« Pouvons-nous vous faire apporter autre chose ? »

Il examina la table et la trouva insuffisamment pourvue. « Un biscuit ? Des fruits ?

— Non, merci.

— En ce cas, j'espère que vous voudrez bien m'excuser. J'ai du travail. »

Dix se leva tel un tout petit diplodocus dressé sur ses pattes arrière. Il fit un bref salut de la tête aux deux hommes puis à sa femme. Il aurait peut-être claqué les talons s'il n'avait été chaussé de sandales.

« Messieurs, Cornelia », dit-il, éclairant ainsi Wexford sur l'étonnant surnom de la jeune femme.

Quand il ne fut plus à portée de voix, Cookie dit d'un ton confidentiel :

« Ce cher Alexander est si excité ! Il se lance dans une nouvelle affaire. Il dit que nous allons assister à l'aube d'une seconde Renaissance dans l'architecture de ce pays. Il a découvert un merveilleux jeune homme dont il va faire son associé. Il a passé une petite annonce et ce jeune homme brillant a répondu, comme ça, à l'improviste. Bien ! J'espère que je vous ai aidés, dit-elle avec un sourire joyeux, puis, laissant Wexford stupéfait de cette habitude déconcertante qu'elle avait de sembler lire dans ses pensées : Vous savez, vous ne trouverez pas Anouk Khoori chez elle, aujourd'hui. Elle sera dans un cortège, exhortant la populace à voter pour elle. »

De l'allée principale, ils se retournèrent pour contempler l'édifice, combinaison compliquée de verre, de panneaux de marbre noir et d'un mince placage d'un matériau semblable à de l'albâtre.

« De l'extérieur on ne voit rien à travers, ce n'est transparent que de l'intérieur, dit Burden. Vous ne trouvez pas qu'il y a de quoi être claustrophobe ?

— Ce serait vrai si c'était l'inverse.

— Cette femme, Margarita, dit Burden en s'installant sur le siège du conducteur, elle semblait heureuse de son sort.

— Bien sûr. Il n'y a rien de répréhensible à employer des domestiques pourvu qu'on les traite convenablement et qu'on les paye à leur juste valeur. Le travailleur est digne de son salaire. Et la loi est bonne, Mike, en l'occurrence. En fait, superficiellement elle a l'air parfaite, elle semble parer à toute éventualité. Mais elle ouvre la voie à de terribles abus. Les domestiques qui entrent sur le territoire ne reçoivent pas un statut d'immigrés indépendamment de la maison qui les emploie. Ils ne peuvent en partir ni accepter une autre forme de travail. Nous sommes sur la piste, Mike, nous tenons le bon bout. »

Ce ne fut pas le cortège d'Anouk Khoori, mais celui du PNB qui les dépassa lorsqu'ils retournèrent dans la grand-rue. Le candidat Ken Burton, en chemise et jean noirs — leur sens était-il perdu pour tous les spectateurs ? — paradait sans gêne aucune là où aurait dû se trouver le siège du passager, tonitruant son manifeste dans un mégaphone. Il se réclamait peut-être des nationalistes britanniques mais, non sans une certaine subtilité, c'était l'Angleterre aux Anglais qu'il prônait dans ce petit coin charmant du Sussex.

Les affiches collées à l'arrière du camion appelaient non seulement l'électorat à voter Burton mais à participer à la Marche des chômeurs qui défilerait de Stowerton à Kingsmarkham le lendemain.

« Vous étiez au courant de ça ? demanda Burden.

— J'en ai eu des échos. La branche en uniforme est sur les dents.

— Vous voulez dire qu'on s'attend à du grabuge ? Quoi, ici ? Ici ?

— Dans cette douce et verte contrée ? Mike, le fait est que beaucoup de gens sont sans emploi. Le taux de chômage à Stowerton est beaucoup plus fort que la moyenne nationale, il frôle les douze pour cent. Les esprits s'échauffent. Bien ! Je pense qu'il est temps de rendre une petite visite au nouveau manoir de Mynford.

— Elle n'y sera pas, chef. Elle est partie battre le rappel.

— Tant mieux.

— On va interroger les autres domestiques ?

— Ce n'est pas une domestique que nous cherchons, Mike, dit Wexford. C'est une esclave. »

22

I LS AVAIENT PRIS au plus long, par la route qui traversait Pomfret et Cheriton. On pouvait y aller à pied de Kingsmarkham, à travers champs ; cela représentait une marche de quarante minutes ou un jogging d'une demi-heure, et cela ne faisait alors que quatre kilomètres. Cet itinéraire-ci en faisait quinze. Burden, qui conduisait, n'avait encore jamais vu le nouveau manoir de Mynford. Il demanda si la maison était aussi ancienne qu'elle le paraissait, mais en apprenant que la construction venait tout juste d'être terminée à l'époque de la garden-party, il cessa de s'y intéresser.

Bien que Mynford fût en dehors de la circonscription à laquelle se présentait Mrs Khoori, Wexford s'attendait à voir des affiches électorales. Mais il n'y avait rien sur les montants du portail, rien sur les fenêtres de la demeure pseudo-victorienne. On avait planté des géraniums adultes en pleine floraison dans les parterres nus à peine quinze jours plus tôt. Un cordon de sonnette avait été posé depuis sa première visite, ainsi que deux lanternes de calèche, les plus grosses et les plus ouvragées qu'il eût jamais vues.

Il doutait que la sonnette fût branchée, ou alors il n'y avait vraiment personne dans la maison. Levant la tête, Burden aperçut quelqu'un qui les observait, un pâle visage ovale, une tête dont les cheveux noirs se confondaient avec l'arrière-plan obscur. Wexford, qui avait actionné quatre fois la sonnette, cria :

« Descendez et faites-nous entrer, s'il vous plaît. »

Il ne fut pas obéi avec promptitude. Juana ou Rosenda continua à les fixer imperturbablement. Puis elle hocha la tête et disparut. Et quand la porte s'ouvrit enfin, ce ne fut pas elle qui apparut mais une femme à la peau brune et aux traits mongols. Wexford ne s'attendait pas exactement à un tablier brodé mais il fut surpris par le survêtement en velours rose.

Il faisait très froid dans la maison, où l'on avait la même impression qu'en pénétrant dans le rayon surgelés d'un supermarché. Peut-être avaient-ils le même système de climatisation que dans les rayons alimentaires des magasins Crescent. Burden et Wexford montrèrent leur carte. La femme les observa avec intérêt, tirant visiblement un certain amusement de la comparaison entre les photographies et les originaux.

« Beaucoup de temps depuis celle-là, dit-elle à Wexford en riant.

— Quel est votre nom, je vous prie ? »

Le rire s'éteignit et elle le toisa comme s'il venait de commettre une grave impertinence.

« Pourquoi vous vouloir savoir ?

— Contentez-vous de nous dire votre nom, s'il vous plaît. Etes-vous Juana ou Rosenda ?

D'offensée qu'elle était, elle devint subitement maussade.

« Rosenda Lopez. Celle-là, Juana. »

La femme qui les avait contemplés d'en haut était entrée en silence dans le hall. Comme Rosenda elle portait des tennis blanches, mais son survêtement était bleu. Elle avait le même accent, mais un meilleur anglais. Par sa jeunesse, elle rendait presque justifiée la parodie que Dix avait faite du *Mikado*, en disant que les bonnes des Khoori avaient à peine vingt ans.

« Mr et Mrs Khoori ne sont pas à la maison. »

Ses paroles suivantes auraient pu être débitées par un répondeur téléphonique.

« Veuillez laisser un message si vous le désirez.

— Juana comment ? demanda Burden.

— Gonzalez. Maintenant vous partez. Merci.

— Miss Lopez, Miss Gonzalez, dit Wexford, vous avez le choix. Ou bien vous nous répondez sur-le-champ, ou bien vous venez avec nous au poste de police de Kingsmarkham. Vous comprenez ce que je dis ? »

Ils durent s'y reprendre à plusieurs fois, lui en se répétant et Burden en l'exprimant par des termes différents, avant d'obtenir une réponse. Les deux femmes étaient expertes dans l'art de l'insolence muette. Et quand Juana dit quelque chose dans ce qu'il prit pour du javanais, et que toutes deux se mirent à pouffer, Wexford crut comprendre le chagrin de Corazon, la sœur de Margarita, dont elles s'étaient moquées parce que ses enfants lui manquaient.

Juana répéta les paroles incompréhensibles puis les traduisit.

« Pas de problème.

— Okay. D'accord, dit Rosenda. Vous vous asseyez, maintenant. »

Il ne semblait pas utile de pénétrer plus avant dans la maison. L'entrée, une vaste salle à piliers, voûtes et alcôves aux murs lambrissés et ornés de colonnes encastrées, était tout à fait le genre de pièce où l'on devait accueillir les hôtes à Pemberley ou à Northanger Abbey [1]. Seulement ceci était neuf, tout neuf, à peine terminé. Et même au début du XIXe siècle, même en hiver, aucune grande demeure n'aurait été aussi glaciale. Il s'assit sur une chaise bleu pâle aux frêles pieds dorés mais Burden resta debout comme les deux femmes côte à côte, qui s'amusaient bien.

« Vous travailliez pour Mr et Mrs Khoori quand ils habitaient la maison du douaire ? »

Il fallut que Burden les entraîne jusqu'à une fenêtre et leur indique le vallon boisé, les toits invisibles. Des hochements de tête l'encouragèrent.

« Et ensuite, bien sûr, quand ils sont venus ici en juin ? »

Nouveaux hochements de tête. Il se rappela l'allusion de Cookie Dix à propos de domestiques cloîtrés.

---

1. Somptueux domaines qui sont respectivement le cadre de *Orgueil et Préjugés* et *Catherine Morland*, de la romancière anglaise Jane Austen (1775-1817). (*N.d.T.*)

« Vous sortez beaucoup ?

— Sortir ?

— En ville. Pour voir des amis. Rencontrer des gens. Aller au cinéma. Vous sortez ? »

Abandonnant la verticale, leur mouvement de tête se fit horizontal.

« Pas possible de prendre la voiture, dit Juana. Mrs Khoori fait les magasins, et nous pas besoin de cinéma, nous avons la télé.

— Corazon était avec vous à la maison du douaire ? »

Sa prononciation très anglaise de ce prénom les fit repartir d'un fou rire, et elles le répétèrent en imitant son accent. Juana dit :

« C'était la cuisinière. »

La mémoire lui revint. Le centre médical, et une femme qui avait enfreint l'interdiction de fumer.

« Elle a dû aller chez le docteur ? Elle était malade ?

— Toujours malade, elle était. Le mal du pays. Elle retourner chez elle.

— Et vous êtes restées toutes les deux, dit Wexford. Mais il y a eu une autre domestique, en même temps que Corazon ou peut-être après ? »

Il était difficile de deviner si elles étaient déconcertées ou surtout méfiantes. Prenant soin d'employer des termes politiquement corrects, il précisa :

« Une jeune fille de dix-sept ou dix-huit ans, originaire d'Afrique. »

Frissonnant de froid, Burden leur montra la photographie. Cela eut pour seul effet un nouvel accès d'hilarité. Mais avant que Wexford ait pu juger si elles riaient par préjugé racial, par simple étonnement qu'on pût les croire capables d'identifier cette fille ou à cause d'une sorte de délicieux effroi (le visage de Sojourner semblait plus mort chaque fois qu'il exhibait la photographie), la porte de l'entrée s'ouvrit et Anouk Khoori entra, immédiatement suivie par son mari, Jeremy Lang et Ingrid Pamber.

« Reg ! s'écria-t-elle, pas troublée le moins du monde, en lui tendant ses deux mains dont une tenait une cigarette.

Quel plaisir ! J'avais le pressentiment que je vous trouverais ici. Mais pourquoi ne pas m'avoir avertie que vous veniez ? »

Waël Khoori ne dit rien. Il adoptait invariablement l'attitude de l'homme d'affaires brillantissime, du millionnaire qui, sous des dehors cordiaux, souriants et silencieux, est tout à fait ailleurs, préoccupé par des choses lointaines, la haute finance, peut-être l'indice Hang Seng. Il souriait, il était patient. Il attendait.

« Nous sommes revenus à la maison pour déjeuner, dit Mrs Khoori. Une campagne électorale est une rude affaire, je peux vous l'assurer, et je suis affamée. Vous ne trouvez pas qu'il fait merveilleusement frais, ici ? Bien entendu, vous restez à déjeuner, Reg, et vous aussi, monsieur... ? »

Elle s'adressa à Rosenda exactement de la même manière, amicale et un peu essoufflée.

« J'espère que vous pouvez nous préparer un délicieux en-cas, et vite, s'il vous plaît, car il faut que je retourne dans l'arène. »

Khoori prit la parole, sans tenir aucun compte de sa femme. Elle aurait aussi bien pu ne pas dire un mot.

« J'ai bien conscience du motif de votre présence.

— Vraiment, monsieur ? dit Wexford. Parlons-en alors, si vous voulez bien.

— Mais oui, certainement, après le déjeuner, dit Anouk. Venez ! Tout le monde dans la salle à manger, et vite parce que Ingrid doit aussi retourner travailler. »

De nouveau, Khoori l'ignora. Il ne bougea pas d'un pouce pendant qu'elle entraînait Jeremy et Ingrid par la taille et les propulsait à travers le hall. Ingrid, pâle et transie dans sa robe sans manches, se tourna néanmoins pour lancer à Wexford un de ses regards aguichants, espiègles et provocants. Mais elle avait changé, la lueur bleutée avait perdu son pouvoir. Ses yeux n'avaient plus la même couleur et il se demanda un instant s'il avait imaginé cet azur éclatant, mais un instant seulement, car Khoori lui dit :

« Venez avec moi. Par ici. »

C'était une bibliothèque, cependant un coup d'œil à la ronde lui apprit qu'elle n'était pas de celles où l'on consulte

327

des références ni où l'on souhaite passer beaucoup de temps. Les Khoori avaient peut-être dit à une agence de décorateurs d'intérieur de poser des étagères partout sur les murs et de les garnir des livres adéquats, vieux avec de belles reliures. Si bien que l'*Histoire naturelle des Pyrénées* en sept volumes côtoyait les *Voyages* de Hakluyt, les ouvrages de Mommsen sur Rome et ceux de Motley sur la République hollandaise. Khoori s'assit devant un bureau de copie. Le sous-main de cuir vert était patiné comme si pendant des siècles des plumes y avaient gratté du parchemin.

« Vous ne semblez pas surpris de nous voir, Mr Khoori, dit Wexford.

— Non, en effet, Mr Reg. Ennuyé mais pas surpris. »

Wexford l'observait. La situation était très différente de ce qui s'était passé avec Bruce Snow. Cette fois, on ne les prenait pas pour des agents de la circulation.

« De quoi s'agit-il, d'après vous ?

— Je suppose, non, j'ai la certitude que ces femmes n'ont pas demandé la prolongation de leur permis de séjour auprès du ministère de l'Intérieur. Et ce en dépit de leur extrême désir de rester et du fait que j'aie fait dactylographier les formulaires de demande à leur intention. Elles savent qu'elles ne peuvent rester que conformément aux clauses de la loi de 1971 sur l'Immigration. Tout ce qu'elles ont à faire est de signer la lettre et d'aller la poster. Je le sais parce que cela s'est passé ainsi la dernière fois, quand elles sont arrivées chez nous après avoir reçu un permis initial de six mois. Il faut constamment avoir ces gens-là à l'œil et je n'ai pas le temps d'être aussi vigilant que je le devrais. Donc, très bien, le fait est là. Que faisons-nous pour régulariser la situation ? »

Un petit subterfuge ne ferait pas de mal, pensa Wexford.

« Renouvelez simplement la demande, Mr Khoori. Une faute a été commise mais en toute bonne foi, semble-t-il.

— Donc, je renouvelle la demande, et je m'assure cette fois-ci que la demande part à destination ?

— Exactement, dit Burden, se transformant en agent de l'Immigration et commençant alors à broder avec une facilité que Wexford ne put qu'admirer. Quant à la dénommée

328

Corazon, nous avons cru comprendre qu'elle voulait changer d'emploi, ce qui bien entendu est illégal. D'après la loi, elle n'est autorisée à travailler que pour l'employeur dont le nom figure sur son passeport.

— Il y a eu des histoires à cause des autres domestiques qui la traitaient mal, ou se montraient désagréables envers elle. Elle était toujours en larmes. Ce n'était pas très agréable pour mon épouse et moi-même, dit Khoori en haussant les épaules.

— Donc, comprenant qu'elle n'était pas autorisée à travailler ailleurs, elle est retournée chez elle ? Quand était-ce ? »

D'une main, Khoori lissa son casque de cheveux blancs. Ils enserraient sa tête à l'instar d'une perruque, mais de toute évidence ils étaient naturels. Sa main était longue, brune, extrêmement soignée. Il fronça légèrement les sourcils en réfléchissant.

« Il y a environ un mois, peut-être moins. »

Et cela faisait quatre semaines, jour pour jour, que Wexford avait rencontré Anouk Khoori pour la première fois au centre médical. Elle avait encore une cuisinière, à l'époque, une domestique rendue malade par le mal du pays et la cruauté des autres.

« Cela vous ennuierait de me dire d'où est venu l'argent pour son billet de retour ? demanda Wexford.

— J'ai payé, Mr Reg. J'ai payé.

— Très généreux de votre part. Juste une dernière chose. Corrigez-moi si je me trompe sur ce point. Est-il vrai que, dans les Etats du Golfe, la législation du travail ne considère pas les domestiques comme des employés mais comme des membres de la famille ? »

Le soupçon qu'il pût s'agir d'un piège flotta dans les yeux de Khoori.

« Je ne suis pas juriste.

— Mais vous êtes bien de nationalité koweïtienne ? Vous devez savoir s'il en est ainsi ou pas, si, dans les faits, c'est considéré comme allant de soi.

— Généralement parlant, oui, je suppose que c'est l'usage.

— De sorte que des familles originaires des Etats du Golfe emmènent des serviteurs déclarés comme membres ou amis de la famille, n'ayant pas le statut de domestiques et donc aucune protection contre les abus. Et bien qu'ils entrent non pour faire du tourisme mais pour travailler, ils sont autorisés à rester en tant que visiteurs.

— C'est possible. Je n'en ai aucune expérience.

— Mais vous avez connaissance du fait. Et vous savez que s'il en est ainsi, c'est que refuser l'entrée de domestiques, soit en tant que travailleurs attachés à un employeur et limités à un séjour de douze mois, soit en tant que membres ou amis de la famille et, officiellement, touristes, découragerait carrément les riches investisseurs comme vous-même de venir ici. »

Khoori émit un braiment sonore qui voulait passer pour un rire.

« Du diable si je viendrais s'il me fallait faire la vaisselle !

— Mais personnellement, vous n'avez jamais amené personne dans ces circonstances particulières ?

— Non, Mr Reg, non. Demandez à ma femme. En la matière, vous pouvez également poser la question à Juana et Rosenda. »

Il les conduisit dans une immense salle à manger glaciale dotée de dix fenêtres sur un seul mur et d'un plafond peint. A trois mètres en dessous des chérubins, des cornes d'abondance et des nœuds d'amour, Anouk, Jeremy et Ingrid étaient assis à une table d'acajou assez longue pour vingt-quatre personnes, à manger du saumon fumé et à boire du champagne.

« Nous célébrons ma victoire à l'avance, Reg, dit Anouk. Pensez-vous que ce soit très téméraire ? »

Son mari lui chuchota quelques mots, qui provoquèrent un rire mélodieux, mais sans joie. Sentant revenir la répulsion qu'elle éveillait en lui, Wexford se tourna instinctivement pour regarder Ingrid, la belle et fraîche Ingrid dont les cheveux étaient toujours lisses et le teint resplendissant, mais dont les yeux étaient devenus aussi ternes que des pierres. Comme il la regardait, elle sortit une paire de lunettes de son sac et les percha sur son nez.

Si elle avait changé, ce n'était rien comparé au changement qui s'était opéré chez Anouk Khoori. Sous le maquillage elle était écarlate, les traits noués par la tension.

« C'est à cause de cette fille qui a été assassinée, c'est ça ? Cette fille noire ? Nous ne l'avons jamais vue. »

Sa voix soigneusement modulée devint stridente.

« Nous ne savons rien d'elle. Personne n'a jamais travaillé pour nous ici à part Juana et Rosenda, et cette Corazon qui nous a quittés pour retourner chez elle. C'est affreux que cela arrive aujourd'hui. Je ne permettrai pas qu'une chose pareille vienne gâcher mes chances ! »

Alors que la panique déformait sa voix, Juana et Rosenda entrèrent dans la pièce, la première apportant une carafe d'eau sur un plateau, la seconde une nouvelle assiette de pain complet et de beurre. La contrariété de leur patronne, ce désarroi furieux et brutal dont Wexford pour sa part n'avait jamais été témoin déchaînèrent une jubilation qu'elles purent à peine dissimuler. Juana dut se plaquer une main sur la bouche tandis que Rosenda regardait la scène, éberluée, les lèvres frémissantes.

Wexford s'étonnait de tant d'intuition. A moins qu'il ne s'agît pas tant d'intuition que d'une réelle culpabilité ?

« Dites-leur ! cria Anouk Khoori. Dites-leur, vous deux. Nous n'avons jamais eu quelqu'un comme elle ici, n'est-ce pas ? Vous adorez vivre ici, n'est-ce pas ? Personne ne vous fait de mal, dites-leur ! »

Juana éclata de rire, incapable de se contenir davantage.

« Lui fou ! dit-elle d'une voix entrecoupée. Nous jamais vu personne comme ça, hein Rosa ?

— Non, personne, ça jamais.

— Jamais. Voilà le pain et le beurre. Vous voulez plus de citron ?

— Très bien, dit Wexford. Merci. C'est tout. »

Se rappelant de toute évidence qu'il avait déjà voté, Anouk lui hurla au visage :

« Sortez de ma maison ! Immédiatement ! Tous les deux, sortez ! »

Ingrid avait sursauté et s'était levée, les doigts crispés sur sa serviette.

« Je vais devoir y aller. Je dois retourner au bureau. »

Rosenda tint la porte de la salle à manger ouverte et murmura :

« Allez, allez, il faut partir maintenant.

— Vous me déposez ? » demanda Ingrid à Wexford.

Ce fut Burden qui répondit :

« Je crains que non.

— Oh ! Mais vous allez sûrement...

— Nous ne sommes pas une compagnie de taxis. »

Derrière eux, dans la salle à manger, Anouk Khoori en pleine crise de nerfs poussait des petits hoquets. Khoori demandait qu'on apporte du brandy. Wexford et Burden traversèrent le hall immense jusqu'à la porte d'entrée, escortés par les deux femmes gloussantes. La chaleur du dehors les enveloppa telle une vague, provoquant un plaisir sensuel. Ils étaient à peine dans la voiture qu'Ingrid sortit, suivie de Khoori qui l'aida à monter dans la Rolls dans laquelle ils étaient arrivés.

« Je parie que c'est la première fois qu'une Rolls dépose quelqu'un au Centre pour l'emploi, dit Burden en mettant le moteur en marche. Elle est un peu différente, hein, sans ses lentilles ?

— Vous voulez dire que ce bleu-là provenait de verres de contact ?

— Et de quoi d'autre ? Sans doute qu'elle a une allergie et qu'elle ne doit plus les porter. »

Etait-ce grâce au parfum de son après-rasage ? Toujours est-il que Gladys Prior sut que c'était Burden avant qu'il ait ouvert la bouche. Elle épela même son nom, persévérant dans la boutade qui lui procurait tant d'amusement. La question de Wexford provoqua un bel éclat de rire.

« S'il est là ? Pardi, il n'a pas mis les pieds dehors depuis quatre ans ! »

Percy Hammond, à sa mizpah, scrutait sa plaine de Syrie. Les ayant reconnus à leurs voix et à leurs pas, il demanda sans se retourner :

« Alors, quand est-ce que vous l'attrapez ? »

Wexford répondit, s'attirant un coup d'œil surpris, voire réprobateur de Burden :

« Demain je pense, Mr Hammond. Oui, nous les attraperons demain.

— Qui va prendre l'appartement d'en face ? demanda Mrs Prior de but en blanc.

— Quoi, l'appartement d'Annette Bystock ?

— Oui, celui-là. Qui va l'avoir ?

— Je n'en ai aucune idée, dit Burden. Il reviendra probablement au plus proche parent. Maintenant, Mr Hammond, nous aimerions que vous nous accordiez encore un peu d'aide...

— Si vous voulez l'attraper demain, hé ? »

L'expression de Burden ne montrait que trop bien ce qu'il pensait de la vantardise éhontée de Wexford.

« Ce que nous attendons de vous, monsieur, c'est que vous nous répétiez ce que vous avez vu de cette fenêtre le 8 juillet.

— Et, plus important encore, ajouta Wexford, ce que vous avez vu le 7 juillet. »

Fait sans précédent — cela ne lui était jamais arrivé avant, jamais vraiment —, Burden faillit reprendre Wexford. La langue lui démangeait de murmurer : « Mais non, ce n'est pas le 7, il n'a vu personne le 7 à part la fille aux lentilles bleues, Edwina Harris et un homme avec un épagneul. Tout ça figurait dans le rapport. » Mais il toussa et s'éclaircit juste un peu la gorge. Wexford n'y prêta pas attention.

« Le jeudi matin, très tôt, vous avez vu un jeune homme qui ressemblait un peu à Mr Burden sortir de la maison une grosse boîte dans les bras. »

Percy Hammond opina vigoureusement.

« Il était environ quatre heures et demie du matin.

— Bien. Donc, la nuit précédente, la nuit du mercredi au jeudi, vous êtes allé vous coucher mais vous vous êtes réveillé au bout d'un moment et vous vous êtes levé...

— Pour faire la petite commission, renchérit Gladys Prior.

« — Et, naturellement, vous avez regardé par la fenêtre. Vous avez vu quelqu'un sortir de Ladyhall Court ? Vous avez vu un jeune homme en sortir ? »

Sa vieille figure ridée se déforma plus encore sous l'effort imposé à sa mémoire. Il se tordit les mains.

« Ai-je dit cela ?

— Oui, vous l'avez dit, Mr Hammond, et ensuite vous avez cru vous tromper parce que vous l'aviez indubitablement vu à l'aube, et que vous ne pouviez pas l'avoir vu à des heures différentes.

— Mais je l'ai vu à des heures différentes, dit Percy Hammond, la voix à peine plus forte qu'un murmure. C'est vrai. »

Wexford allait doucement, avec ménagement.

« Vous l'avez vu deux fois ? Dans la nuit, puis à l'aube ?

— C'est exact. Je savais bien que je l'avais vu, quoi qu'ils disent. Je l'ai vu deux fois. Et la première fois, lui, il m'a vu.

— Comment le savez-vous ?

— Il ne portait pas de boîte, la première fois, il ne portait rien du tout. Il est arrivé au portail, il a levé la tête, et nos regards se sont croisés. »

C'était sa dernière visite à Oni Johnson. Elle n'avait plus rien à lui apprendre. Par sa bonne volonté, elle avait sauvé sa propre vie, et le lendemain elle quitterait les Soins intensifs pour une chambre qu'elle partagerait avec trois autres femmes dans la Salle Rufford.

Laurette Akande vint à lui. Elle le regarda et parla comme si le mois écoulé n'avait jamais été. Elle n'avait jamais perdu de fille et il n'avait jamais retrouvé cette fille, l'angoisse, la souffrance, la joie des retrouvailles n'avaient jamais eu lieu. Il aurait aussi bien pu être un inconnu à l'oreille compatissante. Son attitude était désinvolte, sa voix animée.

« J'aimerais que quelqu'un persuade le fils de cette femme de se laver. Ses vêtements et ses cheveux puent, sans parler du reste de sa personne.

— Il s'en ira quand sa mère partira, dit Wexford.

— Pour moi, le plus tôt sera le mieux. »

Oni était jolie dans sa liseuse rose en satin matelassé, beaucoup trop chaude pour l'hôpital, qui ne pouvait être qu'un cadeau de Mhonum Ling. Celle-ci était assise d'un côté du lit, Raffy de l'autre. Il avait effectivement une odeur déplaisante, un mélange de tabac et de hamburger qui l'emportait sur l'eau de toilette Giorgio de sa tante.

« Alors, quand est-ce que vous l'attrapez ? » demanda Oni.

Il semblait voué, cet après-midi-là, à être en butte à la raillerie générale. Oni se mit à rire, puis Mhonum, et Raffy se joignit à elles par un petit ricanement embarrassé.

« Demain.

— Vous plaisantez ? dit Mhonum.

— J'espère que non. »

Cela devenait une habitude. Sylvia conduisait les enfants et Neil à Kingsmarkham, Neil allait à son club de chercheurs d'emploi en promettant de les rejoindre plus tard, et Sylvia atterrissait chez ses parents. Ou, plus souvent, chez sa mère. Wexford ne demandait jamais depuis combien de temps elle était là lorsqu'il rentrait, il ne voulait pas le savoir, même si quelquefois Dora lui en parlait ensuite, nuançant toujours ses reproches par ce préliminaire : « Vraiment, je ne devrais pas parler ainsi de ma propre fille... »

« Je ne crois pas que tu voies d'objection à ce que je participe à la Marche des chômeurs demain ? » lui demanda Sylvia quand il entra.

Il fut surpris qu'elle lui pose la question. Surpris, et un petit peu touché.

« Ce ne sera pas le genre de manifestation qui donne lieu à des arrestations. Personne ne mettra le feu et ne retournera de voitures.

— J'ai cru devoir te le demander, dit-elle d'un ton qui impliquait une patiente soumission.

— Fais comme tu veux, du moment que tu n'effraies pas les chevaux.

— Parce qu'il y aura des chevaux, papy ? »

Wexford éclata de rire. Il se dit qu'il méritait bien de

335

s'amuser un peu. La sonnette de l'entrée retentit soudain. Personne ne sonnait jamais à leur porte de ce rythme joyeusement syncopé : Dring, dring-dring-dring, dring-dring. Une telle désinvolture était parfaitement inattendue. Wexford alla ouvrir. Son gendre se tenait sur le seuil, un grand sourire aux lèvres, et insista pour lui serrer la main.

« Je peux avoir un verre ? J'en ai besoin.

— Certainement.

— Du whisky, s'il vous plaît. J'ai passé une merveilleuse après-midi.

— Je vois ça.

— J'ai décroché un job, annonça Neil après avoir bu un long trait d'alcool. Et dans ma branche. Je vais m'associer avec un architecte, un vieil homme terriblement distingué. Il apporte les capitaux, et moi...

— Sincèrement, dit Sylvia, je trouve scandaleux que tu annonces ça devant tout le monde au lieu de m'en parler en premier. »

Son père était assez d'accord mais il ne dit rien, et se servit également un verre.

« Alexander Dix, dit-il après avoir dégusté sa première gorgée de whisky.

— C'est bien lui, confirma Neil, qui avait pris son cadet sur ses genoux. Ma seule réponse à une annonce qui ait été prise en considération. Comment le savez-vous ?

— Je doute qu'il y ait plus d'un vieil architecte riche et distingué à Kingsmarkham.

— Nous commençons par un projet assez ambitieux pour le site de Castlegate. Une galerie marchande, si qualifier la chose ainsi n'est pas galvauder ce qu'elle sera à la fin. Une splendeur en cristal et or, un atout pour le centre-ville, avec un supermarché Crescent qui en formera le pivot central. »

Il croisa le regard de son beau-père et interpréta mal la petite lueur qu'il y aperçut.

« Oh, sans les lunes et les minarets, n'ayez crainte ! C'est dans le cadre de la nouvelle politique gouvernementale pour développer les commerces au cœur des villes. Tu peux arrêter de pointer dès mardi, dit-il laconiquement à Sylvia.

— Merci, mais c'est à moi d'en décider, je pense.

— Tu pourrais quand même dire que tu es contente.

— Je ne tiens pas particulièrement à faire partie d'une certaine société où quand l'homme rentre en disant qu'il a trouvé un travail lucratif, l'épouse au foyer s'écrie : "Oh ! Tant mieux ! Je peux avoir des perles et un manteau de fourrure, maintenant ?"

— Tu ne devrais pas porter de fourrure, dit Ben.

— Je n'en porte pas. Je n'en ai pas les moyens, et je ne les aurai jamais.

— Pas de problème », dit Wexford.

Robin, sous son casque, détacha ses yeux du jeu qu'il avait dans la main pour lui jeter un regard de pitié.

« C'est plus du tout mon truc, papy. Maintenant, je suis sur les autographes de célébrités. Tu crois que tu pourrais m'avoir celui d'Anouk Khoori ? »

23

L A MARCHE DES CHÔMEURS commencerait à onze heures. Les participants s'assembleraient sur la place du Marché de Stowerton avec leurs banderoles et la colonne partirait du perron de l'ancienne halle aux blés. Le temps serait encore plus chaud, avec plus tard de la pluie et des risques d'orage. Les nouvelles locales, que Wexford regardait par intermittence tout en s'habillant, lui fournirent toutes ces informations, mais ce fut Dora qui, les tenant de Sylvia, lui donna les détails de l'itinéraire. Le cortège traverserait Stowerton jusqu'au rond-point, emprunterait les rues mornes de la zone industrielle, rejoindrait la route de Kingsmarkham et pénétrerait dans la ville par le pont de Kingsbrook. Sa destination finale était l'hôtel de ville de Kingsmarkham.

Il dut retourner voir les nouvelles pour connaître les résultats de l'élection au conseil. Cependant, l'écart était si faible entre les démocrates-libéraux et les conservateurs indépendants qu'on effectuait un nouveau comptage. Ken Burton était éliminé, n'ayant recueilli que cinquante-huit voix. Wexford se demanda s'il allait téléphoner à Sheila pour le lui apprendre et décida de n'en rien faire. Elle avait probablement ses propres sources d'information.

« Devine un peu ! dit Dora. Dimanche, nous sommes invités à déjeuner chez Sylvia. »

Wexford répondit assez étrangement :

338

« J'espère que ça se passera bien », puis expliqua : « Je parlais du travail de Neil. »

Il faisait lourd, la chaleur pesait sous un ciel d'un bleu voilé. Comme au début du mois, quand il lisait sous l'embrasure de la porte-fenêtre et que le Dr Akande avait téléphoné, lui parlant pour la première fois de Melanie. L'air du matin paraissait brûlant, et Burden grommela qu'il avait vu de la vapeur plus fraîche sortir d'une bouilloire. Dans l'auto, la climatisation était aussi efficace qu'au manoir de Mynford. Wexford dit à Donaldson de l'arrêter et d'ouvrir une vitre.

« Nous sommes bien prompts à rejeter les déclarations des vieux, dit l'inspecteur principal. A la moindre incohérence, on conclut immédiatement qu'ils sont séniles, qu'ils perdent la mémoire ou même qu'ils n'ont plus toute leur tête. Alors qu'au moins on écoute une personne plus jeune, on l'encourage à remettre de l'ordre dans ses pensées.

« Percy Hammond a dit qu'il était allé se coucher ce mercredi soir, mais s'était réveillé, levé, et avait "allumé la lumière une minute". Il l'avait éteinte parce qu'elle était trop vive. Je pense que cette sensation nous est familière à tous. Il a regardé par la fenêtre et a vu "un jeune gars sortir avec une grosse boîte dans les bras". Et il a ajouté : "A moins que ça n'ait été plus tard ?"

« Nous ne l'avons pas encouragé à réfléchir, nous n'avons pas dit : "Souvenez-vous, tâchez de vous rappeler l'heure." Simplement, Karen a dit que cela s'était passé le matin, qu'il avait vu le "jeune gars" à l'aube. Je suis tout aussi fautif, moi aussi j'ai laissé passer ça. Mais, Mike, le vieux Hammond a bel et bien vu Zack Nelson à des heures différentes.

— Comment ça ? dit Burden interloqué.

— Il l'a vu vers vingt-trois heures trente le mercredi, et il l'a revu à quatre heures trente le lendemain matin. Il n'y avait là-dessus aucune confusion dans son esprit. Son seul doute, c'était si Zack portait la fameuse boîte la nuit ou le matin. Or la première fois, dans la nuit du mercredi au jeudi, Zack l'a vu. Il a vu quelqu'un le regarder à la fenêtre. Comprenez-vous ce que cela implique ?

339

— Je pense que oui, dit lentement Burden. Annette est morte entre le mercredi à vingt-deux heures et le jeudi à une heure. Si Percy Hammond l'a vu pour la première fois à... Mais ça signifie que Zack a tué Annette !

— Oui, bien sûr. Il n'y avait qu'à pousser la porte. Disons que Zack entre à vingt-trois heures trente et trouve Annette endormie dans son lit. Elle est affaiblie, malade, elle a probablement de la fièvre. Il cherche autour de lui un objet pour faire le coup. Il s'est peut-être muni d'un foulard, d'une corde. Mais le fil de la lampe est bien mieux. Il l'arrache, étrangle Annette, qui est trop faible pour opposer beaucoup de résistance, et s'en va les mains dans les poches. Il n'y a pas d'autre lumière que celle du réverbère, il n'y a personne pour le voir, il est insoupçonnable. Jusqu'au moment où, en jetant un coup d'œil en face de la rue, il voit, pressée contre la vitre, la figure du vieux Percy Hammond qui le regarde fixement.

— Mais alors, c'était la dernière chose à faire d'y retourner cinq heures plus tard !

— Croyez-vous ?

— La dernière chose qu'il voulait était attirer l'attention.

— Au contraire, c'est exactement ce qu'il voulait, lui ou quelqu'un d'autre. Il fallait qu'il attire l'attention. Voici à mon avis ce qui s'est passé. C'est une pure hypothèse, mais c'est la seule explication possible. Zack a une peur bleue. Quelqu'un qui a après tout, pour dire la chose brutalement, un faciès effrayant l'a vu, l'a observé longuement, minutieusement. Il panique, il a besoin de conseils. Il mesure toute la gravité de ce qui vient d'arriver.

« Qui peut le conseiller ? D'évidence, une seule personne, l'homme ou la femme qui l'a mis sur le coup, l'instigateur dont il est l'homme de main. C'est le milieu de la nuit mais cela n'a pas d'importance. On lui a sans doute recommandé de ne jamais chercher à établir le contact, mais cela non plus n'a pas d'importance. Il descend la rue jusqu'à la boutique qui fait l'angle, devant laquelle il y a un téléphone. Il passe son coup de fil et les instructions lui viennent d'un cerveau beaucoup plus intelligent que Zack pourra jamais l'être : retourner là-bas, voler quelque chose, faire en sorte d'être vu. S'assurer d'être vu une seconde fois.

— Mais pourquoi ? Je ne pige pas.

— On lui a sûrement dit : ils sauront à quelle heure elle est morte. Si tu y retournes à quatre heures ou plus tard, ils sauront qu'elle était forcément morte avant que tu y ailles. Tu seras hors de cause pour ce qui est du meurtre. Bien entendu, tu te feras coffrer pour vol, mais pas pour long-temps, et ça vaut le coup, non ? Tu dis que c'est une personne âgée qui t'a vu ? Ils trouveront normal qu'une personne âgée n'ait pas la notion du temps.

— Et c'est ce que nous avons fait, dit Burden. Nous avons trouvé ça normal.

— Nous le faisons tous. Nous traitons tous les vieux avec condescendance, sinon pire. Nous les traitons comme s'ils étaient de petits enfants. Et c'est nous qui serons à l'autre bout du bâton un jour, Mike. A moins que le monde change. »

Le décor ressemblait étrangement à celui du pavillon de Glebe End. Kimberley avait apporté tous ses biens dans des cartons et des sacs en plastique, et ils y étaient restés. Les boîtes et les sacs étaient encore pour elle ce que les placards et les tiroirs sont pour les autres. Néanmoins, elle avait acheté des meubles : un canapé et ses deux fauteuils assortis, énormes, en tapisserie gris et violet agrémentée de passementerie et de festons dorés, une table écarlate incrustée de dorures, un poste de télévision encastré dans un meuble blanc et or. Il n'y avait pas de tapis, il n'y avait pas de rideaux. Clint, qui avait appris à marcher depuis la dernière fois où Burden l'avait vu, trottinait dans la pièce d'un pas mal assuré, frottant le biscuit au chocolat qu'il avait sucé sur la moindre surface en tissu qu'il trouvait sur son passage. Kimberley était vêtue d'un caleçon noir, de chaussures blanches à talons aiguilles et d'un bustier rouge sans bretelles. Elle jeta à Burden un regard belliqueux et dit qu'elle ne comprenait rien à ce qu'il racontait.

« D'où vient tout ça, Kimberley ? Il y a trois semaines,

341

vous vous demandiez ce que vous alliez devenir si vous n'aviez plus le pavillon. »

Sans perdre son air furieux et renfrogné, elle détourna les yeux et contempla ses propres pieds, dont les orteils tournaient vers l'intérieur.

« Ça vient de Zack, c'est ça ? Pas de votre grand-mère.

— Ma grand-mère est morte, dit-elle à ses pieds.

— Bien sûr, mais elle ne vous a rien laissé, elle n'avait rien à léguer. Comment ça s'est passé ? Ça a été versé à Zack en liquide ? Ou bien il a ouvert un compte bancaire à vos deux noms, et a fait verser la somme dessus ?

— J'en sais rien du tout, vous savez. Pour moi ça veut rien dire.

— Kimberley, dit Wexford, il a assassiné Annette Bystock. Il n'a pas seulement volé sa télé et son magnétoscope. Il l'a assassinée.

— Ça, jamais ! Il lui a chouravé ses affaires, c'est tout. »

Elle releva la tête et la pencha sur le côté en remontant l'épaule, comme pour essayer de protéger son visage contre un coup imminent. L'enfant, retourné à son occupation favorite, enlevait les objets d'une boîte en carton et les déposait dans une autre. Il pêcha un paquet neuf de thé en sachets et trotta jusqu'à sa mère, sa trouvaille entre les mains. Elle le souleva brutalement et l'installa sur ses genoux. On aurait dit qu'elle s'en servait comme d'un bouclier.

« Il m'a dit qu'il avait seulement fauché la télé et les affaires. Il a de l'argent à la banque ? Et pourquoi il en aurait pas ? D'accord, ça vient de sa famille, pas de la mienne. Il a dit de parler de ma grand-mère, à cause qu'elle venait de mourir. Mais c'est de sa famille que ça vient. Son père a du fric. Arrache pas ça, Clint, tu vas faire tomber tous les sachets. »

L'enfant n'écouta pas. Il avait déchiré le carton et trouvé les sachets. Il était extrêmement satisfait. Kimberley le tenait fort, les bras serrés autour de sa taille. Elle dit d'un ton farouche :

« Il a jamais tué personne. Pas Zack. Il ferait jamais ça. »

Elle était sincère, pensa Wexford. Il était quasiment sûr qu'elle ne savait rien.

« Zack vous a dit qu'il y aurait de l'argent à la banque, avant de s'en aller ? »

Elle hocha la tête.

« Sur mon compte à moi. Il l'a mis là pour moi. »

Clint tenait un sachet de thé et tirait dessus à deux mains, de plus en plus rouge sous l'effort.

« Pourquoi cet appartement, Kimberley ? demanda Burden.

— Il est sympa, non ? Je l'aimais, il me plaisait, ça vous suffit pas ?

— Ça ne serait pas parce que vous n'aviez pas à faire d'effort pour l'avoir ? Il appartient à Crescent Comestibles, n'est-ce pas ? C'est-à-dire à Mr Khoori. Vous n'avez pas eu à lever le petit doigt. Mr Khoori vous a installée ici et vous a donné de l'argent pour vous acheter ce que vous vouliez. »

Il fut clair pour Wexford qu'elle n'avait aucune idée de ce que Burden voulait dire. Elle ne jouait pas la comédie. Simplement, elle ignorait tout, et ces noms ne signifiaient rien pour elle. L'enfant sur ses genoux avait réussi dans son entreprise, il avait déchiré le sachet et en répandait le contenu sur le caleçon de sa mère et par terre. Mais elle n'en avait pas conscience. Elle les fixait, ébahie. Wexford vit qu'il était inutile d'insister.

« Comment ça s'est passé, Kimberley ? »

Elle épousseta les grains noirâtres épars sur ses jambes et donna à Clint une bourrade sans conviction.

« Je marchais dans la grand-rue avec lui dans sa poussette et j'ai vu ce qui était écrit là-haut, sur les appartements et les hypothèques, tout ça, et je me suis dit : "Pourquoi pas ? Il y a tout ce fric, Zack dit qu'il est à moi maintenant." Alors je suis entrée et j'ai vu le type, j'ai dit que j'avais le fric, que je pouvais payer cash ou par chèque, et j'ai demandé quand je pouvais m'installer. Et c'est ce que j'ai fait, je me suis installée. Et je sais rien sur ce Mr Couri, j'en ai jamais entendu parler. »

Evidemment, elle savait que la source de cet afflux de liquidités inattendu était suspecte. L'argent honnête, surtout quand il s'élevait à plusieurs milliers de livres, ne trouvait pas miraculeusement son chemin jusqu'au compte en banque des semblables de Zack Nelson. Les familles comme les Nelson n'avaient pas de fortune privée, n'organisaient pas de fonds d'entraide pour les plus humbles de leurs rejetons. Elle le savait aussi bien qu'eux. Mais Wexford était conscient qu'elle ne lâcherait jamais le morceau, elle n'avouerait jamais que cet argent ne pouvait être que d'origine malhonnête. Son désir d'améliorer sa situation matérielle était si grand qu'elle n'avait aucun scrupule à fermer les yeux. Elle inventerait seulement des explications et des prétextes plus extravagants.

« Le point essentiel, dit-il à Burden lorsqu'ils furent sortis dans la grand-rue de Stowerton, c'est qu'elle ne sait pas d'où ça vient. Zack Nelson, dans sa sagesse, ne le lui a jamais dit. Ou plutôt il lui a raconté un mensonge qu'il savait qu'elle prendrait pour tel, mais accepterait. Il voulait qu'elle soit en sécurité, et elle l'est. Ce n'était pas la peine de faire tant de détours pour éviter sa rue.

— Mais il sait, lui.

— Et vous croyez qu'il le dira ? A ce stade ? dit Wexford avec un haussement d'épaules. D'accord, nous pouvons aller lui poser la question au centre de détention provisoire, et il débitera tout un baratin sur la sénilité de Percy Hammond et le fait qu'Annette était morte bien avant qu'il entre à Ladyhall Court. Or, il nous est impossible de prouver le contraire, Mike. Nous ne prouverons jamais que Percy Hammond a vu Zack par deux fois. Si Zack tient sa langue, et c'est ce qu'il fera, le pire qui puisse lui arriver est d'écoper d'une peine de six mois pour cambriolage. »

Ils avançaient sans but, la chaleur incitant à un pas lent et paresseux, pourtant ils furent au carrefour du marché presque avant de s'en rendre compte. Les banques sont toujours regroupées dans la partie de la ville qui leur est livrée, et en passant d'abord devant la Midland puis devant la Natwest, Burden eut une idée :

« Ce compte bancaire, Zack doit l'avoir ouvert avant de tuer Annette. Dès qu'il a accepté le boulot, donc le mardi ou le mercredi au plus tard. On peut retrouver de quel particulier ou de quelle banque provient le chèque encaissé un ou deux jours après.

— De quel droit, Mike ? dit Wexford presque tristement. De quoi pouvons-nous nous prévaloir pour examiner un compte au nom de Kimberley Pearson ? Elle n'a rien fait. Elle n'est l'objet d'aucune poursuite. Elle ignore l'origine de l'argent, mais elle s'est d'ores et déjà convaincue que Zack l'a eu d'un riche et vieux grand-père. Aux yeux de la loi elle est innocente, et aucune banque ne nous laissera enfreindre le secret bancaire.

— Je me demande pourquoi Zack Nelson s'est jeté dans la gueule du loup en poussant Bob Mole à écouler cette radio au grand jour, sur un marché que nous surveillons en permanence.

— Précisément parce que nous le surveillons, Mike, dit Wexford en riant. Pour cette raison même. C'est comme lorsqu'il s'est introduit chez Annette, le même désir d'attirer l'attention. C'est ce qu'il voulait, ce qui lui permettrait de s'en sortir : se faire arrêter pour vol et coffrer en lieu sûr. Il a même choisi la plus reconnaissable des marchandises volées, cette radio tachée de rouge. »

Ils s'arrêtèrent sur la place et s'apprêtaient à faire demi-tour pour revenir sur leurs pas, comme font les gens que leur flânerie a entraînés trop loin, quand l'attention de Wexford fut attirée par la foule qui s'était massée devant la halle aux blés. C'était un édifice de style victorien, où l'on accédait à l'entrée à colonnade par une volée de marches. Sur ces marches, quelques-uns de ceux qui attendaient s'étaient assis ou allongés, comme sur les degrés d'un amphithéâtre. En haut, près de l'entrée, une demi-douzaine de manifestants s'escrimaient sur une banderole, qui soudain se déploya et révéla un slogan : « Donnez-nous le droit de travailler. »

« C'est le départ de la Marche des chômeurs, dit Burden. Qui aurait cru qu'on verrait ça un jour par ici ? On pouvait l'imaginer à Liverpool, ou à Glasgow. Mais ici ?

— Qui aurait cru qu'on verrait un jour de l'esclavage par ici ? Mais Sojourner était une esclave.

— Sans doute pas tout à fait.

345

— Si quelqu'un travaille sans salaire ou sans avoir accès à un salaire, ne peut quitter son emploi, n'a pas le droit de sortir, est battu et insulté, qu'est-il, sinon un esclave ? "Les esclaves ne peuvent respirer en Angleterre, si leurs poumons absorbent notre air, dès cet instant ils sont libres ; ils foulent notre pays et leurs fers tombent." J'ai trouvé cette phrase dans un livre, je ne crois pas qu'elle restera longtemps dans ma mémoire. Elle était peut-être vraie autrefois, mais c'est bien fini. J'ai recopié ceci, dit Wexford en sortant un morceau de papier de sa poche. C'est une affaire qui ne remonte pas au XVIIIe siècle mais à six ans.

« "Roseline, lut-il, vient du sud du Nigeria. A l'âge de quinze ans, elle fut achetée pour deux livres à son père indigent, à qui l'on fit croire qu'il recevrait cette somme régulièrement chaque mois, ce qui l'aiderait à nourrir ses cinq autres enfants. Roseline, affirma le couple, serait leur invitée et étudierait les arts ménagers. Ils la ramenèrent à Sheffield où le mari était médecin. Traitée comme une souillon, elle avait l'interdiction de sortir, couchait par terre et était forcée de rester à genoux pendant deux heures si elle s'endormait avant d'y être autorisée. Sa journée de travail commençait à cinq heures et demie et durait dix-huit heures. Elle nettoyait et lavait pour ses employeurs et leurs cinq enfants. Elle était battue à coups de canne et sous-alimentée. Une fois, de désespoir, elle écrivit un message au voisin, lui proposant son corps en échange d'un sandwich. Le message fut intercepté et elle fut à nouveau punie. En septembre 1988, alors que ses bourreaux étaient partis pour une semaine, elle trouva le courage de parler à quelqu'un qu'elle avait souvent vu passer dans la rue, de sa fenêtre, et qui la saluait toujours d'un signe. Cette personne l'aida à s'échapper et elle poursuivit ses anciens maîtres en justice. On lui accorda vingt mille livres de dommages et intérêts. Toutefois, elle n'avait reçu qu'un permis de séjour de trois mois et ses employeurs l'avaient gardée plus de trois ans. Elle était en situation irrégulière et donc passible d'expulsion immédiate." »

Burden garda le silence quelques secondes.

346

« Sojourner a tenté de s'échapper et a été punie. C'est là que vous voulez en venir ?

— Ils ont poussé la punition trop loin. Ils ont certainement eu peur du scandale, de devoir verser des dommages et intérêts. Ils se sont assurés que cela n'arriverait pas. Ils s'en sont assurés jusqu'au bout en assassinant Annette qui pouvait peut-être révéler leur identité et leur adresse, et ils ont cherché par deux fois à supprimer Oni, à qui Sojourner avait peut-être dit où ils vivaient.

— Vous pensez qu'elle est entrée sur le territoire comme cette Roseline, en tant que touriste ? Elle a obtenu un visa de trois ou six mois, seulement elle est restée ?

— Qui l'aurait su, si elle ne sortait jamais et que personne ne la voyait ? Si les visiteurs qui fréquentaient la maison ignoraient sa présence ? En fait, son employeur n'avait qu'à lui dire que si on la prenait, elle serait expulsée, vers le Golfe probablement, pour s'être rendue complice d'une fraude.

— Elle n'aurait pas préféré être expulsée que de vivre dans des conditions si terribles ?

— Ça dépend de ce qui l'attendait. Dans bon nombre de parties du monde, tout ce qui reste à une femme sans le sou et sans foyer est la prostitution. En tout cas, la complicité de Sojourner s'arrête là. Elle est censée avoir été informée de ses droits avant même de quitter son pays pour venir ici, elle est censée avoir reçu une brochure explicative sur la législation de l'immigration et ses recours en cas de mauvais traitements. Mais la loi ne vaut que dans ce contexte étroit. Si, comme je le pense, Sojourner est entrée avec la famille en tant que touriste, en tant qu'invitée, elle ne jouissait d'aucun droit. D'autant que, pour autant que nous le sachions, elle ne savait pas lire. Elle ne lisait très probablement pas l'anglais, en tout cas.

« Elle savait très peu de chose du monde extérieur, de cette Angleterre, de Kingsmarkham. Elle était noire mais ne voyait jamais d'autres gens comme elle. Et puis un jour, en regardant par la fenêtre, elle a vu Melanie Akande faire son jogging...

— Reg, c'est de l'invention pure et simple.

347

— Simple déduction, rétorqua Wexford. Elle a vu Melanie. Non pas seulement une fois mais à maintes reprises.
Presque tous les jours à partir de la mi-juin. Dehors, là-bas,
elle voyait une jeune fille noire comme elle, une Nigériane
comme elle, et elle pressentait peut-être les origines africaines de Melanie.

— Supposons que ce soit vrai, ce dont je ne suis pas sûr.
Et après ?

— Je pense que cela lui a donné confiance, Mike. Cela
lui a montré qu'une évasion était possible et que le monde
ne serait pas entièrement hostile. Et donc elle s'est enfuie,
dans la nuit, sans savoir rien d'autre...

— Non, ça ne va pas. Ça ne colle pas. Elle avait entendu
parler du Centre pour l'emploi. Elle savait que c'était l'endroit où on allait chercher du travail, ou à défaut de l'argent... Regardez. La Marche va commencer. »

Etaient-ils une centaine ? Comme la plupart des gens,
Wexford n'était pas très fort pour dénombrer une foule d'un
simple coup d'œil. Il lui faudrait voir avancer des groupes
de quatre ou huit avant de pouvoir le dire. Ils formaient une
colonne à présent, par rangs de quatre, ayant choisi deux
des leurs pour tenir la banderole et former l'avant-garde.
Deux hommes, l'un et l'autre d'âge mûr. Burden crut en
reconnaître un pour l'avoir vu lors de ses fréquentes visites
au Centre. C'est alors qu'il aperçut pour la première fois
des agents en uniforme, dont deux étaient soudain apparus
sur les marches de la halle aux blés.

Ils avaient formé une procession et se mettaient en route.
Difficile de savoir quel signal avait déclenché le départ. Un
mot chuchoté peut-être, parcourant la colonne de bouche à
oreille, ou la banderole soudain brandie. Les deux agents
sur les marches regagnèrent leur véhicule garé sur les dalles
carrées du marché, une Ford blanche barrée d'une bande
rouge et de l'aigle en écusson qui était l'emblème de la
gendarmerie du Mid-Sussex.

« Nous allons les suivre aussi », dit Wexford.

Ils reculèrent pour laisser passer la colonne. Le défilé
était assez lent, comme toujours au départ. Il prendrait de
la vitesse en arrivant sur la route de Kingsmarkham. Pres-

que tout le monde était en jean, en chemise ou en tee-shirt, des baskets aux pieds, uniforme universel. Le plus âgé était un homme d'une bonne soixantaine d'années qui ne pouvait espérer de travail et défilait donc par civisme, par altruisme ou pour s'amuser. La plus jeune était une petite fille en poussette, dont la mère était la jumelle de Kimberley Pearson avant qu'elle fût entrée en possession d'une fortune.

Une seconde banderole marquait l'approche de l'arrière : « L'emploi pour tous. C'est trop demander ? »

Les deux femmes qui la portaient se ressemblaient tant qu'elles ne pouvaient être que mère et fille. La manifestation s'engagea dans la grand-rue, la voiture de police avançant au pas derrière. Wexford et Burden remontèrent en voiture et Donaldson prit la suite de la Ford blanche.

« Quelqu'un doit lui en avoir parlé, s'obstina Wexford, répondant à l'objection de Burden comme si leur conversation n'avait subi aucune interruption. Elle connaissait sûrement quelqu'un qui pointait, ou bien elle a rencontré quelqu'un qui lui a conseillé d'aller au Centre pour l'emploi.

— Qui, par exemple ? répliqua Burden, qui se sentait en terrain sûr. Et même en l'admettant, pourquoi ce quelqu'un ne lui a-t-il pas expliqué comment y aller ? Pourquoi ne l'a-t-il pas aidée à s'échapper ? Pourquoi ne lui a-t-il pas dit qu'elle pouvait faire appel à la justice ?

— Je ne sais pas.

— Pourquoi lui avoir parlé d'emplois et d'allocations, lui avoir expliqué comment s'enfuir, et ne pas être venu nous trouver ?

— Ce sont des détails, Mike. Ces questions trouveront leur réponse. Pour le moment, nous ne savons pas où ces sévices, où ce meurtre ont eu lieu. Mais nous savons pourquoi. Parce que, faute d'avoir reçu l'aide d'Annette, elle n'a eu d'autre choix que de retourner là-bas. Où serait-elle allée, autrement ? »

La colonne bifurqua à gauche dans Angel Street et, prenant de la vitesse, arriva au rond-point. La première sortie allait vers Sewingbury, la deuxième vers Kingsmarkham, la troisième vers la zone industrielle que Wexford avait traversée deux jours plus tôt. Passant entre les fabriques, elle rejoignait la route de Kingsmarkham au pub nommé le Halfway House.

« Je ne vois pas l'intérêt, dit Burden. La moitié des usines ont mis la clef sous la porte.

— Je suppose que c'est justement ça, l'intérêt », dit Wexford.

Le soleil qui brillait avec éclat quand ils étaient sur la place du Marché de Stowerton s'était caché, battant retraite derrière un voile mince de nuages. Il était devenu blanc et lointain, une simple flaque de lumière, et la masse floconneuse s'effilochait en petits nuages ourlés d'ombre. Mais la chaleur persistait, grandissait, et deux jeunes parmi les marcheurs enlevèrent leur chemise et la nouèrent autour de leur taille.

Des renforts les attendaient au coin de Southern Drive, une demi-douzaine d'hommes et une jeune femme dont la banderole proclamait assez mystérieusement : « Oui à l'Eurotravail ». Il n'est peut-être pas de spectacle plus désolant dans une société qu'une rangée de fabriques désaffectées. Des boutiques condamnées par des planches ne sont rien en comparaison. Les bâtisses, dont deux étaient toutes neuves, avaient les fenêtres fermées et la porte cadenassée ; des pancartes proposant la location ou la vente étaient plantées dans les pelouses envahies par les mauvaises herbes. Sur un nouveau signal, les membres de la colonne tournèrent la tête comme un seul homme vers ces monuments au chômage à mesure qu'ils passaient, tel un régiment honorant un cénotaphe.

Les usines n'étaient pas toutes fermées. Un atelier de pièces mécaniques était resté ouvert, et une usine qui produisait des cosmétiques aux plantes semblait prospère. Burden fit remarquer que l'imprimerie avait rouvert, au coin de Southern Drive et de Sussex Mile, et que les presses tournaient à nouveau. C'était bon signe, le signe de la fin de la récession et du retour à la prospérité. Wexford ne répondit pas. Il réfléchissait, et pas seulement aux problèmes économiques. En toute logique, la colonne aurait dû lancer des hourras mais elle garda le silence. Ses membres ne semblaient pas partager l'optimisme de Burden. La colonne gravissait la longue colline basse. Il restait au moins une distance d'un kilomètre et demi, et Wexford aurait volontiers demandé à Donaldson de doubler et de rouler devant mais le passage était impossible. La route devint un étroit chemin de terre, un sentier blanc entre les hautes haies et les arbres géants.

Ils ne croisèrent qu'une seule voiture avant la jonction avec la route de Kingsmarkham. Elle stoppa, et la Ford blanche fit de même. Mais l'agent n'avait pas ouvert sa portière que les membres de la colonne, changeant de place, s'alignaient sur une seule file, les banderoles plaquées contre la haie. Lentement la voiture avança et, distinguant ses occupants, Wexford vit que le conducteur était le Dr Akande, son fils auprès de lui sur le siège du passager. Akande hocha la tête et leva la main, geste classique de remerciement. Il baissa la main avant d'avoir vu Wexford — ou peut-être ne le vit-il pas du tout. Le garçon à ses côtés avait une expression maussade et blessée. C'était une famille qui ne lui pardonnerait jamais de l'avoir préparée à la mort d'une fille, la mort d'une sœur.

Sur la route de Kingsmarkham, le trafic n'était pas très chargé pour un vendredi midi, mais il n'était pas fluide pour autant. La Ford blanche dépassa les manifestants et prit place en tête de la colonne. D'autres encore les rejoignirent à l'intersection avec la route de Forby, et ils s'arrêtèrent pour laisser passer une douzaine de voitures venant de Kingsmarkham. Il y avait près de cent cinquante personnes, à présent, calcula Wexford. Bon nombre semblaient avoir jugé que cette partie de la route était le meilleur endroit pour s'attacher aux manifestants, des familles entières qui avaient abandonné leur voiture sur les bas-côtés herbus, des femmes, accompagnées de trois ou quatre bambins, qui voyaient là l'occasion d'une belle journée au grand air, des adolescents qui, au dire de Burden, ne devaient être là que pour chercher la bagarre.

« Nous verrons, dit Wexford. Peut-être pas.

— J'avais quelque chose à vous dire. Toute cette histoire d'esclavage me l'a fait sortir de la tête. Annette a bel et

351

bien fait un testament, et à qui croyez-vous qu'elle a légué son appartement ?

— A Bruce Snow.

— Comment l'avez-vous appris ? Dommage, moi qui croyais vous épater...

— Je ne le savais pas. J'ai deviné. Vous n'auriez pas pris un ton si théâtral si ç'avait été l'ex-mari ou Jane Winster. J'espère qu'il est reconnaissant. Il aura un endroit où aller quand sa femme l'aura complètement mis sur la paille. Ça ne sera pas très commode d'avoir Diana Graddon de l'autre côté de la rue. »

La colonne approchait des faubourgs de Kingsmarkham. Comme dans la plupart des petites villes anglaises, on y entrait par des routes bordées de grandes maisons datant du milieu et de la fin du XIXe siècle, des gentilhommières entourées de grandes haies et de jardins désuets, à l'atmosphère subtilement différente de Winchester Avenue et Ashley Grove. Au lieu de s'étaler, la richesse se cachait derrière ces murs, dissimulée sous une négligence presque miteuse.

Une femme sortit en courant d'une des maisons et descendit un long sentier dallé pour se joindre au cortège. Dans son jean et son corsage sans manches, elle pouvait aussi bien être une employée qu'une patronne. Sylvia resterait-elle chez elle maintenant qu'ils n'étaient plus dans le besoin ? Ou rejoindrait-elle la manifestation, faisant généreusement campagne pour les autres ? Burden, abîmé dans ses pensées, dit soudain :

« Ce dossier dont vous parliez mentionne-t-il la nationalité de l'employeur ?

— Non. Il est vraisemblable que la famille était britannique.

— Mais ils pouvaient aussi être nigérians. Enfin, ils pouvaient l'avoir été avant d'être britanniques. »

Burden se débattait sans que Wexford tente de l'aider. Il renonça.

« Ils étaient noirs ?

— Le dossier est politiquement correct. Il ne le précise pas. »

En haut devant eux, le pont qui enjambait le Kingsbrook

était en vue. L'opposition massive à la création de ronds-points avait conservé au centre-ville de Kingsmarkham son aspect de toujours, du moins superficiellement. Mais l'étranglement causé par l'étroitesse du pont occasionnait une telle gêne pour la circulation qu'il avait été élargi deux années plus tôt. Ce n'était plus l'arche de pierre basse représentée sur nombre de cartes postales, mais une structure implacable en acier peint en gris, dominée par le motel Olive and Dove, annexe de l'hôtel du même nom. Les arbres, des aulnes, des saules et des marronniers d'Inde géants, étaient restés pour la plupart.

C'était le lieu de prédilection des adolescents qui couraient entre les voitures arrêtées au feu rouge pour nettoyer les pare-brise. Ils étaient là ce jour-là, mais ils avaient abandonné leur tâche ingrate et souvent mal accueillie pour se joindre au défilé. De ce côté du pont, un petit groupe de gens, peut-être une dizaine, se mêla à la queue de la colonne. Parmi eux se trouvait Sophie Riding, la fille aux longs cheveux dorés comme les blés que Wexford avait vue pour la première fois alors qu'elle attendait son tour au Centre, et dont il avait appris le nom par Melanie Akande. Avec la femme qui l'accompagnait, elle portait une banderole en soie rouge, confectionnée avec art, où les mots : « Une chance pour les diplômés » étaient formés de lettres blanches cousues sur l'étoffe.

La colonne attendait. L'agent de service fit signe aux trois voitures qui patientaient au feu et quand elles furent passées, indiqua aux manifestants qu'ils pouvaient monter sur le pont. Wexford vit les consommateurs attablés devant l'Olive se lever et tendre le cou pour voir passer la procession qui allait s'allongeant. Burden dit :

« Au fait, autre chose que j'ai oublié de vous dire : Mrs Khoori est élue.

— Personne ne me dit jamais rien.

— Avec une majorité de sept voix. Dans un mouchoir de poche.

— Vous voulez que je les suive, chef ? » demanda Donaldson.

Les manifestants avaient eu l'intention de tourner à

droite, dans Brook Road. Les porteurs de banderole à l'avant du cortège s'arrêtèrent à l'autre bout du pont et l'un d'eux leva la main, indiquant la gauche. Le consensus, telle une vague invisible, s'était sûrement propagé le long de la quadruple ligne de participants, car la réponse lui parvint et la colonne tourna, s'incurvant vers la gauche comme un train négocie un virage serré sur les rails.

« Garez-vous en face du Centre pour l'emploi », dit Wexford.

Devant eux, la voiture de police fit de même. Sur les murs près de l'escalier, Rossy, Danny et Nige étaient assis avec Raffy. Pour une fois sans chapeau, celui-ci arborait l'énorme casque de tresses qui couronnaient sa tête et tombaient en cascade sur son dos. Tandis que la procession approchait puis s'arrêtait en désordre, Danny descendit du mur et écrasa son mégot du pied.

« Et maintenant, qu'est-ce qui se passe ? marmonna Burden.

— Un geste symbolique va avoir lieu. »

Pendant que Wexford parlait, Sophie Riding confia à son voisin son extrémité de banderole réclamant une chance pour les diplômés. Elle se détacha de la colonne et monta les marches. Dans sa main, elle avait une feuille de papier — une pétition peut-être, ou une déclaration. Rossy, Danny, Raffy et Nige la suivirent des yeux jusqu'à ce qu'elle disparaisse à l'intérieur du Centre.

Elle n'y resta pas plus de quinze secondes. Le document avait été remis, un point avait été marqué. Quelques secondes à peine après qu'elle se fut de nouveau fondue dans la colonne, les doubles battants du Centre s'ouvrirent et Cyril Leyton apparut. Il regarda de gauche à droite, puis la colonne qui n'en était plus une, ayant perdu sa forme pour devenir une foule amorphe et disséminée. Leyton prit un air menaçant. Il parut sur le point de dire quelque chose et l'aurait peut-être fait s'il n'avait aperçu, à cet instant, le véhicule de police de l'autre côté de la rue.

La porte battit longuement derrière lui tandis qu'il retournait à l'intérieur. Précaution sage vu les circonstances, elle était de celles qui sont impossibles à claquer. Sans signal apparent, tel un vol d'oiseaux que leur chef dirige par des moyens silencieux et inconnus, la foule reprit sa formation par quatre, amorça un virage — ceux de l'avant n'avaient aucune intention de renoncer à leur position privilégiée — et s'en retourna par là d'où elle était venue.

Les garçons du mur vinrent grossir la fin de la manifestation. Sophie Riding souleva une extrémité de sa banderole, la femme qui était avec elle souleva l'autre. Alors que la colonne tournait dans la grand-rue, l'horloge de l'église Saint-Peter sonna les premiers coups de midi.

24

L A TOUFFEUR rappelait le cœur d'une forêt tropicale, ou un sauna. Il n'y avait pas un souffle d'air. Le soleil était perdu sous des bancs de moutons blancs et des nuées gris sombre. Le tonnerre avait roulé, si lointain que son grondement était couvert par la rumeur trépidante du trafic.

La manifestation occupait la file de gauche dans la rue principale de Kingsmarkham. Là, l'avenue était assez large, et les voitures allant vers Stowerton avaient la place de se faufiler, mais celles qui se dirigeaient en sens inverse étaient détournées dans Queen Street vers la longue route sinueuse du sud. La colonne dépassa Saint-Peter alors que la dernière note du carillon de midi s'évanouissait, et continua vers le nord en longeant le mur du cimetière. A l'entrée de la déviation, deux agents de police — un homme et une femme — dégageaient la voie pour livrer passage à la colonne. Ses rangs avaient encore grossi au portail du cimetière et, devant le grand supermarché de l'artère principale, un homme et une jeune fille abandonnèrent le chariot qu'ils venaient de prendre dans le parking pour s'attacher aux pas de la procession.

La voiture de police au flanc barré d'une bande rouge et d'un écusson avait fait demi-tour, remplacée par une Vauxhall banalisée conduite par l'agent Stafford, avec près de lui l'agent Rowland. Wexford et Burden avaient garé la leur devant les bureaux de Hawkins & Steele, où travaillait Bruce Snow, mais quand Stafford passa la tête par la fenêtre et proposa de les accompagner, Wexford refusa et dit qu'ils suivraient la colonne à pied. Sophie Riding, qui avait remis la pétition au Centre pour l'emploi, était deux rangs plus loin. Ils étaient pris en sandwich entre sa banderole et la voiture de police banalisée. C'est ainsi qu'ils en vinrent à être si complètement témoins de ce qui allait se produire.

La Range Rover était garée du côté droit, le capot tourné vers la droite, sur une bande jaune discontinue à une cinquantaine de mètres d'eux, devant Woolworth. C'était un lieu de stationnement gênant ce matin-là, mais cela n'enfreignait aucune règle du code. Wexford ne reconnut pas la Range Rover, pas plus que le camion blanc garé derrière et la voiture devant, mais il songea que l'attitude des conducteurs qui avaient laissé leur véhicule à cet endroit particulier manquait de civisme. Il remarqua également la couleur olive de la Range Rover, et le souvenir lui revint de la réunion de *Women, Aware !* et du message qu'on lui avait transmis. Sur le coup, il jugea plus intéressant le spectacle, loin devant et seulement visible pour une personne d'aussi grande taille que lui, d'Anouk Khoori traversant la pelouse devant les bureaux du conseil, les bras ouverts. Dans une robe fluide et mouvante, elle ouvrait les bras à l'instar d'une personnalité royale de retour d'un voyage diplomatique, accueillant les enfants dont elle avait été séparée pendant un mois.

Comme il le confia à Burden, Wexford se demandait si elle dirait aux manifestants qu'elle savait, oui, qu'elle avait eu le pressentiment qu'ils viendraient, quand la portière droite de la Range Rover s'ouvrit et Christopher Riding descendit sur le trottoir. Il n'était plus qu'à une voiture d'écart avec Wexford et Burden. La portière gauche s'ouvrit et le père de Christopher sortit. Alors tout alla très vite.

Christopher contourna l'avant de la Range Rover au moment où sa sœur Sophie arrivait à sa hauteur. Dans un mouvement concerté, Swithun Riding et lui l'attrapèrent par les bras. Elle lâcha la banderole en poussant un cri. Ils la soulevèrent de terre et ouvrirent à toute volée la portière arrière. Tous deux grands et forts, de leurs mains énormes et de leurs bras musclés ils la balancèrent dans les airs, et ses cheveux blonds flottèrent telle une frange dorée lorsqu'ils la jetèrent sur la banquette arrière.

Les manifestants qui se trouvaient tout près reculèrent à la débandade. Une femme hurla. Quelqu'un ramassa la banderole. Devant, la colonne continuait d'avancer, ignorant ce qui s'était passé, mais ceux qui se trouvaient en queue s'arrêtèrent pour regarder. Swithun Riding avait pris le volant, son fils se faufilait entre le capot de la Range Rover et la voiture de devant. Il devait y avoir un système de verrouillage central car Sophie ne pouvait ouvrir la portière pour s'enfuir. Elle martelait la vitre de ses poings en s'époumonant.

Wexford se retourna vers la Vauxhall banalisée et fit un signe du menton à Stafford, puis il se précipita sur la poignée de la portière arrière. La trouvant bloquée comme il s'y attendait, il tambourina contre la vitre. Stafford et Rowlands étaient sortis de la Vauxhall, stupéfaits d'un tel incident. Cela, c'était sans précédent. Cela, ici, à Kingsmarkham ?

Le conducteur de la voiture de devant, sciemment ou non, recula de quelques centimètres. Cette manœuvre dangereuse fit lâcher à Christopher un cri de rage et de panique. Le conducteur freina juste à temps. Christopher se retrouva coincé entre les pare-chocs des deux véhicules, telles les mâchoires d'un piège qui lui immobilisait les jambes. Il se débattait, faisait des grands gestes des bras et criait :

« Avance, mais avance, connard ! »

La tête de la manifestation, inconsciente de la confusion qui régnait à l'arrière, poursuivait sa route, imperturbable. Comme un cheval de parade dont les jambes postérieures ont perdu la cadence, elle adopta un trot lourd et saccadé sur les dernières centaines de mètres de son parcours. L'arrière s'était disloqué en une foule de spectateurs fascinés. Burden adressa un rapide hochement de tête à Wexford, se glissa entre l'arrière de la Range Rover et l'avant de la camionnette blanche, dépassa la prisonnière qui hurlait et ouvrit énergiquement la portière gauche que Riding avait déverrouillée pour son fils.

« Recule, p'pa ! Recule ! » criait à présent le jeune homme.

Riding mit le moteur en route et actionnait le levier de vitesse quand Burden escalada le marchepied et grimpa sur le siège du passager. Riding ne l'avait jamais vu et dut croire qu'un badaud lui cherchait noise. Sans hésiter, il eut aussitôt une réaction totalement inattendue : il ramena son bras droit en arrière à la manière d'un discobole et envoya sauvagement son poing dans la mâchoire de Burden.

La portière s'écarta sous le choc. Burden tomba à la renverse. Il amortit sa chute en s'accrochant à la portière mais s'étala à moitié sur le trottoir. La jeune fille hurla de plus belle. Portière battante, Riding fit marche arrière et percuta la camionnette blanche dans un grand bruit de tôle froissée. Alors il vit les policiers en uniforme. Il vit Wexford.

« Ouvrez cette portière », ordonna l'inspecteur principal.

Riding le contempla, éberlué. La moitié des curieux s'étaient rangés près de la camionnette, devant Woolworth. Quelqu'un aida Burden à se relever. Etourdi, il tituba, porta la main à son crâne et s'assit lourdement sur le muret devant la grande surface. Wexford écarta le jeune homme et, passant entre les deux voitures, monta par la portière ouverte.

« Ne vous avisez pas de recommencer avec moi », dit-il.

Il débloqua la portière gauche et aida la jeune fille à sortir. En larmes, elle s'accrochait à lui, l'agrippait par les manches, frémissant sous les invectives déversées par Riding. La tête dans l'ouverture de la portière, il vociférait à l'adresse de Burden :

« Qu'est-ce que ça peut vous foutre si j'empêche ma propre fille de se ridiculiser en public ? En quoi ça vous regarde, bon sang ? »

Sophie Riding tremblait de tous ses membres et claquait des dents. Christopher, qui s'était dégagé et frictionnait ses jambes endolories, se redressa et tendit la main vers elle pour l'apaiser.

« Ne me touche pas ! lui hurla-t-elle.

— Tout le monde au poste, dare-dare ! » dit Wexford.

Le visage ensanglanté, Burden marmonna quelque chose

359

en se tenant la tête. La sirène mugissante d'une ambulance appelée par Stafford fit reculer la foule, qui se divisa en deux groupes distincts, l'un massé derrière Burden, le reste des spectateurs collé contre le mur du cimetière. L'ambulance surgit de York Street et bloqua la route pour se garer sur le chemin qu'avait suivi la colonne. Devant, les manifestants étaient hors de vue. A l'apparition des ambulanciers, dont deux chargés d'un brancard que Burden considéra d'un œil mauvais, les premières gouttes de pluie se mirent à tomber.

Riding avait déverrouillé sa portière. Cramoisi, il descendit le marchepied et dit à Wexford :

« Ecoutez, ce que j'ai fait est parfaitement justifiable. J'avais prévenu ma fille que je l'empêcherais de participer à la Marche, elle savait ce qui lui pendait au nez. Ce type-là a eu le culot de s'interposer...

— Ce type-là est un officier de police.

— Bon Dieu, je ne...

— Si vous voulez bien monter dans la voiture, nous allons tous nous rendre au poste. Vous vous expliquerez là-bas. »

La jeune fille était grande, droite et vigoureuse. Elle avait l'air de ce qu'elle était, le produit de vingt-deux ou vingt-trois ans d'alimentation saine, de grand air, de soins et d'attention, d'éducation dans les meilleures écoles. Wexford ne se souvenait pas d'avoir vu un visage plus vulnérable. Il ne portait pas de contusions mais n'en était pas moins meurtri. La peau était incroyablement douce, presque diaphane, les yeux bouffis, les lèvres gercées malgré le plein été. Ses cheveux, de la couleur de l'orge mûr qu'on avait fauché dans les champs du côté de Mynford, paraissaient artificiels autour de ce visage souffrant, ils faisaient l'effet d'un postiche imposé à une actrice pour un rôle à contre-emploi.

« Je peux rentrer chez moi, s'ils n'y sont pas, dit-elle à Karen Malahyde.

— Pour l'instant vous n'irez nulle part, répliqua Karen avec gentillesse. Avez-vous envie d'une tasse de thé ? »

Sophie Riding accepta. Souhaitant la ménager, Wexford lui expliqua :

« Nous n'irons pas dans la salle d'interrogatoire ; ce n'est pas un endroit très agréable. Nous allons monter dans mon bureau. »

Soudain il pensa à Joël Snow, et sut que Karen y pensait aussi. La situation était différente — n'est-ce pas ? Joël était réticent tandis que cette fille savait que c'était la seule issue. Dans l'ascenseur, il lui dit :

« Ça ne sera pas long.

— Qu'attendez-vous de moi ?

— Une chose que je regrette de n'avoir pu vous demander il y a deux semaines. »

Ils entrèrent dans le bureau. La pluie était assez forte pour voiler les fenêtres et assombrir la pièce. Karen alluma et le ciel, derrière les carreaux, se transforma en un ruissellement opaque. Elle donna une chaise à Sophie.

Wexford prit place derrière son bureau.

« C'est vous qui m'avez posé cette question sur le viol à la réunion de *Women, Aware !* ? »

Elle avait hâte de parler mais elle avait peur, aussi.

« Oh oui ! Je voulais faire le tour ensuite, comme vous l'aviez dit, et vous retrouver dans la pièce du fond. Je l'aurais fait si j'avais pu, j'espère que vous me croyez. »

Soudain, précédant le tonnerre de quelques secondes, un éclair zigzaguant abolit tout, maintint comme suspendue l'eau ruisselante, rendit invisible le ciel sombre, jusqu'au fracas, et le monde reprit son cours. Sophie frissonna et poussa un petit gémissement, comme une protestation. On frappa à la porte et Pemberton entra, avec le thé. Elle cacha son visage dans ses mains. Quand elle releva la tête, ses joues étaient baignées de larmes. Karen poussa la boîte de mouchoirs en papier vers elle.

« Je vous crois, dit Wexford. Je sais ce qui vous a empêchée de venir me voir.

— Merci, dit Sophie en prenant un mouchoir, puis elle répéta la question qu'elle avait posée à Wexford. Qu'attendez-vous de moi ?

— Que vous déposiez. Que vous nous disiez tout. Ce ne

361

sera pas difficile, en pratique. Cela peut être pénible sur le plan affectif.

— Bon. Je ne peux pas continuer plus longtemps. Il faut que ça cesse. Je ne le supporterai pas un jour, pas une minute de plus. »

Il dit avec honnêteté :

« Il y a d'autres moyens. Nous y arriverions sans votre témoignage. Vous n'êtes pas obligée de le faire. Mais si vous ne le faites pas, je crains... Je crains qu'il y ait peut-être d'autres... »

Karen articula dans le magnétophone :

« Sophie Riding, poste de police de Kingsmarkham le vendredi vingt-neuf juillet. Heure : midi quarante-trois. En présence de l'inspecteur principal Wexford et du sergent Malahyde... »

Quand ce fut fini et qu'il eut tout entendu, Wexford descendit dans la salle d'interrogatoire numéro un, où le père de Sophie était assis sous la garde de l'agent Pemberton. Il s'était calmé. Son teint avait repris sa couleur habituelle. Les vingt minutes passées à ronger son frein l'avaient sans doute amené à regretter son geste impulsif. Un homme qui en a frappé un autre est toujours atterré d'apprendre que cet autre est de la police.

Il se leva à l'entrée de Wexford et commença à s'excuser. Les raisons qu'il avait eues de se comporter ainsi sortaient de sa bouche avec facilité, et étaient les excuses de l'homme qui a toujours réussi à se tirer d'un mauvais pas, soit par l'argent, soit par l'éloquence.

« Mr Wexford, je ne puis vous exprimer à quel point je suis navré de toute cette histoire. Inutile de dire que je n'aurais pas frappé votre homme si je m'étais douté. Je l'ai pris pour quelqu'un du public.

— Oui, je m'en doute.

— Ce n'est pas la peine que cela aille plus loin, n'est-ce pas ? Si ma fille s'était montrée raisonnable et était montée dans la voiture — après tout, elle avait fait la majeure partie de cette satanée Marche —, rien de tout cela ne serait arrivé. Je ne suis pas un père sévère, j'adore mes enfants...

362

— Ce n'est pas le traitement que vous réservez à vos enfants qui est en cause. Avant d'aller plus loin, je dois vous informer que toutes vos déclarations pourront être retenues contre vous... »

Riding l'interrompit en criant :

« Vous n'allez pas m'arrêter parce que j'ai cassé la figure à ce type !

— Non. Je vous arrête pour meurtre, incitation au meurtre et tentative de meurtre. Et quand j'en aurai fini avec vous, j'irai dans la pièce voisine et j'arrêterai votre fils pour viol et tentative de viol. »

« Sans la déposition de Sophie Riding, dit Wexford, je doute que ça aurait pu tenir debout. Nous n'avions aucune preuve, aucune pièce à conviction, rien que des hypothèses. »

La joue de Burden était enflée comme sur une vieille caricature d'un homme affligé d'une rage de dent.

« Avoir agressé un représentant de l'ordre est le cadet de ses soucis, je présume. Bizarre, non ? Moi qui étais si impressionné quand Mavrikiev a confirmé qu'on pouvait tuer à coups de poing, je me suis littéralement pris la réalité en pleine tête. C'est drôle : dans les films, les westerns par exemple, les personnages se tapent dessus sans que ça leur fasse le moindre effet. On leur balance un grand coup dans la mâchoire mais en moins de deux ils se relèvent et mettent une dérouillée à l'autre. Et à la scène suivante, ils sont là tout guillerets, sans un coquart, prêt à passer la nuit en ville avec une fille pendue à leur bras.

— Ça fait mal, hein ?

— Ce n'est pas tellement ça. J'ai l'impression d'avoir une de ces chiques ! J'ai du mal à croire que ça refonctionnera un jour. Encore une chance qu'il m'ait laissé toutes mes dents. Alors, est-ce que vous allez enfin tout me dire ?

— Freeborn sera ici dans une demi-heure et il faudra que je le lui raconte.

— Vous pouvez me le dire avant. »

Wexford soupira.

« Je vais vous passer l'enregistrement de la déposition

de Sophie Riding. Vous avez compris, bien sûr, que Sojourner avait appris l'existence du Centre pour l'emploi par Sophie. Elle l'avait entendue en parler, dire qu'elle allait pointer là-bas, même si elle ne savait pas où cela se trouvait.

— Quoi, quand Sophie en parlait à ses parents ?

— Et à ses frères et sa petite sœur, sans doute. Sojourner les servait, elle allait et venait même si elle ne sortait jamais de la maison.

— Comment l'avaient-ils fait entrer dans le pays ?

— Sophie ne le sait pas. Elle n'était pas là, elle était déjà à l'Institut universitaire de technologie qui est aujourd'hui l'université de Myringham, et avant elle vivait ici, en pensionnat. Mais elle avait vu Sojourner dans leur maison du Koweït, quand elle y passait ses vacances, et elle se rappelle son arrivée. A son avis, ils ont fait passer Sojourner pour la petite amie de son frère. Au sens le plus odieux du terme, elle l'était, si c'est ainsi qu'on appelle la femme avec qui l'on a des rapports sexuels de force.

— C'est ce qui se passait ?

— Oui. Le père aussi, je crois, bien que je n'en aie pas la certitude pour l'instant. Ecoutez Sophie. »

Wexford avança la bande, appuya sur « play », rembobina et tomba sur l'endroit qu'il cherchait. La voix de la jeune fille était douce et plaintive, mais aussi indignée. On y sentait un appel au secours, pourtant elle n'avait rien de suppliant.

« Ma mère m'a dit qu'un Koweïtien l'avait achetée pour cinq livres à son père, à Calabar, au Niger. Il avait l'intention de l'éduquer et de la traiter comme sa fille, mais il mourut et elle dut se faire engager comme domestique. Ma mère parlait comme si nous lui avions fait une immense faveur, comme si c'était la meilleure chose au monde qui pouvait lui arriver de trouver refuge chez nous. Un refuge. C'est bien le terme qu'on utilise en parlant des chiens abandonnés ? Je crois qu'à l'époque elle avait à peu près quinze ans.

« Je n'y pensais jamais beaucoup. Je sais que j'aurais dû,

mais je n'étais pas souvent à la maison avec eux. J'aimais être ici, en Angleterre, il me tardait toujours d'y revenir. Quand la guerre du Golfe a éclaté, ils sont rentrés. Ce n'était pas un problème pour mon père, il pouvait travailler n'importe où, c'est un brillant spécialiste en chirurgie pédiatrique. Ça ne me plaît pas de l'admettre, je regrette d'avoir à le faire, mais c'est vrai. Il adore les bébés. Vous devriez le voir avec un nourrisson ! Et il nous adore, nous, sa famille, ses enfants. Mais nous sommes différents, en ce qui le concerne, nous sommes ce qu'il appelle "le gratin". Il dit que certains sont destinés à couper le bois et à puiser l'eau. Je crois que c'est tiré de la Bible. Pour lui, certaines personnes sont nées pour être esclaves et servir les autres.

« J'ai été bien naïve... Je ne savais pas d'où venaient ces bleus... Ces bleus, ces coupures et toutes les autres marques. Au Koweït, je l'avais trouvée jolie, mais elle n'était pas jolie en Angleterre. J'avais obtenu mon diplôme, j'étais tout le temps à la maison et tout ça restait pour moi un mystère. Je ne voyais jamais personne la frapper mais je savais bien qu'elle avait peur de mon père et de mon frère. Et de mon autre frère, David, quand il était à la maison, mais la plupart du temps il n'était pas là. Il est dans une université, en Amérique. Le pire, enfin, pour ce qui est de moi, c'est que je la trouvais stupide et maladroite, je comprenais même ma mère quand elle disait qu'elle n'était pas faite pour dormir dans une vraie chambre à coucher. »

Ayant appuyé sur « pause », Wexford commenta :

« Selon les psychologues, un être laid et sale est un candidat tout trouvé pour les mauvais traitements. Que ces sévices soient à l'origine de la laideur ne fait aucune différence. Le raisonnement à l'appui serait que la laideur mérite une punition, et plus encore la saleté, l'absence d'hygiène corporelle. C'en est arrivé au point où Sojourner recevait des coups pour la moindre faute. Elle travaillait douze à quatorze heures par jour mais ça ne suffisait pas. Susan Riding m'a dit elle-même que cette maison comptait six chambres, mais ils n'en avaient pas une seule pour Sojourner. Elle dormait dans une petite arrière-cuisine. Toutes les pièces à la arrière du rez-de-chaussée ont des barreaux aux fenêtres, pour dissuader les cambrioleurs, sans doute, mais fort pratiques si l'on veut empêcher quelqu'un de s'échapper.

« Je reviens de la maison, j'ai vu la pièce. C'est un ancien chenil, d'ailleurs ils y ont mis un chien, à présent. Susan Riding dit que cela convenait mieux — ce sont ses propres termes — que Sojourner reste là, au cas où ils auraient eu besoin d'elle la nuit. Le matelas à même le sol n'était que "ce dont elle avait toujours eu l'habitude", elle "n'aurait su que faire d'un lit". Voici la suite de la déposition de Sophie. »

La voix de la jeune fille avait cette fois un son plus clair, plus assuré.

« J'avais besoin de travailler, aussi, en toute logique, je me suis inscrite au Centre pour l'emploi. Seulement mes parents ne l'entendaient pas de cette oreille. Mon père disait que c'était une honte, que c'était réservé à la classe ouvrière. Il était tout disposé à assurer mon entretien. L'instruction ne répond pas à un but précis, disait-il, elle sert simplement à s'améliorer, se perfectionner. Il me verserait une pension. Après tout, il m'avait toujours entretenue. Ma mère disait en fait qu'ils m'entretiendraient jusqu'à ce que je me marie. Nous nous sommes beaucoup disputés à ce sujet, et cette pauvre fille a entendu. Son anglais n'avait jamais été fameux, mais ça, elle a dû le comprendre. Elle a dû savoir qu'il y avait un endroit, tout près, où on pouvait aller demander du travail, et que s'il n'y en avait pas, on recevait de l'argent.

« C'est au début juillet, le premier ou le deux, que mon frère Christopher lui a demandé, ou plutôt ordonné, de nettoyer ses chaussures de course. Des baskets blanches. Elle les a abîmées je ne sais comment, et elle était terrifiée. Il l'a battue pour ça. C'est là que pour la première fois j'ai compris ce qui se passait. Ça paraît absurde, je sais, que je n'aie pas compris plus tôt, mais je suppose que je me refusais à croire ça de mon propre frère. J'aime mon frère, ou du moins je l'aimais. Nous sommes jumeaux, vous savez.

« J'ai vu Christopher entrer chez elle et ressortir au bout

366

d'une vingtaine de minutes. Je serais bien allée voir mais elle n'avait pas poussé un cri. Sous les coups elle ne criait jamais.

« Dès que je l'ai vue le lendemain, j'ai compris. J'ai interrogé mon frère et il a nié. Il a dit qu'elle était maladroite, je devais bien m'en être aperçue, elle avait toujours été maladroite, elle n'était vraiment pas faite pour vivre dans une maison civilisée. Il a fait un tas de remarques sur les cases en terre battue et il a dit qu'elle n'arrivait pas à se faire aux meubles, qu'elle se cognait toujours dedans. Moi, ses explications ne m'avaient pas convaincue, j'en ai parlé à mon père mais j'ai seulement réussi à le mettre en rage. Si vous ne l'avez jamais vu en colère, vous ne pouvez pas comprendre. Il est terrifiant. Il m'a accusée d'être déloyale envers ma famille, il a voulu savoir où j'avais "ramassé toutes ces idées", si c'était au contact de mes amis "marxistes" que j'avais rencontrés au Centre pour l'emploi.

« Je sais que j'aurais dû faire quelque chose. Je me sens très coupable. A ce moment-là, j'ai su ce que je m'étais dissimulé pendant tout ce temps, que Christopher la violait constamment. Il y avait eu tous ces signes que je n'avais pas voulu voir. Je me suis contentée de vous adresser cette question à la réunion, ce qui ne servait strictement à rien.

« Le lundi après avoir été battue, elle a disparu. Mon père était à l'hôpital et Christopher à Londres, il avait un entretien d'embauche. J'ai deviné qu'elle s'était enfuie et ma mère le pensait aussi, mais nous ne savions pas quoi faire. Le soir, ma mère devait aller à son comité pour préparer la réunion de *Women, Aware !* Elle a laissé un message à mon père. J'ai dit qu'il fallait avertir la police, mais ma mère s'est affolée à cette idée. Maintenant, je comprends pourquoi. J'avais un rendez-vous, et quand je suis rentrée vers vingt-trois heures trente, ma mère était couchée et Christopher sorti, mais mon père était là. Il m'a dit, comme il l'avait aussi dit à ma mère, qu'il ne voyait pas pourquoi nous nous étions tellement affolées. Il avait renvoyé la fille chez elle, elle n'était bonne à rien et ça le rendait malade de la voir traîner dans la maison. Il a dit qu'il l'avait renvoyée à Banjul par British Airways mais le lundi il n'y a pas de vol pour Banjul sur cette compagnie, il n'y en a que le dimanche et le vendredi, j'ai vérifié. Mon frère a passé toute la soirée dehors et mon père nous a dit, à ma mère et à moi, qu'il l'avait accompagnée à Heathrow, mais ce n'est pas possible puisqu'il n'y avait pas de vol.

« Je ne croyais rien de tout ce qu'il me racontait. Je ne sais pourquoi, je pensais qu'elle serait dans sa pièce. Ils l'avaient sûrement battue quand elle était revenue, et elle serait là, couchée sur son matelas. J'ai essayé d'ouvrir la porte mais elle était fermée à clef. Seulement, vous savez, dans une maison comme la nôtre — une maison comme la leur — toutes les clefs intérieures s'adaptent à toutes les serrures. J'en ai trouvé une autre, j'ai ouvert la porte et tout avait disparu. Elle n'avait pas grand-chose, juste deux robes que ma mère avait depuis des années et dont elle ne voulait plus, et ces affreuses bottines lacées en toile noire que ma mère lui avait achetées. Les moins chères qu'elle avait trouvées. Mais tout avait disparu, à part le matelas et son foulard. Je ne sais pas comment ils ne l'ont pas trouvé quand ils ont nettoyé le sang. C'est vrai qu'il était sur le matelas, et que le matelas était dans les tons rouge et bleu. Le foulard était bleu et rouge. Rouge à cause du sang.

« Je l'ai gardé. C'était un peu fou, de le garder. J'avais envie de le jeter mais c'était plus fort que moi. Même alors, l'idée ne m'est pas venue qu'elle pouvait être morte. Cette nuit-là, mon frère s'est absenté pendant des heures. Je l'ai entendu rentrer, il devait être deux heures et demie ou trois heures, et le lendemain matin il est parti en vacances en Espagne, si bien que je n'ai pas eu la moindre occasion de lui parler. D'ailleurs, j'appréhendais de le faire. Ce n'était pas mon frère, ce n'était pas mon Chris qui avait été plus proche de moi que n'importe qui. C'est alors qu'au linge sale j'ai trouvé son pull tout couvert de sang.

« J'ai pensé que peut-être mon père l'avait fait hospitaliser en secret parce que mon frère était allé trop loin. Mon père a beaucoup d'influence, je ne sais pas s'il serait en mesure de faire ça mais je pensais que oui. La seule chose que j'avais à l'esprit, c'était mon frère en train de la violer, mon frère en train de violer des femmes. Je ne blâmais pas vraiment mon père, à ce moment-là, je me disais qu'il ne faisait peut-être que protéger son fils. Je suis allée à la réunion de *Women, Aware !* avec lui et j'ai écrit cette question, sur une impulsion. Mon père n'a pas vu ce que j'écrivais. J'ai prétendu que j'avais demandé s'il était légal d'avoir une bombe lacrymogène sur soi. Mais je n'ai pas pu venir m'expliquer ensuite, je n'ai pas pu m'éloigner de lui. »

Le chef de la police semblait avoir oublié les joyeuses libations de Wexford célébrées dans la gazette. Si les trois semaines qui avaient été nécessaires pour capturer le meurtrier des deux femmes lui pesaient sur le cœur, il n'en montra rien. Il était tout affable. Dans la vieille arrière-salle située au plus profond de l'Olive and Dove, un coin confortable contenant tout juste une table et trois chaises, une serveuse apporta les trois bières qu'il avait commandées. Wexford s'assit dans la chaise à accoudoirs. Il se dit qu'il le méritait bien.

« Il faut garder à l'esprit, commença-t-il, qu'elle ne savait rien des droits que lui accordait la loi sur l'Immigration, elle ne savait même pas que cette loi existait. Elle savait qu'elle n'était pas autorisée à travailler, mais on lui avait expliqué bien auparavant que le travail était ce en échange de quoi on était payé, or elle n'était jamais payée, elle avait juste trouvé un "refuge". Susan Riding l'appelait "la fille au pair" — du moins, c'est ainsi qu'elle m'en a parlé après la mort de Sojourner. Pour rendre justice à Mrs Riding, car je pense que chacun mérite justice, je ne crois pas qu'elle savait grand-chose du sort de Sojourner. Elle la laissait coucher sur un matelas par terre dans le chenil parce qu'elle est de ces femmes qui disaient jadis que si l'on donne une baignoire aux pauvres, ils y entreposent leur charbon. En achetant à Sojourner les chaussures les moins chères qu'elle pouvait trouver, elle se croyait sans doute très généreuse. Je me demande ce qu'elle dirait si elle savait que la vendeuse l'a prise pour une clocharde qui dormait dans les rues ?

« Mais elle ne savait rien des viols et des coups, ou si elle les soupçonnait, elle fermait les yeux, se disait qu'elle se laissait emporter par son imagination. Ce soir-là, quand elle est rentrée de la réunion du comité, son mari lui a dit qu'il avait renvoyé la fille dans son pays et que Christopher était parti l'accompagner à l'aéroport. D'après Mrs Riding, Sojourner était devenue "sale et paresseuse", elle n'était bonne à rien. En dehors du fait qu'elle avait besoin d'aide pour l'entretien de la maison, elle était contente de la voir disparaître.

« Ce qui s'est passé en réalité, c'est que Sojourner s'est enfuie le lundi après-midi. Riding était absent, Christopher était à Londres et la petite sœur à l'école. Elle ne savait où aller, elle n'était encore jamais sortie, du moins jamais de la propriété, mais elle savait qu'il y avait un endroit où on allait chercher du travail. Elle devait penser que rien ne pourrait être pire que ce qu'elle laissait derrière elle.

— Vous dites qu'elle ne savait pas où aller, l'interrompit Freeborn. Winchester Avenue est à bonne distance du Centre pour l'emploi. Comment a-t-elle trouvé son chemin ?

— Elle a suivi la rivière, chef. De là-bas, on voit le Kingsbrook au-delà des jardins. Melanie Akande aimait le regarder pendant qu'elle courait. Soit que l'instinct ait guidé Sojourner, soit qu'elle ait su qu'une ville est souvent bâtie sur une rivière, toujours est-il que ses pas la conduisirent à Glebe Road où elle rencontra Oni Johnson, qui lui indiqua le Centre pour l'emploi. Quant au reste, vous le connaissez. Elle suivit Annette jusqu'à chez elle et, n'ayant pu obtenir d'elle l'aide dont elle avait besoin, elle n'eut pas d'autre choix que de retourner d'où elle était venue.

— Dommage que cette Annette ne nous l'ait pas envoyée », dit Freeborn.

Ça, c'était à la base de tout depuis le début, pensa Wexford, mais bien entendu il garda sa réflexion pour lui.

« Elle ne rentra pas tout de suite, ou alors il lui fallut un bon moment pour retrouver son chemin. En tout cas, elle n'arriva là-bas qu'après le départ de Susan et Sophie Riding. Admettons qu'elle soit passée par la porte de service et rentrée dans sa chambre, où Swithun Riding la trouva.

« Je ne dis pas qu'il avait l'intention de la tuer. Il n'en avait aucune raison. Il lui demanda où elle était passée et

370

quand elle le lui dit, il voulut savoir si elle avait parlé à quelqu'un. Oui, à la femme qui fait traverser la rue aux enfants, et à la femme de l'endroit où on donne du travail ou de l'argent. Quel est son nom ? Où habite-t-elle ? Elle le lui dit et tout éclate. La fille de Riding a parlé de ses accès de rage. Il entre en fureur et la bourre de coups de poing. Mike en est resté sonné, or ce n'était qu'une toute jeune fille, chétive et fragile. Ils la nourrissaient très mal. Malgré tout, elle n'est pas morte sous ses poings mais parce qu'elle s'est cogné la tête contre le cadre en métal des barreaux de la fenêtre. Quand on est dans cette pièce, on voit bien comment c'est arrivé.

— Donc, il charge son fils de l'aider à se débarrasser d'elle, dit Burden. Le jeune Christopher emporte le corps dans les bois de Framhurst et l'enterre.

— Oui, pendant qu'il était censé accompagner leur ex-esclave à Heathrow. Je doute qu'il ait su d'avance où l'enterrer. Il a simplement roulé dans la campagne jusqu'à ce qu'il trouve un endroit propice. La route n'est pas fréquentée, et il a sûrement attendu qu'il fasse noir.

— Et après, Riding a dû décider ce qu'il allait faire d'Annette et d'Oni.

— Je ne crois pas qu'il comptait faire quoi que ce soit à Oni. Somme toute, le lien était un peu mince. Oni n'irait pas à la police, elle n'avait rien de tangible pour cela, mais pour Annette c'était différent. Il a dû manquer devenir fou à force de se demander ce que Sojourner lui avait raconté. Il n'a pas dû beaucoup fermer l'œil cette nuit-là. Juste après qu'Annette a téléphoné au Centre, le lendemain, un homme a appelé et demandé après elle. Ingrid Pamber a cru que c'était Snow, mais c'était Riding. Et la réponse qu'on lui a faite lui a laissé un peu de temps pour se retourner. Annette était chez elle, alitée et malade.

— Comment connaissait-il son nom ? voulut savoir Freeborn.

— Annette avait dû le dire à Sojourner, à Ladyhall Court. Sa manœuvre suivante a été de mettre la main sur Zack Nelson. Voyez-vous, Nelson avait une dette envers lui. C'est Riding qui avait opéré son fils quand on a découvert que l'enfant souffrait d'une malformation cardiaque alors qu'il n'avait que quelques semaines. Sans nul doute, Nelson avait fait des promesses extravagantes à l'époque. "Je ferais n'importe quoi pour vous, doc, quand vous voulez, vous n'avez qu'à demander." Vous imaginez le genre.

« En outre, Zack avait besoin d'argent. Il lui fallait un toit pour sa compagne et leur enfant. Mais Zack a raté son coup, il a laissé Percy Hammond voir son visage et il a dû y retourner sur les instructions de Riding pour commettre un délit moins grave : un cambriolage. Il savait qu'il se ferait pincer pour ça, et il voulait se faire pincer. Il a demandé à Riding de déposer l'argent du sang sur le compte en banque qu'il avait ouvert au nom de Kimberley Pearson.

« Riding et son fils se croyaient donc à l'abri, jusqu'à ce que notre chasseur de trésors exhume le corps. Même alors, il était clair pour Riding que personne n'avait la plus petite idée de l'identité de Sojourner. Il a commencé à avoir peur pour de bon quand, en venant chercher sa fille cadette à l'école Thomas Proctor, il a vu que j'étais remonté jusqu'à Oni Johnson.

« J'avais bien vu la Range Rover s'éloigner de l'école le jour où Oni s'est fait agresser, mais je n'avais pas fait le rapprochement. C'est au fils, à Raffy, que je voulais parler, pas à Oni. Riding a eu tout le loisir d'arriver à Castlegate avant qu'elle ne rentre chez elle. Ou alors, c'est son fils qui y est allé : Christopher peut lui aussi m'avoir vu, car il était là-bas, dans l'Escort rose des Epson, pour prendre l'aîné des gamins. Au fait, si déplaisante que soit cette idée, je pense que Christopher a suivi Melanie à Stowerton parce qu'il avait pris goût aux jeunes filles noires. Heureusement pour Melanie, il ne lui plaisait pas et il a sans doute eu peur de violer une jeune femme libre et indépendante.

« J'ignore encore lequel, du père ou du fils, a attenté aux jours d'Oni. Nous le découvrirons. Je sais en revanche que le lendemain, Riding est entré dans le service des soins intensifs et — disposant de très peu de temps ou craignant d'être aperçu — a enlevé l'intraveineuse du bras d'Oni. Ça n'a pas marché mais ça valait la peine d'essayer.

— Qui est passé prendre la petite Riding à l'école, le

jour où Sojourner s'est enfuie ? s'interrogea Burden. Ni Riding ni sa femme. Un ami, probablement. Ils devaient avoir un système de roulement avec d'autres parents. Parce que si lui ou sa femme y étaient allés, ils auraient rattrapé Sojourner avant qu'elle ne rencontre Oni et Annette, et rien de tout cela ne serait arrivé. Je me demande s'il y pense, quelquefois. »

Freeborn, qui avait fini son verre d'une seule traite, dit avec agacement :

« Pourquoi lui donnez-vous ce prénom ? Qu'est-ce que cela signifie ?

— Je n'aimais pas l'idée de l'appeler Miss X, et nous ne connaissions pas son nom.

— Et alors, vous le connaissez, maintenant ?

— Oh oui, dit Wexford, maintenant je le connais. Si elle avait un nom de famille, personne ne semble s'en souvenir. Mais à la différence des autres, Sophie n'a jamais oublié le prénom qu'elle avait prononcé quand l'homme la leur avait confiée, avant de mourir. Elle s'appelait Simisola. »

Il repoussa sa chaise et se leva.

« Bien. On y va ? »

Achevé d'imprimer en août 1995
sur les presses de Brodard et Taupin
à La Flèche
pour le compte des Éditions Calmann-Lévy
3, rue Auber, Paris 9ᵉ

Nº d'impression : 1849M-5
Dépôt légal : septembre 1995
Nº d'éditeur : 12169/01